Christiane

Morin

Le Petit Monde de Saint-Anselme

Michel David

LE PETIT MONDE DE SAINT-ANSELME

Les années 30

roman

4501, rue Drolet
Montréal (Québec) H2T 2G2 Canada
Téléphone: (514) 842-3481
Télécopieur: (514) 842-4923
Courrier électronique: francel@guerin-editeur.qc.ca
Site Internet: http://www.guerin-editeur.qc.ca

4501, rue Drolet
Montréal (Québec)
H2T 2G2
Tél.: (514) 842-3481
Téléc.: (514) 842-4923
Courrier électronique: francel@guerin-editeur.qc.ca
Site Internet: http://www.guerin-editeur.qc.ca

Dépôt légal
ISBN 2-7601-6454-3
Bibliothèque nationale du Québec, 2003
Bibliothèque nationale du Canada, 2003
IMPRIMÉ AU CANADA

Nous reconnaissons l'aide financière du gouvernement du Canada par l'entremise du Programme d'Aide au Développement de l'Industrie de l'Édition (PADIÉ) pour nos activités d'édition.
Canada

Révision linguistique André Lefebvre
Maquette de la couverture Guérin éditeur
Mise en pages, infographie Guérin éditeur
Œuvre de la page couverture : *Le Quadrille* de Michel David (1 m X 70 cm)

Distribution
A.D.G.
(Agence de distribution Guérin)
4501, rue Drolet
Montréal (Québec)
H2T 2G2
Tél.: (514) 842-3481
Téléc.: (514) 842-4923

« Gouvernement du Québec – Programme de crédit d'impôt pour l'édition de livres – Gestion SODEC »

Est-ce vous que j'appelle
Ou vous qui m'appelez ?
Langage de mon père
Et patois dix-septième,
Vous me faites voyage,
Mal et mélancolie.
Vous me faites plaisir,
Et sagesse et folie.

Gens de mon pays
Gilles Vigneault

Chapitre 1

Le curé Desmeules

Le curé Desmeules faisait les cent pas sur la galerie de son presbytère autant pour faciliter sa digestion que par habitude lorsqu'il lisait son bréviaire. La barrette solidement plantée sur la tête, les lunettes sur le bout du nez, l'homme de Dieu relevait de temps à autre la tête pour jeter un coup d'œil aux rares passants sur la rue Principale en ce début de soirée de mai.

Il tira sa montre de sa poche et regarda l'heure. Il lui restait une heure avant la récitation du chapelet. Il déposa son bréviaire sur le bras de sa chaise berçante et continua son va-et-vient sur la galerie qui courait sur toute la façade du grand bâtiment en brique rouge de deux étages.

À 50 ans, Édouard Desmeules était demeuré une force de la nature. Ce fils de cultivateur de Sainte-Monique en imposait tant par sa taille que par la force de sa voix. Le quinquagénaire à la figure ronde et aux cheveux poivre et sel n'avait rien de commun avec le chétif vicaire Letendre que l'évêque lui imposait depuis deux ans pour le seconder. Selon lui, il n'y avait pas grand-chose à attendre de ce grand abbé pâlichon et maigre qui boudait la bonne nourriture du bon Dieu. Augustine, sa cuisinière, avait beau jouer à la mère avec cet avorton en essayant de le gaver, elle perdait son temps. Une chance que le presbytère était grand et qu'il ne l'avait pas trop souvent dans les jambes. L'abbé faisait ce qu'on lui disait de faire : s'occuper du catéchisme dans les écoles, faire la visite de quelques malades et diriger les enfants de Marie. Le reste, le curé Desmeules s'en chargeait.

Il avait la responsabilité des âmes de Saint-Anselme depuis 15 ans. La tâche n'était pas toujours facile et il fallait avoir l'œil à tout. En septembre 1916, l'évêque de Nicolet lui avait demandé de remettre de l'ordre dans cette grosse paroisse de près de 1000 habitants. Le vieux curé Lalande, malade et mal secondé, avait tout laissé aller depuis quelques années. Il fallait un homme à poigne pour redresser la situation. Il l'avait fait.

Maintenant, il pouvait être fier de son œuvre. Mis à part quelques exceptions, la dîme était payée régulièrement, en nature ou en argent. Il était parvenu à faire venir les sœurs de l'Assomption pour s'occuper du couvent. Il avait mis fin aux luttes intestines chez les Dames de Sainte-Anne en faisant nommer Amanda Sénécal à la présidence, une femme qui lui était toute dévouée. Presque tous les paroissiens assistaient à la messe le dimanche et faisaient leurs Pâques. Il n'y avait pas de mécréants chez lui. Il ne l'aurait pas toléré.

Bien sûr, il avait fallu élever le ton pour se faire comprendre de quelques-uns. Par exemple, le notaire Allard, un mordu du modernisme et un peu libre-penseur, avait dû mettre une sourdine à ses idées peu orthodoxes... Et la grosse Thérèse Lagacé, une mère de famille, n'avait pas eu le choix de cesser de parler des droits de la femme. À Saint-Anselme, il n'y avait pas de place pour de pareilles idées subversives venues tout droit de Montréal.

Édouard Desmeules eut une grimace au souvenir de Médéric Élie, candidat conservateur dans le comté. Lors de la campagne de 1927, le politicien avait promis à son organisateur en chef, Laurent Sénécal, de l'aider à obtenir un permis de boisson parce que ce dernier se proposait d'ouvrir une sorte de club où les jeunes des paroisses environnantes pourraient venir danser à Saint-Anselme le samedi soir. Il avait alors brandi du haut de la chaire la lettre pastorale du cardinal Bégin qui condamnait les danses modernes, les robes immodestes et l'alcool. Il y avait eu des prises de bec publiques mémorables entre Sénécal et son curé. L'affaire était allée jusqu'à l'évêque... Finalement, pour le plus grand bien du comté et de la paroisse, le candidat conservateur avait mordu la poussière et un bon Libéral avait été élu.

Il restait cependant quelques irritants dont le moindre n'était pas le peu de vocations fournies par sa paroisse au diocèse. N'était-il pas normal que chaque famille consacre l'un des siens au service de Dieu ? Il y avait bien quelques filles qui avaient choisi la vie religieuse parce qu'elles avaient été intelligemment orientées par les sœurs de l'Assomption qui leur enseignaient au couvent. Mais des prêtres ? L'évêque ne perdait pas une occasion de lui reprocher la stérilité de sa paroisse dans ce domaine. Pourtant, son supérieur ne pouvait lui reprocher de ne pas faire des efforts dans ce sens. À deux ou trois occasions dans le passé, il était même parvenu à convaincre des parents de se priver de l'aide de l'un de leurs fils pour le laisser entreprendre son cours classique au petit séminaire de Nicolet. Chaque fois, la vocation n'avait pas été assez forte pour résister et le jeune avait abandonné en cours de route. Le dernier en date, Léopold Lavigne, n'avait même pas fait deux ans. Ces échecs répétés le rendaient amer. Selon lui, il était évident que certains parents ne jouaient pas leur rôle.

Le curé Desmeules vit Léo Durand, son bedeau, ouvrir les portes de l'église. Déjà, une quinzaine d'enfants, récurés et bien peignés, attendaient sur le parvis. Plusieurs femmes, les enfants de Marie et une poignée de vieillards, regroupés au pied des marches, discutaient en attendant l'heure de la récitation du chapelet. L'air embaumé par la haie de lilas qui entourait le presbytère n'incitait pas à entrer trop rapidement dans la maison de Dieu.

Le curé remit ses lunettes dans son étui et descendit lentement l'escalier. Il franchit sans se presser la trentaine de mètres qui le séparait de son église. En passant, il salua ses paroissiens d'un sec salut de la tête et il entra dans le temple par la porte de côté qui donnait directement sur la sacristie. Il passa un surplis sur sa soutane et il pénétra dans le chœur dès que l'absence de bruit lui eut révélé que ses fidèles étaient installés.

Ceux qui connaissaient leur curé sentaient qu'il n'était pas de bonne humeur uniquement à sa façon de marcher et de les saluer. La patience et la délicatesse ne faisaient pas partie des qualités de leur pasteur. Édouard Desmeules avait la réputation justifiée de toujours aller droit au but avec une franchise un peu brutale. Mettre des gants blancs était synonyme, à ses yeux, de faiblesse et d'hypocrisie.

Avant d'entreprendre la récitation du chapelet, il ne put s'empêcher de réprimander les femmes présentes.

— Où sont vos maris et vos fils ? Où sont vos grandes filles ? demanda-t-il d'un ton sévère à ses paroissiennes. Y a-t-il quelque chose de plus important que la vénération de la mère de Dieu ? C'est vous les responsables de vos foyers. C'est à vous qu'est confiée la tâche d'entraîner à l'église les vôtres. Ce soir, vous n'avez pas fait ce que Dieu attend de vous. Comment voulez-vous que fleurissent des vocations dans votre foyer si vous ne poussez pas vos jeunes vers la piété ? Faites un examen de conscience en priant la Vierge.

Sur ces mots, il tourna carrément le dos à ses fidèles et il s'agenouilla brusquement sur la première marche de l'autel. Ensuite, le curé entreprit la récitation du chapelet avec ses paroissiens.

Il y eut quelques soupirs de soulagement dans la maigre assistance. On avait échappé à l'un de ses longs sermons tant redoutés. Pour une fois, le diable et les flammes de l'enfer avaient pris congé. Mais ce n'était que partie remise. À la grand-messe du dimanche suivant, ils le connaissaient assez pour savoir que sa voix tonnerait du haut de la chaire.

Chapitre 2

Saint-Anselme

La municipalité de Saint-Anselme était coupée en deux par la rivière Nicolet depuis sa fondation, près de cent ans plus tôt.

Saint-Édouard avait été le premier rang à se développer à Saint-Anselme et il était demeuré l'artère principale de la paroisse. Il surplombait la rivière d'une dizaine de mètres tout en suivant les méandres de sa rive sud. Au fil des ans, huit autres rangs, perpendiculaires au rang Saint-Édouard, s'étaient ouverts. Peu à peu, une centaine de cultivateurs y avaient défriché des terres et s'y étaient établis. On y avait aussi bâti trois petites fromageries et des écoles de rang quand les besoins l'avaient exigé.

Pour entrer dans le village construit sur la rive nord de la Nicolet, le voyageur venant du rang Saint-Édouard devait descendre une pente abrupte, traverser un petit pont en bois qui enjambait la rivière et remonter une côte aussi escarpée. Une fois au sommet, le village s'étendait devant lui. Là, l'étroite route de terre s'élargissait soudainement pour devenir la rue Principale. Cette dernière était bordée par deux larges trottoirs en bois grâce aux bons offices du député libéral du comté qui avait ainsi remercié les gens d'avoir voté massivement pour le bon parti aux élections de 1927. À la sortie du village, la route faisait un large virage avant de s'enfoncer dans les terres et retrouver, quelques kilomètres plus loin, la route provinciale qui reliait Nicolet à Drummondville.

Curieusement, les bâtiments importants de Saint-Anselme, le cœur du village en quelque sorte, avaient tous été érigés face à la rivière. Sa vieille église en pierre, son imposant presbytère de deux étages, le couvent des sœurs de l'Assomption et la petite école du village dominaient la soixantaine de maisons construites de part et d'autre de ce noyau vital.

Face à l'église et dos à la rivière, s'alignaient le magasin général de Jérôme Beaudet, la maison en brique du docteur Tanguay, l'étude du notaire Cyprien Allard et la boulangerie de la veuve Beaupré. Si la première maison du village était la forge de Roméo Cadieux, la dernière était la boucherie de Lorenzo Camirand qui, quatre ans après l'installation des trottoirs de la rue Principale, n'avait toujours pas digéré que ces derniers s'arrêtent cinq bons mètres avant son commerce. Les villageois désireux de le faire enrager n'avaient qu'à laisser sous-entendre que les autorités en avaient ainsi décidé parce qu'elles ne considéraient pas sa boucherie comme faisant partie du village.

Il faut aussi mentionner que sans renier leurs origines terriennes, les habitants du village tiraient une certaine fierté à se distinguer des cultivateurs. Leur maison et les dépendances étaient l'objet de beaucoup de soins. On les peignait de teintes pastel et on fleurissait les parterres. Pourtant, mises à part leur couleur, la plupart de ces maisons se ressemblaient. Il s'agissait, pour la plupart, de constructions en bois à un étage entourées d'une large galerie et coiffées d'un toit très pentu. Derrière chacune, on pouvait voir un jardin limité le plus souvent par une remise et une écurie. Un bon nombre de ces maisons étaient occupées par des cultivateurs âgés qui avaient laissé à leur fils aîné leur ferme pour venir jouir, à l'ombre du clocher, si on peut dire, d'une retraite bien méritée.

À l'écart des grandes routes, Saint-Anselme n'était tout de même pas à l'abri des bouleversements que subissaient la province et le pays.

Antoine Girouard, le maire et président de la commission scolaire, ne connaissait peut-être pas aussi bien que le curé tous les drames vécus par ses administrés, mais il en savait assez pour s'inquiéter de l'avenir de sa municipalité. Lorenzo Camirand, son adversaire au conseil, avait beau rameuter ses opposants à chaque réunion : il n'aurait pas fait mieux que lui s'il avait été à sa place. Que pouvait-il faire pour empêcher les jeunes de déserter ? Ce n'était pas sa faute s'ils étaient attirés par la vie facile de Montréal et par la perspective de conduire une automobile. Il n'était pas responsable non plus de la crise économique qui rendait l'argent rare au point que certains cultivateurs n'arrivaient plus à payer leurs dettes. Il fallait se serrer les coudes et essayer de vivre avec ce que produisait la ferme. La période ne se prêtait ni aux grands projets ni aux folles dépenses.

Le quadragénaire frotta sa large calvitie et jeta un regard vers son étable par la fenêtre de la cuisine. Amable, son homme engagé, en sortait.

— Les maudits innocents ! dit-il à mi-voix en pensant à certains jeunes de la paroisse. C'est jeune et c'est bête. Ils s'imaginent plus fins que les autres. Eux, ils vont trouver une job sans problème quand des dizaines de milliers de chômeurs crèvent de faim et courent la soupe populaire. T'as beau leur répéter sur tous les tons que leur avenir est sur la terre de leurs parents, ils veulent rien comprendre.

Debout devant son évier où elle finissait de laver la vaisselle, Hélène Girouard tourna la tête vers son mari qui regardait vers les bâtiments.

— Veux-tu ben me dire ce que t'as à ronchonner de même ? lui demanda-t-elle. Ça fait dix minutes que tu te parles tout seul.

— Laisse faire, je pensais à haute voix.

— Bon ! Pendant que tu penses à voix haute, tu pourrais peut-être me dire quand tu vas enfin m'installer une pompe à l'évier. Tu me la promets depuis deux ans et je suis encore obligée d'aller chercher l'eau à la pompe du jardin.

— Je vais m'en occuper ; inquiète-toi pas.

Chapitre 3

La famille Marcotte

Trois jours plus tard, au milieu de l'après-midi, Eusèbe Marcotte travaillait à réparer une clôture.

— Ah ben ! Ça parle au Maudit, par exemple ! Le vieux verrat m'en a même pas parlé !

Rouge de colère, le gros homme jeta dans l'herbe la masse avec laquelle il était en train de planter un piquet et il s'essuya la figure avec un large mouchoir qu'il tira de la poche arrière de son pantalon.

— Voyons, p'pa ! dit Henri, son fils aîné de 23 ans qui venait d'arriver, c'était son droit au vieux Delorme de vendre son bien à qui il voulait.

Ne tenant aucun compte de l'intervention de son fils, Eusèbe redressa son chapeau de paille et lui demanda d'un ton rogue :

— Où est-ce que t'as appris cette nouvelle-là, toi ?

— Au magasin général. J'en arrive. Jérôme Beaudet en discutait avec le docteur Tanguay. Il paraît que Delorme a vendu sa terre et son roulant à un gars de Montréal que connaissait un de ses cousins. Ils ont signé les papiers hier après-midi chez le notaire Allard.

— En plus, y est trop tard pour faire quoi que ce soit ! Baptême ! j'aurais jamais cru qu'il me ferait un coup pareil. Ça fait cinq ans que je lui dis de m'en parler quand il se déciderait à vendre, que j'étais intéressé à lui donner un prix raisonnable pour sa terre. Tout un bon voisin ! Il se dépêche à accepter la première offre sans m'en parler. J'ai ben envie d'aller lui dire dans la face ma façon de penser.

Le gros quinquagénaire se calma brusquement, reprit sa masse et la tendit à son fils.

— Tiens ! Continue à ma place. Je vais t'envoyer Maurice pour te donner un coup de main. Il faut finir les clôtures avant de faire le train sinon on va être obligé de garder encore les vaches dans l'étable. Je vais lui dire d'apporter un voyage de perches. Vous examinerez la clôture qui nous sépare de Delorme et vous remplacerez les piquets qui sont pourris.

Sur ces mots, Eusèbe laissa son fils et reprit le chemin de la maison, le dos un peu voûté, le pas lent.

Son plus beau rêve venait de s'évanouir. Les Marcotte ne posséderaient pas la plus grande terre de Saint-Anselme et, plus grave encore, Henri, Maurice ou Jocelyn ne pourrait pas s'établir à ses côtés. Tous ses plans venaient de prendre le bord... Maudit Delorme !

La famille Marcotte était établie dans le rang Sainte-Anne depuis trois générations. Elle possédait l'une des plus belles terres de la paroisse.

Le père d'Eusèbe, Maxime Marcotte, s'était saigné aux quatre veines pour racheter la terre des Crevier, partis tenter leur chance dans les filatures de la Nouvelle-Angleterre en 1912. Ses sacrifices n'avaient pas été inutiles. Lui-même avait agrandi le bien familial. Les Marcotte avaient déjà la plus grande ferme du rang Sainte-Anne, mais lui, il venait de perdre bêtement l'occasion d'y ajouter trente bons arpents supplémentaires. Il n'y avait qu'à regarder sa grande maison blanche à deux étages entourée de beaux érables centenaires, ses bâtiments soigneusement chaulés et sa trentaine de vaches pour se rendre compte qu'Eusèbe Marcotte était un cultivateur à l'aise. À Saint-Anselme, il avait été l'un des premiers à faire l'acquisition d'un tracteur et de quelques machines modernes. Avec l'aide de sa femme Estelle, de ses trois fils et de ses trois filles, il tirait le maximum de son bien.

Dur à l'ouvrage, le cultivateur n'en était pas moins un bon vivant et, surtout, un homme avisé. Les innovations ne lui faisaient pas peur. Il était le seul cultivateur du rang à avoir le téléphone. Il écoutait toujours attentivement les avis de l'agronome. Il était probablement l'un des rares fermiers de Saint-Anselme de sa génération que ses fils ne pouvaient tasser sous le prétexte que ses méthodes étaient dépassées. Eusèbe tenait la barre solidement et il n'était pas prêt à abandonner son bien à quiconque, pas même à son aîné. Il estimait avoir encore devant lui une bonne quinzaine d'années de bon temps et il entendait en profiter.

Le problème venait de ses fils qui vieillissaient et qui voudraient bientôt s'établir.

Déjà, Henri fréquentait pour le bon motif la petite Germaine Côté, de Saint-Gérard, et on parlait de fiançailles pour Noël prochain. Si c'était le cas, le curé Desmeules n'accepterait sûrement pas que ces dernières s'éternisent et il pousserait dans le dos des jeunes pour qu'ils se marient dès le printemps prochain. Depuis cinq ans, Eusèbe avait prévu que cela arriverait un jour à l'un ou l'autre de ses fils. C'est pourquoi il avait fait une offre discrète à son voisin, Marcelin Delorme.

Ce dernier, célibataire, prenait de l'âge. À plus de 70 ans, le vieil homme ne parvenait plus à cultiver sa terre et à entretenir ses bâtiments. Tout s'en allait à l'abandon. Eusèbe était pourtant prêt à y mettre le prix pour que l'un de ses fils puisse s'établir à côté de chez lui. Ensemble, les Marcotte auraient pu remettre d'aplomb cette ferme plus petite que la leur et la rendre rentable. À son avis, elle était bien assez grande pour faire vivre une famille.

Si les Côté voulaient garder leur bien, Henri et Germaine auraient pu s'installer sur la terre du vieux Delorme. Maurice et Jocelyn, ses deux autres fils, auraient pris possession du bien paternel quand il se serait retiré. Il avait même envisagé avec Estelle la possibilité de se donner à ses deux fils, le moment venu. La maison était bien assez grande pour abriter les familles que ses deux fils auraient. Sa femme et lui auraient gardé un minuscule lopin de terre tout près de la grande maison et s'y seraient fait construire une petite maison. Installés près des leurs, Estelle aurait pu s'occuper de ses petits-enfants pendant que lui aurait continué à donner un coup de main à ses fils et à les conseiller. Ça aurait été trop beau...

Pour leur part, ses filles avaient presque atteint l'âge de se marier. À 21 ans, Pauline était fréquentée par Louis-Georges Proulx qui finirait bien, un jour, par hériter de la terre familiale. À 17 et 18 ans, il était peut-être encore trop tôt pour connaître l'avenir de Marie et de Mariette, mais c'étaient de beaux brins de fille qui se caseraient facilement s'il en jugeait par les jeunes qui commençaient déjà à leur tourner autour.

En entrant dans la cour, Eusèbe aperçut sa femme en train de travailler dans le jardin avec Pauline.

— Où est passé Maurice ? lui cria-t-il.

— Dans la remise. Il est en train de réparer quelque chose sur le tracteur.

Eusèbe alla jusqu'au fond de la cour et entra dans la remise dont la porte avait été laissée ouverte.

— Qu'est-ce qu'il a, le tracteur ?

— Le carburateur est pas correct, répondit avec aplomb Maurice, qui sortit la tête de sous le capot. Il faut le nettoyer et l'ajuster, sinon on va finir par avoir de la misère avec chaque fois qu'on va en avoir besoin.

Le jeune homme de 20 ans était le plus beau des fils Marcotte. Solidement charpenté, Maurice avait hérité de sa mère ses cheveux noirs et ses yeux bleus. Les jeunes filles de la paroisse disaient qu'il savait parler aux femmes. Chose certaine, il savait les charmer. Si ses nombreuses conquêtes inquiétaient sa mère, elles rendaient le père fier de son fils. L'important, à ses yeux, était qu'il était un bon travailleur qui ne rechignait jamais devant une tâche à accomplir.

— Où est Jocelyn ?

— En train de nettoyer dans l'étable.

— Bon, continue. Je vais l'envoyer aider Henri à réparer les clôtures.

— Aussitôt que j'aurai fini, p'pa, j'irai les rejoindre. À trois, ça ira plus vite.

Sur ses mots, Eusèbe tourna les talons et se dirigea vers l'étable où Jocelyn était occupé à garnir les mangeoires des vaches. Il l'envoya rejoindre son frère Henri avant de se mettre à récurer les bidons qui serviraient à recueillir le lait de la traite du soir.

Chapitre 4

La famille Bergeron

Le mois de mai tirait à sa fin et la chaleur était telle qu'on avait l'impression d'être au cœur de l'été. En cette fin d'avant-midi, l'air était immobile et la poussière du chemin soulevée par les roues des deux vieux véhicules qui se suivaient était visible de loin.

— On a l'air d'une belle bande de quêteux ! dit Jean Bergeron à sa femme en lui montrant le camion rempli de leurs maigres possessions qui, devant eux, escaladait péniblement la côte à la sortie du village de Saint-Anselme. Regarde tes gars. Ils font les bouffons, assis sur nos guénilles. Il aurait fallu arriver à la noirceur pour pas se faire remarquer. Tu connais les gens de la campagne. Dans une heure, tout le village va savoir que des crottés de la ville sont arrivés...

— C'est ça ! Arriver comme des voleurs ! répliqua Annette en s'épongeant le front. Il n'aurait plus manqué que ça ! J'ai pas honte de mes enfants, tu sauras. Et on est pas les seuls à manger de la misère. Si ça leur fait plaisir de jacasser sur notre compte, qu'ils se gênent pas. On est peut-être pauvres, mais on va leur prouver qu'on a du cœur au ventre et qu'on a pas peur de l'ouvrage.

Pour les Bergeron, ce dernier vendredi de mai 1931 marquait une sorte de retour à la case départ. Après plus de vingt ans passés à Montréal, le chômage et la faim les renvoyaient à la campagne. Si quelqu'un leur avait dit l'année précédente qu'ils reviendraient s'échiner sur une terre, ils l'auraient traité de fou. Ils avaient travaillé fort pour avoir une vie convenable à Montréal... Quelques mois avaient suffi pour ruiner les efforts de toute une vie. Il ne leur restait que quelques meubles, leurs quatre enfants et... une terre, une terre même pas payée.

— Chienne de vie ! se dit le petit homme sec de 45 ans en songeant à tout ce qu'il avait laissé derrière lui.

****

À 20 ans, il avait quitté la ferme familiale de Saint-Éphrem, dans la Beauce, bien décidé à faire sa vie à Montréal. Un ami l'avait aidé à trouver un emploi à la Dominion Textile de la rue Notre-Dame. En travaillant six jours par semaine et 12 heures par jour, il était parvenu à économiser suffisamment pour s'acheter une Ford T usagée. Pour lui, c'était le signe apparent de sa réussite et il occupait son unique jour de congé hebdomadaire à laver et à frotter son auto.

Un an plus tard, il était revenu « faire le jars » chez lui. Au volant de sa Ford et cigare au bec, il s'était amusé à jouer au riche pour épater sa famille et les habitants de Saint-Éphrem. Les après-midi passés au magasin général du village n'avaient pas été inutiles. Annette Bertrand, la fille d'un voisin, avait été séduite autant par sa fine moustache et ses cheveux bruns gominés que par les agréments de la vie montréalaise qu'il lui vantait. À l'entendre, là-bas, tout était facile. Il y avait l'électricité, les tramways, les grands magasins, etc. Bref, de quoi faire tourner la tête à une jeune fille de 18 ans qui n'avait jamais mis les pieds hors de son village.

Il avait suffi de quelques visites du beau Jean Bergeron durant les mois suivants pour la conquérir. Même si les parents d'Annette n'étaient pas entichés du jeune homme qui courtisait leur fille, les jeunes gens s'étaient quand même mariés avant la fin de 1908. Sitôt après la réception, le jeune couple avait pris la route de la métropole. Ils avaient loué un petit appartement de la rue Dufresne, non loin de la Dominion Textile où Jean travaillait.

Bien sûr, Annette n'avait pas trouvé exactement le genre de vie décrit par son mari. Il lui avait fallu se contenter de quatre pièces, au 3e étage d'une vieille maison en brique et apprendre à supporter les cris des voisins et le bruit de la circulation de la rue Sainte-Catherine. Pourtant, peu à peu, la jeune femme s'était habituée à l'anonymat de la grande ville et elle avait même fini par trouver du charme à sa nouvelle vie.

Les enfants étaient venus rapidement : d'abord Bernard, puis à une année d'intervalle, Colette et ensuite Louis. D'un commun accord, Jean et elle avaient décidé qu'Isabelle, arrivée 12 mois après Louis, serait leur dernière enfant. Comme le disait Jean, ils ne vivaient pas sur une terre où plus on a d'enfants, plus on a de l'aide. En ville, les logements n'étaient pas prévus pour abriter dix ou douze enfants. De plus, il fallait les habiller, les nourrir et les faire instruire. Déjà, le père avait de la difficulté à joindre les deux bouts, au point qu'Annette avait accepté de coudre pour les voisines du quartier pour arrondir les fins de mois.

Les enfants avaient fini par vieillir. Les deux garçons, après avoir fréquenté l'école Champlain de la rue Fullum jusqu'à la fin de leur 7e année, avaient trouvé un emploi à la Dominion Rubber. La pension qu'ils versaient à leur mère procura même une certaine aisance à la famille. À cette époque, chez les Bergeron, tous étaient fiers de voir Colette continuer ses études pour devenir institutrice.

Jean Bergeron se souvenait encore comme la vie était alors agréable dans leur appartement de la rue Dufresne.

Puis, la crise économique était arrivée. En quelques mois, tout s'était écroulé. Au milieu de l'hiver 1930, Bernard et Louis avaient été congédiés le même jour, en même temps que 150 autres employés de la Dominion Rubber. Pendant des semaines, ils avaient cherché inutilement du travail. Le découragement s'installa et on se serra la ceinture. Peu après, ce fut au tour du père d'être renvoyé, malgré son ancienneté.

Dans un premier temps, la Dominion Textile avait commencé par couper les salaires. Ensuite, elle avait mis à pied des centaines de travailleurs en commençant par les plus jeunes. Quand le tour de Jean Bergeron était venu, la crise s'était aggravée. Un travailleur québécois sur quatre était déjà chômeur. On avait beau frapper à toutes les portes, on n'embauchait plus nulle part.

Les mois suivants, la situation de la famille n'avait fait qu'empirer. Avec un pincement au cœur, il avait dû vendre pour une bouchée de pain la vieille Chevrolet qui avait remplacé depuis longtemps sa Ford T. Ses économies avaient fondu. Même si sa fierté en avait pris un coup, il n'était pas question d'aller à la Saint-Vincent-de-Paul chercher un bon de nourriture et un bon de logement. Ce n'était pas parce que l'organisme exigeait un billet du curé de la paroisse certifiant que le demandeur était un bon catholique pratiquant... Non ! Lui et sa famille étaient de bons catholiques, mais il n'était pas question de s'abaisser au point de quêter et de fréquenter la soupe populaire. Le gouvernement fédéral de Bennett promettait d'ouvrir des camps de travail où les ouvriers gagneraient 20 cents par jour pour prolonger la Transcanadienne. Jamais lui et ses garçons ne travailleraient comme des esclaves pour ce montant-là. Taschereau, à Québec, parlait de Secours direct et d'un grand programme de travaux publics où Montréal ne serait pas oubliée. Il n'avait pas l'intention d'attendre des lunes que ces belles promesses se réalisent. Sa famille avait besoin de manger.

Au milieu de toute cette misère, une lueur d'espoir lui avait été apportée par un ancien camarade de la

Dominion Textile rencontré par hasard un mardi matin. Jos Delorme lui parla d'un cousin âgé qui était prêt à se débarrasser de sa terre de Saint-Anselme. Il était célibataire.

— Pourquoi tu l'achètes pas, toi ? avait demandé Jean, plein de suspicion.

— Aïe ! t'oublies que je suis un gars de la ville, moi, je connais rien à la job de cultivateur. Toi, c'est pas pareil, t'as été élevé sur une terre, non ?

Alors, plus par curiosité que par réel intérêt, Jean lui avait demandé de s'informer du prix de la terre de son cousin. Quand il l'apprit, il rumina plusieurs jours, sans rien dire à sa femme. Mais la situation devenait sans issue. C'était inévitable : ils allaient être expulsés de leur appartement parce qu'ils ne pouvaient plus payer le loyer. Il se décida finalement à en discuter avec Annette qui, avec son gros bon sens, le convainquit qu'il n'y avait plus d'autre façon de s'en sortir. Si c'était possible, il fallait retourner vivre sur une terre où, au moins, on aurait un toit sur la tête et de quoi manger... s'il trouvait l'argent, évidemment !

C'est ainsi qu'il s'était décidé à faire le voyage seul jusqu'à Saint-Éphrem en plein mois de février. Il n'était plus question de se pavaner au volant d'une automobile et de faire le riche. Il n'avait rien demandé à ses vieux parents parce qu'il savait qu'ils avaient à peine de quoi vivre. Il était plutôt allé s'humilier chez Hormidas Bergeron, le frère aîné de son père.

Le vieux célibataire avait économisé toute sa vie et il avait la réputation d'être dur en affaires. L'oncle l'avait bien vu venir et c'est sans ménagement qu'il lui avait demandé la raison de sa visite.

— Mon oncle, lui avait-il dit, je m'en viens pas quêter. J'aimerais juste vous emprunter 1000 piastres pour m'établir...

— T'établir à ton âge ? Es-tu sérieux ? lui avait demandé le vieux finaud. Il me semblait que t'avais de l'argent en masse, toi.

— Faut pas exagérer, mon oncle, j'ai jamais été ben riche. J'ai toujours travaillé, mais la crise a tout changé. Il y a plus d'ouvrage en ville et il y a pas moyen d'en trouver nulle part et...

— Oui, oui, je comprends tout ça. Mais je peux pas prêter tant d'argent, même à quelqu'un de la famille, sans des bonnes garanties. 1000 piastres, c'est une fortune, ça !

— Justement, mon oncle. Je m'en servirais pour acheter une bonne terre à Saint-Anselme, dans le comté de Nicolet. Le vieux me la laisserait avec le roulant à la moitié de son vrai prix. C'est une bonne affaire. On a six bonnes paires de bras et on a pas peur de travailler.

Hormidas Bergeron lui avait demandé 48 heures de réflexion, autant pour le laisser cuire dans son jus que pour s'informer auprès de son notaire. Puis, il lui avait promis de lui prêter la somme s'il s'entendait avec son vendeur.

Soulagé, Jean s'était arrêté à Saint-Anselme sur le chemin du retour. Il savait bien qu'il aurait dû d'abord venir voir la ferme à vendre et discuter du prix demandé avant d'aller emprunter un pareil montant, mais il s'était dit qu'il n'aurait servi à rien d'aller négocier l'achat de cette terre s'il n'avait pas un sou en poche. Puis, bien mal pris, il pourrait toujours en trouver une autre, peut-être plus proche de Montréal, si le cousin de Jos Delorme en demandait trop cher. Des fermes à vendre, ce n'était pas ce qui manquait depuis le début de la crise.

Il avait donc rendu visite à un Marcelin Delorme tout étonné qu'un gars de la ville soit intéressé par une terre. Il avait d'abord fallu que Jean Bergeron le persuade que ce serait une bonne affaire de lui laisser sa terre, ce qui n'avait pas été une mince affaire. Placé devant un acheteur potentiel, le vieil homme ne semblait plus du tout désireux de vendre son bien. Pourtant, peu à peu, le cultivateur s'était pris au jeu et lui avait fait visiter sa maison et ses bâtiments. Il lui avait montré ses dix vaches, ses deux chevaux, les quelques poules et les instruments aratoires qui représentaient le roulant de sa ferme. Le tout n'était pas bien reluisant. La maison, la grange et l'étable avaient besoin de réparations et, même si la neige recouvrait le tout, Jean voyait bien qu'il faudrait pas mal de travail pour remettre tout cela d'aplomb.

Finalement, les deux hommes finirent par aborder la question du prix. Le vieux cultivateur surestimait son bien alors que le quadragénaire s'appliquait à lui montrer tout ce qu'il y avait à faire et à réparer. La discussion devint même orageuse. Puis, chacun avait mis de l'eau dans son vin et on s'était entendu sur le montant de la vente et sur la date de la signature du contrat. Une promesse de vente avait été signée et un acompte avait été laissé par le Montréalais.

Dans le train qui le ramenait à Montréal, Jean Bergeron cherchait à se convaincre qu'il avait fait un bon marché. Pour combler la différence qui existait entre son offre et la demande du vieux Delorme, il avait promis de lui livrer du bois de chauffage pendant cinq ans à sa maison du village où il emménagerait. Il prenait peu à peu conscience de s'être pas mal avancé en affirmant à l'oncle Hormidas que six paires de bras travailleraient sur sa ferme. Annette était prête à le suivre, mais les enfants n'étaient encore au courant de rien.

Le soir même de son retour à l'appartement de la rue Dufresne, il annonça à ses enfants la nouvelle : il avait acheté une ferme à Saint-Anselme. Il essaya de mettre de l'enthousiasme dans sa voix alors qu'il n'était même pas sûr d'avoir envie lui-même de retourner à ce genre de vie qu'il avait laissé plus de vingt ans auparavant. Mais nécessité fait loi. Alors qu'il s'attendait à des lamentations des jeunes à l'idée d'aller vivre à la campagne qu'ils ne connaissaient que par de brèves vacances passées chez leurs grands-parents à Saint-Éphrem, il y eut un grand silence autour de la table familiale.

— Votre mère et moi, on pense que vous serez mieux à la campagne, conclut Jean Bergeron. On aimerait que vous nous suiviez sans chiâler, même Bernard qui, lui, est majeur et libre de faire ce qu'il veut.

Les quatre enfants se regardèrent les uns les autres, puis Bernard, l'aîné, parla au nom de tous.

— Vous savez ben qu'on vous laissera pas partir tout seuls, p'pa. En plus, il y a rien à faire en ville, sauf crever de faim.

C'est ainsi que, trois mois plus tard, la famille Bergeron s'apprêtait à commencer une nouvelle vie à Saint-Anselme. Le matin même, on avait chargé dans le vieux camion bringuebalant d'un voisin les meubles et les hardes de la famille. Les deux fils avaient pris place sur le chargement pour s'assurer qu'on ne perdait rien en chemin. Jean, Annette et leurs deux filles s'étaient entassés dans l'auto d'un beau-frère d'Annette qui retournait en Beauce.

****

Au sommet de la côte, Jean passa sa tête par la fenêtre du véhicule et cria à ses fils de prévenir le conducteur de prendre la seconde route, à droite. Il jeta un coup d'œil à sa femme, assise à l'arrière avec ses deux filles.

À 41 ans, Annette n'était plus la mince et timide jeune fille brune qu'il avait épousée. Elle était devenue une maîtresse femme dont l'embonpoint plaisait à son mari. Elle avait chaud, elle était épuisée, mais elle regardait de tous ses yeux le nouvel environnement dans lequel elle était appelée à vivre désormais.

Les véhicules quittèrent le rang Saint-Édouard qui longeait la Nicolet et tournèrent dans le rang Sainte-Anne. Le chemin en terre sillonnait entre les champs labourés. Au loin, de chaque côté, les bois formaient une ligne vert foncé continue. Le camion et l'auto passèrent devant une demi-douzaine de fermes dont les maisons étaient ombragées par de grands arbres. La plupart du temps, leur passage était signalé par les jappements furieux de chiens qui s'élançaient vers la route aussitôt qu'ils les apercevaient. Après environ deux kilomètres, Jean fit klaxonner son conducteur pour indiquer au camionneur qu'ils arrivaient. La voiture doubla le camion et roula quelques instants avant de tourner à droite et de se ranger sur le côté d'une maison à un étage recouverte de bardeaux gris et pourvue d'une large galerie qui courait sur deux de ses quatre côtés. Le camion s'arrêta derrière l'auto dans un grincement de freins.

La maison se prolongeait par une cuisine d'été à laquelle était adossé un appentis. Au fond de la cour, plusieurs bâtiments gris qui n'avaient pas été chaulés depuis longtemps étaient disposés en forme de U. Au fond de la cour, il y avait une étable flanquée d'une grange. Les toits en tôle laissaient voir de longues traînées de rouille. La gauche était occupée par une remise en piteux état et un petit poulailler alors qu'on retrouvait à droite une écurie et à un autre petit bâtiment qui pouvait servir de porcherie.

Marcelin Delorme sortit de la cuisine d'été en laissant claquer la porte moustiquaire derrière lui. Le septuagénaire alerte s'avança vers les nouveaux arrivants qui venaient de descendre des véhicules.

— Bonjour ! Bonjour ! dit-il à la ronde, avec un grand sourire qui illumina sa figure ridée. J'espère que vous avez fait bon voyage.

— Il y a pas eu de problème, répondit Jean en lui tendant la main.

Il lui présenta tout le monde, en commençant par sa femme.

— Entrez donc vous mettre à l'ombre, offrit le vieil homme. Il y a du thé sur le poêle pour les dames et un petit remontant pour les hommes.

Tout le monde lui emboîta le pas, trop heureux d'échapper au soleil.

Dans la cuisine d'été, il ne restait que quelques chaises, une table et le poêle à bois que Delorme avait allumé pour faire cuire son dîner. Il prit une vieille théière sur le poêle et versa du thé dans des tasses ébréchées. Ensuite, il sortit d'un placard un petit cruchon qu'il fit circuler parmi les hommes.

— Je suis ben content de vous voir arriver, dit le vieil homme. Presque toutes mes affaires sont déjà au village depuis hier matin. Je suis resté pour faire le train et voir aux animaux. François Riopel, le voisin, est supposé venir me chercher tout à l'heure. Pendant que les femmes feront le tour de la maison, ça serait peut-être pas une mauvaise idée d'aller jeter un coup d'œil au reste pour voir si tout est correct.

— Je vous fais confiance, Monsieur Delorme, dit Jean. On est du monde honnête.

— Oui, mais quand même. Venez.

Pendant que les deux conducteurs allaient s'asseoir à l'ombre d'un orme sur le côté de la maison, Jean et ses deux fils suivirent Marcelin Delorme à l'étable, à l'écurie puis dans le poulailler. Malgré les apparences, les lieux étaient en assez bon état. Les animaux étaient dehors, dans des clos séparés. La charrue, la herse, les voitures et les autres outils étaient dans la grange et dans la remise. Jean avait du mal à s'y reconnaître. Il n'avait vu l'endroit que sous la neige, trois mois auparavant.

En revenant vers la maison, le vieux célibataire précisa à Jean Bergeron :

— C'est François Riopel qui ramasse le lait cette semaine pour l'apporter à la fromagerie. La semaine prochaine, ce sera Eusèbe Marcotte. Après, ce sera votre tour. On est sept cultivateurs dans le rang, donc votre tour viendra toutes les sept semaines. La fromagerie est au début du premier rang que vous avez croisé en venant. C'est le rang Saint-Joseph. De toute façon, je parle pour rien. Tu connais ça. T'as été élevé sur une terre.

— Oui, répondit Jean, mais chez nous, à Saint-Éphrem, on payait un bonhomme du village pour faire le ramassage. C'est pas grave, on va s'habituer. Pas vrai, les garçons ? demanda-t-il en se tournant vers ses deux fils qui n'avaient pratiquement pas ouvert la bouche depuis leur arrivée.

Les deux jeunes acquiescèrent.

Ils retrouvèrent Annette et ses deux filles en plein travail. Aidées par les conducteurs impatients de retourner chez eux, elles avaient entrepris de vider le camion. Jean s'excusa auprès de Marcelin Delorme de devoir lui fausser compagnie et il se mit à transporter avec Bernard et Louis les meubles les plus lourds à l'intérieur de la maison. Annette abandonna sa tâche pour diriger la circulation et pour indiquer où allait chaque chose. Quelques minutes plus tard, tout avait été déchargé. Jean paya les conducteurs qui reprirent la route.

Une heure plus tard, l'arrivée d'un jeune homme costaud de taille moyenne aux yeux noirs inquisiteurs les obligea à faire une pause.

— Tiens ! Voilà Riopel qui vient me chercher, dit Marcelin Delorme.

Le jeune cultivateur de 27 ans au visage ouvert descendit de sa voiture et attacha son cheval à un poteau de la galerie avant de se présenter.

— Bonjour les nouveaux voisins, dit-il avec un large sourire, en tendant la main à Jean. François Riopel, votre voisin de gauche. Si vous avez besoin de quoi que ce soit, vous pouvez venir me voir ou le demander à ma femme Élise. Ici, on a l'habitude de s'entraider.

Bernard et Louis admirèrent l'aisance avec laquelle leur jeune voisin se présentait. Il avait un regard franc et des manières aimables.

Après avoir aidé à ranger dans la voiture du voisin les quelques boîtes de Marcelin Delorme, les Bergeron saluèrent l'ancien propriétaire et François Riopel qui prirent lentement la route du village.

Se retrouvant enfin seuls au milieu de la cour, les six membres de la famille se regardèrent en silence durant un instant. Ils étaient enfin chez eux. Ils avaient conscience de vivre un moment important de leur vie. Annette mit fin la première à la pause.

— C'est ben beau tout ça, dit-elle d'un ton décidé, mais il va falloir vous grouiller si vous voulez manger un repas chaud pour souper. Les hommes, vous allez monter les lits dans les chambres pendant qu'on va nettoyer la cuisine.

À 17 h, Jean envoya Louis chercher les vaches dans le champ pendant qu'il nettoyait les bidons de lait. Quand les vaches furent entrées dans l'étable et qu'il les eut attachées, il s'assit sur un tabouret près de la première, lui nettoya le pis et se mit à la traire. Sans s'en rendre compte, il posait là son premier geste d'« habitant » avec un naturel qui prouvait qu'il n'avait rien oublié de sa vie sur une ferme. Bernard et Louis, après l'avoir regardé faire durant quelques minutes, se mirent à l'imiter avec plus ou moins de succès. Pendant ce temps, Annette avait amené Isabelle et Colette nourrir les poules et les deux chevaux.

Après avoir dévoré leur souper composé de crêpes, les Bergeron sortirent prendre l'air sur la galerie. Le soleil baissait déjà à l'horizon et chacun était si fatigué qu'il n'aspirait plus qu'à une bonne nuit de sommeil.

Le silence n'était troublé que par le chant des oiseaux nichés dans les deux grands érables plantés devant la maison. Ce calme dépaysait les jeunes habitués au bruit de la circulation et à la vie trépidante de la ville. C'est Louis qui exprima ce que son frère et ses sœurs ressentaient.

— On se dirait presque dans un cimetière, dit-il en regardant à gauche et à droite. Tout a l'air mort.

— C'est ça, la campagne, dit son père avec une certaine fierté. Après une bonne journée d'ouvrage au grand soleil, tu as mérité d'avoir la paix, de te reposer loin des criailleries des voisins.

— Bon, qu'est-ce qu'on fait demain ? demanda Bernard. Moi, je sens que je vais aimer ça, ici.

— On va se partager la tâche, décida son père. On va d'abord aller au plus pressé. Après le train, on va retourner la terre du jardin, puis on va faire l'inspection des clôtures pour les réparer si besoin est. Pendant que j'irai m'ouvrir un compte au magasin général et acheter des semences pour le jardin, vous autres, les garçons, vous me vérifierez la voiture à foin et nettoierez un peu l'étable. Les femmes auront largement de quoi s'occuper dans la maison, je pense.

— Laisse faire la maison, mon mari, dit Annette. Les filles et moi, nous allons la mettre en ordre. Quand vous aurez retourné la terre du jardin, on saura en prendre soin. Isabelle et Colette vont nourrir les poules et lever les œufs pendant que vous ferez le train. Si c'est nécessaire, j'irai vous donner un coup de main à l'étable.

— On va être trois hommes là-dedans. On va être capables de se débrouiller sans toi, dit Jean.

Quand la fraîcheur et l'obscurité apportèrent avec elles les premiers maringouins de la saison, Isabelle se leva et entra. Par réflexe, l'adolescente chercha près de la porte le commutateur électrique avant de comprendre que l'électricité n'était pas installée dans la maison.

— Comment on fait pour s'éclairer ? demanda-t-elle d'une voix agacée.

— Allume la lampe à huile qui est sur le rebord de la fenêtre. Les allumettes sont à côté, lui répondit sa mère, en lançant un regard entendu à son mari.

— C'est vrai qu'on n'a pas l'électricité ! constata soudainement Louis, l'air dépité. On pourra même pas écouter le radio !

— Voyons donc, Louis, le réprimanda son père, un radio, c'est une bébelle dont on peut se passer.

— Je sens qu'on va s'amuser sans bon sens dans le coin, conclut le jeune homme de mauvaise humeur.

Personne ne prit la peine de relever sa remarque.

En voyant luire la lampe à l'intérieur, les Bergeron rentrèrent dans la maison les uns après les autres. Les jeunes ne tardèrent pas à monter se coucher. Pour la première fois de leur vie, ils avaient chacun une chambre bien à eux. Jean et Annette, couchés dans l'unique chambre du rez-de-chaussée, s'endormirent dès que leur tête toucha l'oreiller.

À l'aube, les roucoulements des tourterelles et les trilles des merles tirèrent Jean du lit. Il s'habilla et, debout au pied de l'escalier, il cria aux enfants de se lever. Le bruit des pas au-dessus de sa tête lui apprit qu'on l'avait bien entendu. Avant de quitter la maison pour les bâtiments, il dit à Annette, en se grattant furieusement les bras :

— Il va falloir que j'achète de la moustiquaire. Ça a pas d'allure ! On s'est fait manger tout rond par les maringouins cette nuit. Quand je reviendrai du village, je vais vérifier chaque fenêtre de la maison.

Chapitre 5

La rencontre

Ce jeudi matin-là, Estelle Marcotte et ses filles desservaient la table du déjeuner pendant que les hommes buvaient lentement leur tasse de thé.

— Il va ben falloir que tu te décides à aller saluer les nouveaux voisins, dit Estelle à son mari, renfrogné. De quoi on a l'air ? De vrais sauvages.

— Ça presse pas comme une cassure, non ?

— Écoute, Eusèbe. Sois raisonnable. C'est tout de même pas de leur faute si Marcelin Delorme leur a vendu sa terre plutôt qu'à toi. Arrête de chiquer la guénille. Si ça se trouve, c'est du bon monde. Ce serait normal d'aller leur souhaiter la bienvenue et de leur offrir notre aide. En tout cas, si tu te décides pas, je vais faire un gâteau et les filles et moi, on va aller le leur porter à la fin de l'avant-midi.

— Ok ! Laisse-moi m'habituer à l'idée, dit le gros homme en se levant de table. Bon, arrivez, les garçons, dit-il avec impatience. On a de l'ouvrage qui nous attend.

Quand Eusèbe, suivi de ses trois fils, eut pris le chemin des bâtiments, Estelle demanda à Pauline, l'aînée de ses filles :

— Fais-moi donc un beau gâteau aux épices. Tes sœurs vont laver la vaisselle pendant ce temps-là.

— Dites donc, m'man, ils ont l'air nombreux les nouveaux voisins, fit remarquer Marie.

— T'es ben placée pour le savoir, ma fille, rétorqua Estelle avec un demi-sourire. Depuis hier après-midi, t'arrêtes pas d'écornifler dans les fenêtres. Ça m'étonnerait pas que t'aies eu le temps de les compter et de les recompter.

— Voyons donc, m'man ! J'ai à peine regardé.

Le ricanement de ses deux sœurs lui apprit qu'on ne la croyait pas.

Vers onze heures, Eusèbe attela une voiture dans laquelle montèrent Estelle et ses trois filles. Il devait aller chez Omer Lagacé, au bout du rang, et il laisserait sa femme et ses filles chez les nouveaux voisins en passant.

— Les garçons viennent pas ? demanda la mère à son mari.

— Ils ont de l'ouvrage à faire. Ils verront ben les nouveaux voisins assez vite. Grouillez-vous ! J'ai pas que ça à faire aujourd'hui. Puis, organisez-vous pas pour jaser pendant des heures parce que vous allez revenir à pied, je vous le garantis.

— Eusèbe Marcotte, parle-moi pas comme ça ! Je suis pas ton homme engagé, répliqua sèchement Estelle.

Lorsque la voiture des Marcotte entra dans la cour des Bergeron, elle avait été précédée de peu par celle des Riopel qui revenaient du village.

Élise Riopel était une jeune femme de 24 ans douce et maladive. En voyant son mari François l'aider à descendre de voiture, Annette Bergeron comprit tout de suite que sa voisine n'était pas très forte et qu'elle supportait mal les derniers mois d'une grossesse évidente. Elle avait les traits tirés et le souffle court. Elle s'empressa de lui offrir une berçante après l'avoir remerciée pour les deux tartes qu'elle leur avait apportées en signe de bienvenue. Pendant que François allait rejoindre Jean à l'étable, les deux femmes en profitèrent pour faire connaissance.

— C'est ton premier ? demanda Annette.

— Oui, et j'en arrache un peu. Le docteur Tanguay dit pourtant que tout se passera ben.

— Est-ce que ton mari a le temps de t'aider un peu ? Sinon, une de mes filles peut aller te donner un coup de main pour tenir ta maison.

— Peut-être après mon accouchement, Madame Bergeron. Ce serait pas de refus. François et moi, on a pas de famille dans le coin. Nos parents sont morts. Il me reste juste des cousins éloignés qui vivent en Gaspésie.

— De toute façon, nous serons là pour t'aider à te relever et...

Le bruit d'une nouvelle voiture entrant dans la cour lui coupa la parole. Annette se leva en même temps que son invitée et les deux femmes regardèrent par la porte moustiquaire.

— Tiens, ce sont les Marcotte, vos voisins de droite, dit Élise.

Estelle descendit de la voiture, suivie par ses filles. Annette sortit pour les accueillir. Les deux femmes, sensiblement du même âge et de la même taille, se jaugèrent au premier coup d'œil. L'embonpoint de la brune Annette contrastait avec la minceur d'Estelle dont la chevelure noire était à peine striée de quelques cheveux blancs. Dès les premiers mots échangés, elles surent intuitivement qu'elles s'entendraient bien. Estelle, qui avait craint se retrouver en face d'une femme de la ville un peu maniérée, se rendit vite compte qu'Annette était chaleureuse et hospitalière.

Sans descendre de voiture, Eusèbe salua sa nouvelle voisine et promit de revenir dans quelques minutes. Dès que la voiture fut repartie, Annette s'empressa de faire entrer dans la maison les nouvelles arrivées.

Les jeunes filles s'esquivèrent après les présentations pour aller papoter sur la galerie.

Les trois femmes s'attablèrent devant une tasse de thé et parlèrent à mi-voix d'accouchement et des difficultés d'élever des enfants, comme si elles se connaissaient depuis toujours.

Eusèbe revint de chez Lagacé quelques minutes plus tard. En arrêtant sa voiture, il aperçut Jean qui sortait de l'étable avec ses fils et François Riopel. Ce dernier fit les présentations.

Le gros cultivateur remarqua que si les fils étaient solidement bâtis, le père, par contre, était petit et sec. La poignée de main que les deux hommes s'échangèrent fut vigoureuse et franche. Pendant plusieurs minutes, les hommes parlèrent de la température, du travail à faire sur leur terre et des soins à donner au bétail. Cette discussion à bâtons rompus fit disparaître les dernières illusions d'Eusèbe Marcotte. Le nouveau voisin avait l'air d'être là pour rester. Il donnait l'impression de connaître la terre. Il avait vaguement espéré voir un gars de la ville dépassé, incapable de faire face à l'ouvrage qui l'attendait. Il avait même pensé qu'avant la fin de l'automne, il aurait pu lui offrir de racheter son bien pour lui permettre de retourner en ville... Ce n'était pas l'impression qu'il donnait. Il lui fallait donc se faire à l'idée : les Bergeron semblaient être là pour rester. Il ne put s'empêcher de dire à Jean :

— Tu sais, j'avais fait une offre au vieux Marcelin pour sa terre. Je la voulais pour un de mes gars.

Le visage de Jean exprima la surprise la plus complète.

— C'est la première nouvelle que j'en ai ! Marcelin Delorme m'en a pas dit un mot. Si je comprends ben, ça pas dû te faire plaisir de nous voir arriver hier avec notre barda...

— On a eu quand même une couple de jours pour s'habituer à l'idée, répliqua Eusèbe avec un sourire un peu contraint. Il y aura d'autres terres à vendre dans Saint-Anselme. On peut pas t'en vouloir pour quelque chose que tu savais pas.

— On sait ben, fit remarquer François Riopel en riant. Quand on est un gros cultivateur comme vous, Monsieur Marcotte, l'argent manque pas pour acheter. Tiens ! Il faudrait ben que je vous emprunte de l'argent...

— C'est ça, mon François, viens me voir. Je vais te prêter à un meilleur intérêt que le notaire, répliqua Eusèbe, en lui assenant une claque dans le dos.

Les hommes allèrent rejoindre les femmes dans la maison pendant que Bernard et Louis se rendaient saluer les filles d'Eusèbe Marcotte installées sur la galerie avec leurs sœurs. Pauline était plus grande que ses deux sœurs, mais les trois jeunes filles se ressemblaient avec leurs cheveux châtains, leurs pommettes hautes et leurs yeux bruns.

Annette appela ses filles et leur fit servir les tartes et le gâteau apportés par les voisins.

Dans la cuisine, la conversation devint générale.

Chapitre 6

Le magasin général

Deux jours plus tard, le soleil n'était plus qu'un souvenir. Depuis le début de l'avant-midi, le ciel roulait de lourds nuages gris et des pluies abondantes s'abattaient sur Saint-Anselme.

Le samedi après-midi, Jean Bergeron décida, malgré la route détrempée, d'aller tout de même au magasin général, au village. Avec toutes les choses urgentes qu'il y avait à faire, il n'avait pas encore trouvé le temps d'aller acheter de la moustiquaire. En plus, il lui fallait des graines pour le jardin et des clous pour les réparations. Annette avait ajouté à tout cela une bonne liste de choses à acheter.

Après le dîner, il sortit l'un de ses deux chevaux de l'écurie, l'attela à la voiture et prit la route, sans demander à personne de l'accompagner.

Une petite pluie fine et drue avait remplacé les grosses averses de l'avant-midi. Malgré l'état de la route, il n'eut aucun mal à sortir du rang Sainte-Anne ; mais son cheval peina dans la côte qui montait au village. Finalement, il s'arrêta devant le magasin général où se trouvait aussi le bureau de poste et il attacha son cheval à côté de quatre autres chevaux qui attendaient le retour de leur maître.

Jean monta les marches qui conduisaient à la galerie où trois adolescents du village flânaient en buvant une boisson gazeuse. Il poussa la porte qui fit entendre un tintement. Une dizaine de personnes tournèrent la tête pour dévisager le nouvel arrivé. Pendant un instant, les conversations s'arrêtèrent, puis elles reprirent un ton plus bas. Jean Bergeron jeta un regard circulaire autour de lui.

Le fond de la pièce était occupé par un grand comptoir en forme de L. Une fournaise, flanquée de deux longs bancs, trônait au centre. Derrière la partie la plus courte du comptoir, le propriétaire avait rangé des bacs pleins de vis, de clous, de crampons et d'écrous ainsi que des marteaux, des tournevis et différents petits outils. Les râteaux, les pelles, les pics et les bêches étaient entassés à l'extrémité, près de rouleaux de corde de différentes grosseurs. L'autre section du comptoir était occupée par des pots de bonbons, des boîtes de boutons et des rouleaux de tissus de diverses teintes qu'on devait vendre à la verge. Les bottes de travail, les bottines, les grosses chaussettes de laine, les imperméables, les dentelles et les gants étaient suspendus à la cloison. Le long du mur, à gauche, il y avait des gallons de mélasse, de la farine et différents produits vendus en vrac. Jérôme Beaudet, le propriétaire, avait rangé sur des tablettes qui couraient, du plancher jusqu'au plafond, le long des deux autres murs de son magasin, tous les autres produits nécessaires à la vie quotidienne : des collants tue-mouches à l'huile à lampe en passant par les chapelets et les images pieuses. Pour les semences et les produits trop encombrants, on savait qu'il les tenait dans la remise attenante à son magasin.

Le marchand avait réservé un petit espace à l'extrémité du comptoir pour son travail de maître postier. Il avait isolé l'endroit par une petite porte battante et il avait fixé au mur les casiers où, chaque matin, il répartissait le courrier et les colis destinés aux gens de la paroisse.

Quand Jean était entré, Olivette Beaudet, une redoutable commère, était en train de chuchoter à Augustine Parent, la servante du curé, que la petite Rose Lamoureux avait été aperçue dans un champ en compagnie du grand Léopold Legendre, la semaine précédente.

— Voulez-vous bien me dire ce que ses parents attendent pour la surveiller ? murmura la servante, une grande quinquagénaire sèche à la mine revêche. Ils vont finir par avoir une surprise ! C'est une vraie honte !

— N'allez pas raconter cette histoire à notre brave curé, vous ! ordonna hypocritement Olivette. S'il l'apprenait, il serait ben capable de dénoncer cette petite dévergondée du haut de la chaire.

— S'il l'apprend, ce sera certainement pas par moi, jura la servante, en prenant congé.

Après le départ d'Augustine Parent, il ne resta plus que des hommes dans le magasin. Jean s'approcha d'Olivette Beaudet qui le reçut avec un sourire de commande.

— Bonjour Madame. Je suis Jean Bergeron, celui qui a acheté la terre de Marcelin Delorme. J'aurais besoin de quelques affaires.

— Attendez, Monsieur Bergeron, mon mari va être content de vous connaître. Jérôme, peux-tu venir ici une minute ? demanda-t-elle au quadragénaire grassouillet et totalement chauve qui, avec six autres auditeurs, écoutait en silence un vieil homme vêtu d'un costume noir et portant cravate.

— J'arrive, répondit Jérôme Beaudet en quittant à regret le groupe au milieu duquel pérorait le notaire Allard.

— Je te présente monsieur Bergeron à qui Marcelin Delorme a vendu sa terre, fit Olivette Beaudet à son mari lorsque ce dernier s'approcha du comptoir.

Jérôme Beaudet s'essuya une main sur son tablier et la tendit à Jean.

— Vous êtes le bienvenu. Vous trouverez dans mon magasin à peu près tout ce qu'il vous faut. Si je l'ai pas, je peux vous le faire venir sans problème de Montréal ou de Drummondville.

Jean sortit sa liste d'une poche de son pantalon et il énuméra ce dont il avait besoin. Au fur et à mesure, le commerçant alignait les objets sur son comptoir. À la fin, sa commande faisait un tas assez important. Le nouveau cultivateur, un peu gêné, demanda au commerçant s'il faisait crédit.

— Ben sûr ! À peu près tous les habitants de Saint-Anselme ont un compte ici.

Soulagé, Jean allait prendre congé lorsqu'il sentit une main se poser sur son épaule.

— Dis donc, mon jeune, es-tu en train de vider notre magasin général ? demanda en riant Marcelin Delorme que Jean n'avait pas vu entrer.

— Non, non, répondit Jean en riant, juste une couple d'affaires nécessaires. Inquiétez-vous pas, je vais en laisser pour les gens du village.

— Bon, si t'as fini, viens, je vais te présenter du monde.

Marcelin Delorme entraîna le petit homme vers le groupe qui cessa de discuter quand il poussa vers lui Jean Bergeron.

— Je vous présente Jean Bergeron, le chanceux qui a acheté ma terre. J'espère que vous lui ferez pas trop de misère. Si vous le faites fâcher, il va tout planter là pour retourner à Montréal et Jérôme va perdre un maudit bon client.

Cette boutade amena des rires chez les six hommes qui étaient debout au centre de la pièce.

— Jean, je te présente Léo Durand, notre bedeau, dit Marcelin en lui désignant un petit sexagénaire bedonnant à qui il ne restait qu'une couronne de cheveux blancs. Fais ben attention à lui. Il est dangereux avec les femmes. Il est veuf pour la troisième fois et il a l'œil sur Augustine, la servante de notre bon curé. Partout où tu verras Augustine Parent, tu peux être certain qu'il est pas loin derrière. C'est un vieux ratoureux qui a plus d'un tour dans son sac. Surveille ben ta femme et tes filles s'il est dans le coin.

Cette présentation déclencha une tempête de rires que les protestations indignées de Léo Durand ne firent qu'accroître.

— À côté de lui, reprit Marcelin Delorme, tu as Vincent Riendeau, un de tes voisins du rang Sainte-Anne. Ça me surprendrait que tu l'aies vu déjà. Quand il travaille pas sur sa terre, il est ben occupé dans sa maison. Il a 13 enfants, tu comprends. Mais c'est un bon diable pareil et le curé Desmeules l'aime ben gros parce qu'il fait baptiser presque tous les ans. Pour souffler de temps en temps, sa femme Agathe l'envoie faire des commissions au magasin général.

— Arrête, Marcelin, dit un quadragénaire de taille moyenne. Si tu continues à parler de moi de même, le nouveau va croire que je ressemble à Léo... Et ça, j'aimerais pas trop ça.

— Bon, bon, dit Marcelin, faussement contrit, j'ai rien dit. Son voisin, c'est notre boucher, Lorenzo Camirand.

Un homme à la musculature imposante s'avança pour serrer la main de Jean.

— Si tu lui apportes une vache cet automne pour la faire débiter, t'as intérêt à ben la marquer, dit le vieux Delorme avec le sourire. Il pourrait peut-être t'en passer une plus maigre, sans le vouloir, ben entendu.

Le boucher fronça les sourcils et prit un air mauvais. Avant qu'il se fâche, Marcelin Delorme enchaîna :

— Sa boutique est facile à trouver : elle est en dehors du village, là où il y a plus de trottoirs.

— Mon vieux maudit ! explosa Lorenzo Camirand, cherche pas à me faire enrager avec ça.

— Ben non, Lorenzo. On sait ben que ça te fait rien d'être en dehors du village...

Les rires reprirent de plus belle. Sans perdre un instant, Marcelin Delorme se tourna vers un homme d'âge moyen qui, les pouces passés derrière ses bretelles, fumait un gros cigare.

— Lui, c'est Antonio Veilleux, un cultivateur du rang Saint-Joseph. Il est pas fréquentable parce que c'est un Bleu. C'est pas de sa faute, ils sont Bleus de père en fils depuis des générations dans sa famille. Nous, on l'endure parce qu'on a pitié de lui. Ça fait ben des élections qu'il perd, mais il comprend rien.

— Marcelin, tu vas ravaler ces paroles-là avant la fin de l'été parce que ton Taschereau vient d'annoncer des élections pour la fin de juillet. Tu vas avoir l'occasion de te traîner à mes pieds pour t'excuser...

Des protestations s'élevèrent dans le groupe quand on entendit ces paroles. Feignant ignorer les derniers mots de Veilleux, Delorme dit à Jean :

— J'ai gardé les deux derniers pour la fin. D'abord, notre maire et président de la commission scolaire, Antoine Girouard. Tout le monde dans la paroisse, surtout Lorenzo, se demande encore comment il a fait pour se faire élire l'année passée. C'est sûr que ç'a dû lui coûter un bras en boisson pour avoir la job. Il y en a même qui disent qu'il est prêt à remplacer le curé n'importe quand. En tout cas, si t'as un problème, t'as qu'à aller lui en parler. Il fera rien, mais il va t'écouter, par exemple.

Le quadragénaire massif à la large figure ronde tendit la main à Jean tout en demandant sur un ton faussement menaçant au septuagénaire :

— Veux-tu ben me dire ce que t'as mangé à midi, toi ?

— Bon, j'ai pas besoin de te présenter notre notaire, Cyprien Allard, dit le vieux célibataire en lui désignant le grand homme maigre un peu pompeux, soigneusement vêtu et cravaté que tout le monde écoutait religieusement quelques minutes auparavant. C'est dans son étude qu'on a passé notre contrat.

Jean salua le notaire qu'il avait reconnu.

— Cher ami, dit le notaire qui soignait sa diction, nous pourrions vous dire des choses pas très catholiques sur

Marcelin, mais ce ne serait pas charitable et nous manquerions de respect pour les quelques cheveux blancs qui lui restent. Ici, à Saint-Anselme, on fait des efforts pour respecter nos vieux.

Une grimace de Marcelin Delorme fit éclater de rire les membres du groupe.

Le notaire Allard reprit la discussion là où elle s'était apparemment arrêtée au moment de la présentation de Jean Bergeron aux membres du groupe.

— En tout cas, je ne pense pas que Tancrède Laliberté fasse le poids devant Euclide Joyal. Si Camilien Houde met les pieds dans notre comté pour supporter son candidat, Taschereau va venir appuyer le sien. À la radio, on annonce déjà la visite du docteur Hamel à Nicolet, samedi prochain. Il va venir parler des trusts de l'électricité.

— Les trusts m'intéressent pas, trancha Lorenzo Camirand. Je veux savoir pourquoi, depuis un an, je paie plus cher tout ce que j'achète, tandis que je suis presque obligé de donner ma viande.

— Parce que les Rouges sont au pouvoir, mon Lorenzo, affirma Veilleux. Tant qu'ils vont être à Québec, tu t'en sortiras pas et tous les cultivateurs de la province non plus. Camilien a prouvé que les produits de la ferme se vendaient la moitié moins cher depuis le début de la crise. Ça fait longtemps que je vous le dis, mais vous êtes trop têtus pour le comprendre. Vos Rouges sont là pour se graisser la patte, pas pour vous sortir du trou. Ils promettent un programme de colonisation, de l'aide aux chômeurs et même de poser l'électricité dans les campagnes... On sait ce que valent leurs promesses ! Une fois élus, on en entend plus parler jusqu'aux prochaines élections. Quand Houde les aura battus le 31 juillet, vous allez voir ce que c'est qu'un vrai gouvernement !

Un tollé de protestations et de moqueries accueillit les dernières paroles d'Antonio Veilleux.

— Venez chez nous jeudi soir prochain. Tancrède Laliberté va venir rencontrer les gens de Saint-Anselme. Vous allez avoir la chance de rencontrer un futur ministre du prochain gouvernement. Ayez pas peur, il vous mangera pas. Il va vous donner l'heure juste, lui.

La discussion devint générale et Jean Bergeron en profita pour s'esquiver.

Chapitre 7

La messe du dimanche

À 6 h, le dimanche matin, le curé Desmeules se leva de fort méchante humeur. Des lourdeurs d'estomac l'avaient empêché de dormir une bonne partie de la nuit. La veille, sa servante lui avait préparé une solide collation qu'il avait prise avant de se mettre au lit. C'était une habitude qui datait de plusieurs années. Gros mangeur, le curé était incapable de jeûner du souper du samedi soir jusqu'au dimanche midi, après la grand-messe. Il aurait aimé avoir la chance de ses paroissiens. La plupart assistaient à la basse-messe pour pouvoir communier et après, ils s'empressaient d'aller déjeuner ou apportaient une collation avant de revenir à la grand-messe. Ils n'avaient pas l'estomac vide durant douze heures.

— Je commence à vieillir, se dit-il à mi-voix en frottant son estomac douloureux.

En faisant sa toilette quelques instants plus tard, il se coupa en se rasant. Décidément, la journée du Seigneur commençait mal. Il endossa sa soutane et descendit à la cuisine. Augustine lui avait déjà préparé une tasse de thé. Il lui jeta un regard meurtrier.

— Madame Parent, êtes-vous sûre que tout ce que vous m'avez servi dans ma collation hier soir était bon ?

La quinquagénaire prit un air offensé.

— Voyons, Monsieur le curé. Quand la nourriture est pas bonne, je la jette ; je vous la sers pas. Est-ce qu'elle avait un goût spécial ?

— Non, mais je l'ai pas digérée, répondit le curé, furieux.

— À votre place et avec tout le respect que je vous dois, Monsieur le curé, je mangerais moins avant de me coucher.

— Bon, ça va ! dit le curé, excédé.

Il prit sa tasse et il alla s'installer dans son bureau pour relire son homélie et noter quelques idées qui lui étaient venues durant la nuit.

****

À la même heure, Jean et Louis Bergeron s'activaient déjà à faire le train pendant que Colette aidait sa mère à préparer le dîner. À l'heure où finirait la grand-messe, elles n'auraient pas le temps de préparer le repas. Les deux femmes entendaient Isabelle et Bernard se déplaçant à l'étage. Ils se préparaient à aller à la basse-messe célébrée à 8 h.

— C'est pas humain, m'man, de rester à jeun si longtemps le dimanche matin, surtout quand on cuisine, dit Colette.

— Voyons, Colette, t'es plus une enfant. Tu sais aussi ben que moi qu'on doit rester à jeun pour aller communier. Si tu restes assise dans ton banc quand tout le monde va communier, qu'est-ce que les gens vont penser de toi ?

La jeune fille haussa les épaules. Annette posa son chaudron sur le poêle à bois et se rendit au pied de l'escalier.

— Bernard ! va atteler, sinon tu vas arriver en retard avec ta sœur à la messe, lui cria-t-elle.

— J'arrive, m'man, dit le jeune homme qui, tout endimanché, dévala l'escalier. Vous inquiétez pas, on va arriver à l'heure.

Une minute plus tard, Isabelle descendit l'escalier à son tour. Méfiante, Annette s'approcha de sa cadette pour l'examiner de près.

La jeune fille avait mis sa robe fleurie qui descendait plus bas que les genoux et elle arborait un joli chapeau décoré de fleurs. Elle tenait à la main une paire de gants blancs et un missel. Ses cheveux bruns bouclés étaient soigneusement coiffés.

— Attends une minute, toi, dis Annette. Approche donc de la fenêtre.

— Mais m'man, je vais être en retard. Bernard m'attend déjà dans la voiture.

— Je t'ai dit d'approcher, ordonna la mère, qui la regarda de près. Mais c'est du fard que t'as sur les joues. T'as même mis un peu de rouge à lèvres. Où est-ce que t'as pris ça ?

En entendant la remarque de sa mère, Colette s'était approchée elle aussi de sa sœur.

— Isabelle Bergeron ! s'écria sa sœur aînée, l'air outré. T'as encore fouillé dans mes affaires. T'as pris mon fard à joues et mon rouge à lèvres. Je t'ai dit cent fois de pas venir fouiller dans ma chambre.

La coupable aurait voulu faire face à l'accusation, mais elle n'en eut pas le temps. Annette avait déjà trempé une serviette qu'elle lui tendit.

— Lave-toi la figure tout de suite, tu m'entends ! Les femmes correctes se maquillent pas pour aller à l'église.

Isabelle s'essuya la figure avec des gestes rageurs avant de sortir de la cuisine en faisant claquer la porte moustiquaire. Elle monta dans la voiture aux côtés de son frère en arborant un air boudeur qu'on lui connaissait bien dans la famille.

Quand les deux jeunes gens revinrent de la basse-messe, Colette, Louis et leurs parents étaient presque prêts à partir pour la grand-messe. L'unique commentaire vint d'Isabelle lorsqu'elle entra dans la maison.

— Je vous dis que ce curé-là est pas drôle ! Son sermon était long sans bon sens. À l'entendre, tout est péché. On va tous brûler en enfer.

Le regard sévère de sa mère l'incita à se taire. Annette lui dit de monter se changer et d'éplucher les pommes de terre pour les faire cuire vers 11 h. La table était déjà mise pour leur retour. La jeune fille vit monter sa mère près de son père dans la voiture pendant que Louis et Colette s'assoyaient à l'arrière en prenant bien soin de ne pas se salir en montant.

À Saint-Anselme, la grand-messe était l'événement de la semaine. Elle permettait aux gens de se rencontrer et d'échanger des nouvelles sur le parvis de l'église. Les unes après les autres, les voitures des cultivateurs arrivaient devant l'église. Les femmes et les enfants en descendaient avant que le conducteur aille attacher son cheval devant le magasin général ou à l'un des piquets plantés à cet effet, à la gauche de l'église. Certains avaient des arrangements avec des villageois pour remiser leur attelage dans leur écurie durant la messe. Pour leur part, les habitants du village arrivaient à pied, vêtus comme les autres de leurs plus beaux atours. Les gens se saluaient, s'informaient de leur santé et de celle des enfants. On n'était pas pressé d'aller s'entasser dans l'église par ce beau dimanche ensoleillé de mai. On attendait que le bedeau ait sonné les cloches.

À ce signal, les marguilliers et leur famille donnaient l'exemple et entraient les premiers dans le temple. Ils allaient s'installer dans les premiers bancs, à l'avant, là où les agenouilloirs et les sièges étaient rembourrés et recouverts d'un beau cuir vert. Ensuite, peu à peu, chaque famille entrait et prenait place dans le banc pour l'usage duquel elle avait payé un droit d'une année.

Les Bergeron furent parmi les derniers à entrer dans l'église. Ils regardèrent à droite et à gauche pour trouver un banc libre. Des têtes se tournèrent dans leur direction et il y eut des chuchotements. Léo Durand, le bedeau, ayant remarqué leur embarras, vint chuchoter à Jean :

— Prenez le quatrième banc, à droite, près de la dernière colonne. C'est le banc des Lamoureux. Ils sont tous venus à la basse-messe.

Les Bergeron firent une génuflexion dans l'allée et ils s'installèrent à l'endroit désigné.

Il restait une dizaine de minutes avant le début de la messe. L'organiste faisait des gammes et il y avait des raclements de pieds et des chuchotements. Pendant que Jean regardait la voûte étoilée peinte au plafond du chœur, Annette admirait les hauts vitraux par lesquels le soleil entrait à flots dans l'église.

Soudainement, les fidèles se levèrent. La chorale, installée dans le jubé, entonna un hymne pendant que le curé Desmeules, coiffé de sa barrette et vêtu d'une chasuble dorée, faisait son entrée dans le chœur à la gauche de l'autel. Il était encadré de deux servants de messe en soutane noire et surplis.

Le prêtre fit un profond salut devant le tabernacle et il remit sa barrette à l'un des servants avant de monter majestueusement les marches conduisant à l'autel. Dos au public, il entonna en latin de sa voix puissante le chant d'entrée et la collecte avant de se diriger à l'extrémité droite de l'autel pour lire l'épître, les bras en croix. Après la lecture, un servant prit le lutrin avec le livre saint, descendit les marches de l'autel, fit une génuflexion et remonta pour déposer le tout à l'extrémité gauche de l'autel. Le curé Desmeules lut alors l'évangile. Ensuite, les fidèles s'assirent pendant que leur curé gravissait lentement les marches de l'étroit escalier en spirale qui conduisait à la chaire.

Un silence parfait régnait dans l'église. Le serviteur de Dieu regarda longuement ses paroissiens, particulièrement ceux des derniers rangs, empêchant ainsi certains de s'esquiver pendant son sermon pour aller fumer une cigarette ou leur pipe sur le parvis de l'église. Quand il fut assuré d'avoir l'attention de tous, le curé commença d'une voix douce son sermon dominical.

— Mes bien chers frères, mes bien chères sœurs, en ce dernier dimanche de mai, nous célébrons la fête de Marie Reine à qui tout le mois de mai a été consacré. La vie de la Vierge Marie a été un magnifique exemple de respect de la volonté divine, de respect de l'autorité.

Puis, la voix du curé se fit de plus en plus forte et sévère, ce qui eut le don de réveiller ceux qui commençaient à somnoler dans l'église surchauffée.

— Le RESPECT ! Voilà le mot important ! Trop d'entre nous ont tendance à oublier le sens de ce mot. Les enfants respectent de moins en moins leurs parents. On respecte de moins en moins les chefs que Dieu nous a donnés. Ne pas suivre les directives de votre pasteur, par exemple, est un manque de respect dont vous devrez rendre compte à Dieu quand vous mourrez. Il y a des gestes qui en disent long sur le respect que nous avons envers Dieu. Combien d'entre vous ne sont pas venus une seule fois à la récitation du chapelet durant le mois de Marie ? Combien ne viennent jamais aux vêpres ? Combien ne prennent même pas la peine de remercier Dieu chaque jour pour tous ses bienfaits ? Réciter la prière quotidienne en famille et assister aux célébrations à l'église sont des marques tangibles de respect. Un bon catholique doit prendre tous les moyens pour sauver son âme de la damnation éternelle. À ce chapitre, la responsabilité des parents est encore plus grande aux yeux de Dieu. Ils auront à répondre devant LUI de l'éducation qu'ils auront donnée à leurs enfants. C'est à eux qu'il revient de leur apprendre à respecter l'autorité...

Pendant près de quarante minutes, le curé Desmeules broda sur le thème du respect en agitant les flammes de l'enfer. Certaines épouses devaient donner des coups de coude à leur mari qui, les yeux fermés, faisaient semblant de se concentrer sur les paroles de leur pasteur alors qu'en réalité, ils dormaient profondément. Les jeunes piaffaient d'impatience de le voir terminer son sermon. Avant de descendre enfin de la chaire, le prêtre fit une dernière remarque qui fit tourner bien des têtes en direction de la famille Bergeron.

— C'est aussi un manque évident de respect, tonna le prêtre, quand de nouveaux paroissiens ne se donnent même pas la peine de venir saluer leur pasteur à leur arrivée dans sa paroisse.

Sur ces paroles bien senties, content de sa performance, le curé Desmeules descendit de la chaire et continua la célébration de sa messe.

Lors de la communion, il fronça les sourcils quand il déposa l'hostie sur les langues d'Annette et de Jean. Ces derniers retournèrent à leur place sous les regards curieux des fidèles. Si Annette se sentait humiliée par la remarque du curé, Jean bouillait et avait une furieuse envie de quitter l'église avant la fin de la cérémonie. Mais Annette n'aurait pas accepté de le suivre. Il se promit, en serrant les dents, d'aller dire deux mots au gros curé dès la fin de la messe.

Après l'« Ite missa est », le curé s'avança jusqu'à la sainte table, ce qui fit rasseoir ceux et celles qui s'apprêtaient à quitter les lieux.

— Je n'ai qu'une annonce à faire, dit le curé d'une voix puissante. La procession de la Fête-Dieu aura lieu le deuxième dimanche de juin. Cette année, le reposoir sera installé devant chez Maxime Corriveau, la dernière maison du village. Le départ aura lieu après la grand-messe. Cette année, je veux que tout le monde soit présent. J'aimerais que des volontaires aident à dresser le reposoir et à le fleurir.

Lorenzo Camirand se pencha à l'oreille de sa femme pour lui chuchoter :

— Le Calvaire ! Il manque pas une occasion de me faire sentir que ma boucherie est en dehors du village. Attends ! J'aurai ben l'occasion de lui mettre sur le nez qu'on fait partie du village, même si les maudits trottoirs arrêtent devant la maison des Corriveau.

— Chut !, fit sa femme, blasphème pas dans l'église, on va t'entendre.

— Je m'en sacre ! répliqua Lorenzo, rageur.

— Avant de vous quitter, ajouta le pasteur, tout le monde sait que nous sommes encore une fois en période électorale. J'aimerais vous inciter à ne pas perdre la tête et à vous conduire en citoyens respectueux. Évitez les désordres causés par l'alcool et les bagarres.

Sur ces mots, le prêtre quitta le chœur, entouré de ses deux servants de messe.

Pendant que la foule s'écoulait lentement vers la sortie, Jean retint Annette à ses côtés.

— Attends, lui chuchota-t-il. Laisse passer le monde. J'ai deux mots à aller dire au curé. Nous allons aller le voir à la sacristie.

— Jean, tu vas pas t'énerver ? demanda Annette, inquiétée par le ton de son mari.

— Non, non, je vais juste mettre les choses au point. Dis aux enfants qu'ils nous attendent dehors. On en aura pas pour longtemps.

Annette fit le message à Louis et Colette. Les deux jeunes quittèrent l'église avec soulagement.

Quand le temple fut au trois-quarts vide, les Bergeron allèrent jusqu'à la sacristie. Jean frappa à la porte avant de pousser devant lui sa femme. Le curé Desmeules finissait d'enlever ses habits sacerdotaux. Il regarda entrer le couple sans prononcer un mot. Il avait faim et il avait hâte de s'attabler devant son dîner.

— Monsieur le curé, je m'appelle Jean Bergeron et voici ma femme Annette. Nous nous sommes installés cette semaine sur l'ancienne ferme de Marcelin Delorme, dans le rang Sainte-Anne.

— Oui, je suis au courant, dit le curé d'un ton neutre en les dévisageant.

— Si nous sommes pas passés vous voir avant, c'est pas un manque de respect, comme vous avez l'air de le croire, mais s'installer avec quatre enfants, ça se fait pas en criant « ciseaux ».

Édouard Desmeules sembla se rendre compte brusquement que le petit homme qui lui faisait face s'exprimait avec une colère rentrée. Son nouveau paroissien ne semblait pas appartenir à la race de ceux qu'un seul regard de leur curé parvenait à faire ramper. Sans aller jusqu'à s'excuser de ce qu'il avait dit en chaire, il se fit plus conciliant autant pour éviter un esclandre que parce qu'il était impatient d'aller manger.

— Oui, je comprends, dit-il, mais la coutume veut que la nouvelle famille vienne se présenter à son curé dès son arrivée. Oublions ça, voulez-vous ? Êtes-vous de bons pratiquants ?

— Nous sommes de bons catholiques, répondit Annette. Les enfants ont été baptisés et ont fait leur première communion et leur communion solennelle.

— Très bien, Madame, fit le curé. Faisiez-vous partie d'un mouvement paroissial ?

— J'ai été dame de Sainte-Anne durant de nombreuses années.

— Je suis content d'apprendre que ma paroisse s'est enrichie de nouveaux bons paroissiens. J'aurai l'occasion de parler plus longtemps avec vous quand je ferai ma visite paroissiale. Si vous voulez bien m'excuser, je suis attendu au presbytère.

Sans un sourire, le curé Desmeules leur ouvrit la porte de la sacristie dont il s'était approché pendant qu'il parlait. Il fit passer devant lui ses deux paroissiens avant de la refermer dans leur dos.

En remontant l'allée centrale de l'église maintenant vide, Jean dit à voix basse à sa femme :

— Tu parles d'un maudit air bête ! Moins je vais le voir, mieux ce sera. Il fera ce qu'il voudra dans son église, mais il viendra pas me dire comment faire chez nous. Il aura sa dîme, pas une cenne de plus. Avant de partir, si je trouve le président de la fabrique, je vais lui payer tout de suite notre banc pour l'année parce que j'ai pas envie de quêter une place dans l'église dimanche prochain.

Quand le couple sortit sur le parvis de l'église, plusieurs dizaines de personnes avaient formé de petits groupes et discutaient entre elles. Personne ne semblait presser de rentrer.

Jean aperçut Marcelin Delorme qui s'apprêtait à quitter les gens à qui il parlait. Il s'approcha de lui.

— Monsieur Delorme, pouvez-vous me dire qui est le président de la fabrique ?

— Bonjour, Jean. T'as fait connaissance avec notre bon curé. Comme t'as pu le voir, c'est pas un doux. Il va jamais avec le dos de la cuillère quand il a quelque chose à dire, mais t'en fais pas, il a aussi de belles qualités. C'est pour ça qu'on endure depuis si longtemps ses batèche de sermons qui en finissent plus. Le président de la fabrique, c'est Omer Lagacé, le petit brun qui est en train de parler avec Jérôme Beaudet et sa femme.

Jean le remercia et demanda à Omer Lagacé s'il pouvait lui dire deux mots en particulier.

— J'aimerais, dit-il, payer un banc à l'église pour ma famille.

— Il y a encore beaucoup de bancs libres, affirma le président de la fabrique d'un air important. Si tu veux un banc le long de l'allée centrale, c'est quatre piastres en avant, six piastres au centre et huit piastres dans les derniers bancs. Les autres bancs, le long des rangées de côté, sont juste deux piastres pour l'année.

— On va se contenter d'un banc de côté pour cette année, dit Jean, en sortant deux dollars d'une poche de son pantalon.

Après avoir loué son banc, Jean fit signe à sa famille de le suivre et les Bergeron montèrent dans leur voiture sans plus s'attarder. Ils avaient hâte d'être de retour à la maison, de mettre des vêtements dans lesquels ils se sentaient plus à l'aise et surtout, de dîner.

Au moment où son attelage arrivait au bas de la côte, Jean conclut à haute voix un monologue qu'il se tenait :

— En tout cas, ça fait plaisir en maudit de faire quatre bons milles pour aller se faire insulter devant tout le monde. Je vais m'en souvenir longtemps !

Chapitre 8

La vocation de Marie

Le mois de juin 1931 tint les promesses faites par le mois de mai. La température devint de plus en plus chaude. Les écoles se vidèrent et les cultivateurs purent compter sur d'autres bras pour les aider.

Chez les Bergeron, le travail ne manquait pas. L'étable avait besoin de sérieuses réparations et on profitait de ce que les animaux étaient à l'extérieur toute la journée pour les effectuer.

Dès le premier jour, Annette avait établi des règles pour garder sa maison propre.

— Je veux plus voir personne venir se laver dans la cuisine, dit-elle à son mari. Lavez-vous à la pompe du jardin avant d'entrer. Vous êtes dans mes jambes et vous salissez tout.

— O.K.

— En plus, vous allez me faire le plaisir de laisser dehors vos bottes sales quand vous revenez de l'étable. Ça sent le fumier plein la maison. C'est pas parce qu'on vit à la campagne qu'on est obligés de vivre comme des cochons. Le premier qui entre avec ses bottes va me laver le plancher.

— Ça va, t'énerve pas, on a compris, fit Jean, pour couper court à ses récriminations.

Pour sa part, Bernard faisait preuve de bonne volonté et il apprenait vite. Toujours le premier levé, il attaquait sa journée de travail sans rechigner. Son père remarquait avec plaisir qu'il s'adaptait facilement à la vie à la campagne.

— Notre Bernard va faire un bon cultivateur, dit-il à sa femme, un soir, au moment de se mettre au lit. Il a le tour avec les animaux et il aime la terre.

— Oui, j'ai remarqué, fit Annette. Comme j'ai remarqué que Pauline Marcotte a l'air de l'intéresser. Je les ai vus en grande conversation hier après-midi, chacun de leur bord de la clôture.

— Elle n'a pas un cavalier déjà, elle ? demanda Jean. Il me semble l'avoir vu veiller sur la galerie des Marcotte avec un jeune pas plus tard que dimanche passé...

— C'est possible, dit Annette. On verra ben ce qui arrivera.

— Louis m'inquiète pas mal plus que son frère, reprit Jean Bergeron. Il me semble qu'il est plus intéressé par ce qui se passe au magasin général qu'ici. Il est allé deux soirs au village cette semaine. Il va falloir que je lui parle. Il est pas paresseux, mais il faut toujours que je lui dise quoi faire et que je lui pousse dans le dos. C'est à notre tour de faire le ramassage du lait dans le rang à partir de demain matin. Je pense que je vais lui demander de le faire. Il va peut-être aimer ça.

— Je sais pas à quoi notre Louis pense, dit la mère. Il parle pas. Sitôt la dernière bouchée du souper avalée, il monte se coucher s'il va pas au village. Il faut dire que j'ai pas grand-chose de bon à vous servir...

Mais déjà, Jean s'était endormi. Annette soupira et éteignit la lampe à huile posée sur sa table de chevet. Étendue sur le dos, elle pensa durant quelques minutes à la nourriture des siens, sa principale préoccupation.

L'heure des repas n'avait vraiment rien de bien réjouissant. Les repas étaient frugaux et les mêmes plats revenaient souvent. La galette de sarrasin, les crêpes, les fèves au lard et la soupe aux pois représentaient l'ordinaire de la semaine. La mélasse et parfois, le sirop d'érable étaient servis comme desserts. Annette ne pouvait pas compter, comme la plupart de ses voisines, sur les légumes mis au caveau ou sur les confitures préparées l'été ou l'automne précédent. Pour remonter le moral des siens, elle leur promettait des changements importants quand les fraises pourraient être cueillies dans quelques jours. Lorsque les légumes du jardin seraient prêts, ce serait encore mieux. En attendant, on tuait une poule un dimanche sur deux pour la consommer au souper.

****

Assis sur la galerie sur sa chaise berçante, face à Estelle, Eusèbe Marcotte appréciait cette petite brise du soir qui rafraîchissait tout en chassant les maringouins. Le gros homme prit sa pipe, la bourra avec le tabac qu'il avait haché quelques minutes plus tôt et il l'alluma, tout en pensant qu'il s'était vite habitué à ses nouveaux voisins. Jean Bergeron était vaillant et il avait l'air de mener sa famille de la même manière que lui. Tout le monde travaillait.

Les pensées de sa femme cheminaient dans la même direction que les siennes, comme cela arrive souvent aux vieux couples.

— J'ai l'impression, mon vieux, dit-elle à son mari, que les Bergeron doivent se serrer pas mal la ceinture pour arriver. Je pense qu'Annette est pas allée une fois chez le boucher depuis qu'ils sont arrivés ici.

— C'est sûr que ça doit pas être facile tous les jours, fit Eusèbe sans marquer un quelconque intérêt, mais on peut rien y faire.

— Oui, on peut toujours leur donner un coup de main sans avoir l'air de leur faire la charité, dit Estelle avec autorité. Ils sont fiers, mais il y a un moyen. J'ai pensé que notre truie a eu sept petits cochons. Ils sont maintenant sevrés. On pourrait demander aux Bergeron d'en engraisser deux et on leur en donnerait un, à l'automne. Comme ça, ils pourraient faire boucherie et mettre de côté des provisions pour l'hiver prochain. Qu'est-ce que t'en penses ?

— C'est une idée, dit Eusèbe sans enthousiasme. Quand je verrai Bergeron cette semaine, je lui en parlerai.

Le silence se rétablit sur la galerie durant de longues minutes. Tous les enfants étaient montés se coucher, sauf Marie, encore assise à la table de la cuisine, la tête penchée sur un livre ouvert devant elle. L'éclairage jaunâtre fourni par la lampe à huile ne facilitait pas sa lecture.

Eusèbe commençait à somnoler sur sa chaise. Sa pipe était éteinte et il ne se berçait plus. Le moment était venu pour Estelle d'aborder le problème posé par Marie. Depuis le dimanche précédent, elle attendait l'occasion favorable d'en parler à son mari, mais les enfants étaient toujours présents.

— Eusèbe, chuchota-t-elle, dors-tu ?

Eusèbe sursauta et ralluma sa pipe.

— Ben non ! Je pensais.

— Bon ! Dimanche passé, la supérieure du couvent est venue me parler pendant que tu jasais devant le magasin général. Elle trouve que notre Marie a ben du talent.

— Ça, on le savait. Mais elle va plus à l'école. Elle a son diplôme. Personne pourra dire que j'ai pas fait instruire mes filles. Avec son instruction, elle pourrait facilement devenir maîtresse d'école. Les places manquent pas ici ou à Sainte-Monique.

Dans la cuisine, Marie avait tendu l'oreille, sachant d'instinct qu'on parlait d'elle.

— Sais-tu ce que mère Saint-Sauveur m'a appris ?

— Je peux pas deviner ! dit Eusèbe avec humeur.

— Il paraît que notre fille voudrait devenir religieuse chez les sœurs de l'Assomption. La supérieure pense qu'elle a la vocation. Elle pourrait entrer au noviciat dès cet automne, à Nicolet.

— Ah ben maudit ! Viens pas me dire que j'ai élevé et fait instruire une de mes filles pour devenir une sœur qui va passer sa vie à travailler pour une communauté.

— Voyons donc, Eusèbe. Une religieuse dans la famille, ce serait une bénédiction du bon Dieu.

— Mais elle a juste 17 ans. Elle connaît rien à la vie. Attends que les gars se mettent à lui tourner autour et tu vas voir qu'elle va changer vite d'idée.

— Je pense pas. Je lui en ai parlé et son idée est faite. Elle est décidée à entrer chez les sœurs.

— Baptême ! Comme d'habitude, je suis le dernier à savoir ce qui se passe dans ma maison, fit Eusèbe, amer.

Étirant le cou, le père aperçut sa cadette encore assise à la table de la cuisine.

— Marie ! Viens donc ici une minute.

L'adolescente sortit sur le balcon et s'appuya au mur de la maison.

— Est-ce que c'est vrai ce que ta mère me dit ? Tu veux vraiment entrer chez les sœurs ?

— Oui, p'pa. J'aimerais ça enseigner aux enfants.

— Justement, tu pourrais enseigner pareil aux enfants sans devenir une bonne sœur.

— J'aime aussi la prière, p'pa.

— Bon, on en reparlera à la fin de l'été, fit Eusèbe, en faisant signe à sa fille qu'elle pouvait rentrer. Je pense qu'il est l'heure de monter se coucher. On a une bonne journée d'ouvrage dans le corps. Toi, Marie, arrête donc de lire. Tu vas t'user les yeux à lire de même.

Le gros homme se dirigea d'un pas pesant vers sa chambre située au pied de l'escalier. Il ne savait pas s'il devait être fâché parce que sa préférée ne lui avait rien dit de son projet ou parce que sa femme avait gardé le secret presque une semaine. Il se sentait tenu à l'écart d'une décision importante qui concernait sa famille. Il sentait que le départ de Marie marquerait une étape importante de sa vie. Pour lui, cela signifiait le début de la vieillesse, période durant laquelle les enfants quittent le foyer les uns après les autres pour faire leur nid ailleurs.

En se déshabillant, il dit à Estelle :

— Demain, je monte au village. Je vais arrêter au couvent pour dire deux mots à la supérieure. Je suis sûr que c'est elle qui a mis cette idée-là dans la tête de notre fille. Je vais tout de même lui dire ma façon de penser.

Rasséréné par cette décision, Eusèbe se coucha. Estelle se promit de faire tout son possible le lendemain pour l'accompagner au couvent. Elle connaissait son mari. Il était assez soupe au lait pour faire un scandale qui serait rapporté au curé Desmeules. Elle le calmerait.

****

Le lendemain matin, le bruit d'un rond de poêle qu'on déplaçait réveilla Jean Bergeron. Un coup d'œil à la clarté que les rideaux laissaient filtrer par la fenêtre lui apprit qu'il était temps de se lever.

Quand il entra dans la cuisine d'été, il vit Bernard qui mettait une théière sur le poêle.

— Ton frère est-il levé ? demanda Jean.

— Oui, il arrive. Je l'ai entendu bardasser dans sa chambre.

Une minute plus tard, Louis descendit en bâillant et s'assit au bout de la table. Comme les deux autres, il attendait que le thé soit chaud pour s'en servir une tasse avant d'aller chercher les vaches.

— C'est à notre tour de faire le ramassage du lait, cette semaine, dit Jean sans s'adresser à l'un de ses fils en particulier. François Riopel m'a dit qu'à 8 h, tout le monde avait fini son train et que les bidons étaient sur le bord de la route. Il y a qu'à les ramasser et à les apporter à la fromagerie. Il paraît que là-bas, le fromager traîne pas. Il fait le compte de chacun, puis il les vide tout de suite dans son bac. Il s'attend à ce que celui qui ramasse l'aide à laver les bidons avant de les rapporter.

— C'est ben correct comme ça, laissa tomber Bernard. Je peux le faire si ça fait votre affaire, p'pa.

— Non, j'ai besoin de toi à matin.

Se tournant vers Louis, il lui dit :

— Tu vas atteler la noire à la plus grande voiture et tu vas y aller après le déjeuner. Je pense que tu devrais être revenu avant midi.

Louis se contenta de hocher la tête sans enthousiasme. Sans dire un mot de plus, les trois hommes burent leur thé et sortirent. Pendant que Jean et Louis se dirigeaient vers l'étable pour préparer la traite, Bernard alla chercher les vaches qui paissaient dans le champ. Les cris de ce dernier pour rassembler les animaux tirèrent Annette et les filles de leur sommeil. Colette et Isabelle s'habillèrent et firent leur lit pendant qu'Annette commençaient à préparer le déjeuner. Un peu plus tard, la cadette sortit donner à manger aux poules.

Les Bergeron allaient se mettre à table pour dîner quand ils entendirent arriver la voiture conduite par Louis. Ce dernier ne s'arrêta qu'à la porte de l'étable pour y décharger les bidons vides. Il dételа la noire et lui donna à manger avant de revenir vers la maison. Jean l'avait entendu passer une heure avant. Le bruit des bidons de lait vides qui s'entrechoquaient dans la voiture s'entendait de loin.

Louis alla se laver à la pompe du jardin avant d'entrer et de venir s'asseoir à table où sa mère avait déjà rempli les assiettes. Après le bénédicité, Jean leva la tête et lui demanda s'il y avait eu des problèmes durant sa tournée.

— Non, p'pa, répondit-il. Mais je te dis que les Marcotte en ont des bidons. C'est vrai qu'avec le troupeau de vaches qu'ils ont, c'est normal. Je pense qu'eux autres tout seuls prennent la moitié de la voiture avec leurs bidons.

— Comment ça s'est passé à la fromagerie ?

— Pas de problème, dit Louis. François Riopel était là pour acheter du fromage et il m'a donné un coup de main pour laver les bidons vides. Le fromager est jasant et il m'a laissé manger du fromage en grain tant que j'en ai voulu.

— Si c'est comme ça, intervint Isabelle qui adorait le fromage en grain, je vais aller faire la tournée avec toi cette semaine, juste pour en manger à mon goût.

— Si tu viens, la taquina Louis, tu places les bidons pleins dans la voiture et tu m'aides à les laver quand ils sont vides. Je prends pas de passagers qui font rien.

— Aïe ! C'est ben trop pesant pour une fille. Si tu me fais faire ça, les gens vont te prendre pour un grand flanc-mou.

— C'est assez, les enfants, dit Annette. Toi, Isabelle, il est pas question que tu ailles courir les chemins quand on a de l'ouvrage à plus savoir par où commencer. Il y a le jardin à sarcler et du ménage à faire.

— Voyons, m'man ! On est pas des esclaves. On peut ben prendre une heure ou deux pour se changer les idées.

— Ma fille, t'as le dimanche après-midi pour ça.

Ces dernières paroles mirent fin à la discussion. En quittant la table à la fin du repas, Louis dit à sa sœur :

— Si tu regardes ben sur la voiture, je pense que j'ai oublié un petit sac de fromage en grain. Peut-être que tu saurais quoi en faire...

L'air content de la jeune fille fit sourire tout le monde.

— Oublie pas de nous le faire goûter, dit sa mère au moment où Isabelle franchissait déjà la porte de la cuisine.

Quelques heures plus tard, Jean était occupé dans la remise. Il sursauta quand il découvrit Eusèbe Marcotte sur le pas de la porte. Il ne l'avait pas entendu arriver.

— Salut, Jean. Je m'en vais au village faire des commissions. As-tu besoin de quelque chose ? Je pourrais te le rapporter en revenant, dit Eusèbe.

— Sais-tu, Eusèbe, j'haïrais pas ça monter avec toi si ça te dérange pas trop. Je te retarderai pas. J'ai besoin de quelques affaires au magasin général, mais je sais pas trop si Beaudet a ça.

— T'as ben beau. Ça me fera de la compagnie.

— Donne-moi une minute, j'arrive.

En passant devant le jardin, Jean Bergeron demanda à sa femme si elle avait besoin de quelque chose au magasin général.

Une minute plus tard, il montait aux côtés de son voisin et la voiture d'Eusèbe prenait la route en soulevant derrière elle un fin nuage de poussière.

En longeant les champs, Eusèbe ne put s'empêcher de remarquer à voix haute :

— Le foin est déjà haut. Si la pluie s'en mêle pas, je pense que dans une dizaine de jours, on va pouvoir commencer à le couper. On va avoir le temps de finir les fraises ben avant.

— Il va être pas mal beau cette année.

— Regarde, fit Eusèbe en lui montrant des champs, l'orge et l'avoine ont l'air à ben s'en venir aussi. Il commence à y avoir des épis.

De loin en loin, les deux hommes apercevaient des gens au travail. Ils saluèrent au passage Vincent Riendeau en train de réparer sa boîte aux lettres placée au bord du chemin.

À la sortie du rang Sainte-Anne, l'attelage tourna à droite sur le rang Saint-Édouard et se mit à longer la rivière dont l'eau était particulièrement basse à cause de la canicule.

— Si l'eau continue à baisser, on va pouvoir traverser la rivière à pied, fit Jean.

— Oui, puis les vieux pêcheurs du village vont se lamenter parce qu'ils sauront plus quoi faire pour s'occuper.

Puis, changeant de sujet, Eusèbe dit à son passager :

— Sais-tu, Jean, j'aurais un petit service à te demander. Notre truie a eu une bonne portée et ses petits sont maintenant sevrés. Le problème, c'est qu'elle a pris en grippe deux de ses petits. J'ai peur qu'elle finisse par les blesser. Accepterais-tu de m'engraisser ces deux petits-là. À l'automne, j'en reprendrais un et je te laisserais l'autre pour faire boucherie.

— Il y a pas de problème, dit Jean. Je vais te les prendre en revenant du village, si tu veux. Cet automne, tu reprendras tes deux cochons.

— Non, non, tu en garderas un. C'est normal. Si tu les gardais pas, je les perdrais tous les deux.

— Si c'est comme ça, j'accepte, fit Jean, content. C'est toi qui me rends service. J'avais pas les moyens d'acheter un verrat et une truie cette année.

Il y eut un long moment de silence. Puis Eusèbe dit, comme se parlant à lui-même :

— Quand il s'agit des animaux, les problèmes sont faciles à régler. C'est de valeur qu'on puisse pas faire comme ça avec les enfants. Quand ils grandissent, les problèmes grandissent avec eux autres. On sait jamais à quoi s'attendre...

— T'es pas tout seul à connaître ça, fit Jean. Je sais pas trop sur quel pied danser avec mon Louis. On dirait qu'il s'habitue pas à vivre sur une terre. Il a l'air malheureux. Il donne l'impression d'être en prison. Pourtant, il est pas comme les jeunes qui ont jamais quitté la ferme. Il sait ce qui l'attend en ville : du chômage et de la misère.

— Et ils nous en parlent pas, conclut Eusèbe. Moi, c'est ma Marie qui s'est mis dans la tête de devenir une bonne sœur. Je pense qu'elle s'est laissée monter la tête par les religieuses du couvent. Une fille de 17 ans, c'est prêt à croire n'importe quoi. Je trouve pas ça normal qu'une fille s'enferme avant de connaître quoi que ce soit de la vie.

— Qu'est-ce que tu vas faire ? demanda Jean en le regardant.

— Je sais pas encore. Je vais d'abord aller voir la supérieure ; après, on verra. J'ai l'impression que si c'est sérieux, on aura pas le choix. Il va falloir la laisser partir. On peut tout de même pas l'enfermer dans la maison contre son gré... d'autant plus que le curé va finir par s'en mêler, fit Eusèbe.

— Ah ! le curé...

— Oui, je me doute ben que tu dois pas le porter dans ton cœur après la coche mal taillée qu'il t'a faite quand t'es arrivé... Mais attends un peu, tu vas peut-être t'apercevoir qu'il est loin d'être fou et qu'ordinairement, il voit clair. Je suis certain que dans le cas de Marie, s'il se rend compte que sa vocation est pas ben solide, il hésitera pas à la décourager de s'enfermer dans un couvent.

— Qu'est-ce que ta femme en dit de tout ça ?

— Comme d'habitude, elle va faire ce que lui dira le curé. En tout cas, j'ai eu de la misère à me débarrasser d'elle cet après-midi. Elle voulait à tout prix venir au village avec moi. J'ai idée qu'elle avait peur que je me chicane avec la supérieure.

L'attelage acheva de monter la côte qui conduisait au village. Eusèbe attacha sa bête devant le magasin général et dit à Jean qu'il n'en avait pas pour longtemps.

Eusèbe Marcotte traversa la rue Principale, monta les cinq marches de l'escalier du couvent et sonna à la porte. Il attendit quelques secondes qu'une religieuse vienne lui ouvrir.

— Est-ce que je peux voir la supérieure, demanda-t-il à la petite religieuse toute courbée qui lui avait ouvert.

— Entrez Monsieur et passez au parloir, répondit la religieuse en lui indiquant une pièce située à droite de la porte d'entrée et où une vingtaine de chaises étaient alignées le long des murs. Je vais voir si mère supérieure peut vous recevoir.

La portière le laissa seul dans le parloir et disparut dans un long couloir. Debout devant la fenêtre, Eusèbe entendit un chuchotement puis des pas venant dans sa direction. Quand il se retourna, il se retrouva face à mère Saint-Sauveur, une religieuse aussi haute que large au visage sévère. Un instant, Eusèbe Marcotte regretta de ne pas s'être fait accompagner par Estelle.

— Bonjour, Monsieur. En quoi puis-je vous être utile ? demanda la supérieure d'une voix haut perchée, en lui désignant une chaise.

— Bonjour, ma mère, fit Eusèbe, un peu intimidé. Je suis le père de Marie Marcotte.

— Ah ! je vois, fit la supérieure en s'assoyant. Je suppose que votre fille vous a parlé de son intention de rejoindre les rangs de notre communauté ?

— C'est en plein ça, répondit le gros homme en reprenant un peu de son aplomb. La nouvelle nous a pas mal surpris, ma femme et moi.

— J'espère que vous êtes fiers du choix de votre fille de se consacrer au service de Dieu ?

— On a rien contre ça, dit Eusèbe en esquivant la question. Le problème est qu'on la trouve pas mal jeune pour prendre une décision pareille, vous trouvez pas ?

— Mon fils, quand Dieu appelle quelqu'un, l'âge n'a pas d'importance. Depuis deux ans, nous observons votre fille. Elle est pieuse et elle a du talent. À notre avis, elle fera une excellente religieuse enseignante...

— Ma femme et moi, on se demandait si vous l'aviez pas un peu trop influencée.

La supérieure eut un petit sourire énigmatique. Elle comprenait le sacrifice que les parents consentaient quand ils donnaient leur fille à une communauté.

— Évidemment, Monsieur Marcotte. Nous avons poussé votre Marie à réfléchir à sa vocation et à prier Dieu de l'éclairer. Mais je pense que vous vous inquiétez inutilement. Laissez faire Dieu et le temps. Marie n'a pas à prendre une décision demain matin. Elle a tout l'été devant elle pour réfléchir. Si elle n'est pas sûre d'elle cet automne, elle pourra retarder son entrée au noviciat. Notre porte est toujours ouverte.

Eusèbe fut soulagé en entendant ces paroles. Marie pourrait encore changer d'idée.

— En plus, vous savez, tant que les vœux solennels ne sont pas prononcés, nos novices ont toujours la possibilité de revenir à la vie laïque et à leur famille. Cela veut dire que Marie aura encore deux ans pour s'assurer de la solidité de sa vocation.

— Si c'est comme ça, on va laisser faire le temps, dit Eusèbe avec entrain.

— Et Dieu, mon fils. Ce temps, vous pourrez vous-même le mettre à profit pour songer à la dot que vous donnerez à votre fille le jour où elle entrera au noviciat.

— La dot ?

— Oui, la dot, Monsieur Marcotte. La fiancée du Seigneur ne se présente pas les mains vides le jour de ses noces. On demande aux parents d'offrir une dot à leur fille, une dot qui tient compte de leurs moyens financiers, évidemment. Dans le cas de Marie, je crois qu'une somme de 200 dollars serait un montant raisonnable.

— Ah ben ça, c'est le « boutte » ! éclata Eusèbe. Je vais vous donner ma fille de 17 ans. J'ai payé son instruction. Elle va travailler gratuitement pour votre communauté toute sa vie et, en plus, je dois lui donner une dot de 200 piastres ? Y a pas à dire, vous risquez rien.

Les traits de mère Saint-Sauveur se figèrent en entendant Eusèbe exprimer sa colère.

— C'est l'usage, mon fils, fit-elle en se levant pour signifier que l'entretien était terminé. Mais nous n'en sommes pas encore là. Quand viendra le moment de prendre la décision finale, je suis certaine que Dieu vous indiquera la bonne voie.

Eusèbe Marcotte sortit du couvent, rouge comme un coq.

— Une dot ! Une dot, en plus ! Les maudites sœurs peuvent ben être riches ! dit-il à mi-voix, en descendant les marches.

Le cultivateur n'eut pas à entrer dans le magasin général. Il retrouva une dizaine de personnes rassemblées devant la vitrine où un placard avait été placé. On y annonçait la tenue d'une assemblée contradictoire entre le candidat conservateur et le candidat libéral le premier dimanche de juillet, dans la cour de l'école du village. À entendre les commentaires de certains, cette réunion était à ne pas manquer.

Eusèbe vit Jean Bergeron en train de discuter avec Omer Lagacé, Antonio Veilleux, Antoine Girouard et Léo Durand. Ils se tenaient debout à l'extrémité de la longue galerie du magasin général. Il se joignit au groupe.

— C'est pas vrai ! Léo, disait Antonio Veilleux, moqueur. La veuve Parent te permet depuis quinze jours d'aller veiller avec elle ? Arrête donc ! Qui surveille vos fréquentations ? Le curé Desmeules ?

— C'est la vérité vraie ! affirma avec fierté le petit sexagénaire, en soulevant son chapeau pour frotter sa calvitie. Augustine a su reconnaître ce qu'était un vrai homme. Inquiète-toi pas, mon Tonio, on a besoin de personne pour nous surveiller. On est assez vieux pour savoir ce qu'on fait, ajouta-t-il en clignant de l'œil.

— Ouais ! fit Lagacé. Si je me souviens ben, Léo, t'as été marié trois fois et t'as pas trouvé moyen de faire un enfant à aucune de tes femmes. Je pense que je suis mieux de te donner une couple de conseils, ça pourrait toujours te servir et ta femme finirait par trouver les soirées moins longues.

— Je te trouve effronté en p'tit péché, Omer Lagacé. J'ai pas eu d'enfant parce que mes femmes étaient des petites natures. Elles avaient pas de santé.

— On dit ça, répliqua l'autre avec malice. Mais, en tout cas, si t'as besoin d'aide pour venir à bout de la ménagère du curé, tu sais où me trouver.

— Tu sais Léo, fit le maire, sérieux, juste la dompter, j'ai ben peur que tu vas en avoir plein les bras. L'Augustine est une bonne personne, mais je la vois mal obéir au doigt et à l'œil à un homme. Si le curé lui fait pas peur, imagine son petit bedeau !

— Tu vas pas t'y mettre toi aussi, Antoine, fit le bedeau. Tu devrais savoir que j'ai la main avec les femmes, dit-il en prenant un air dominateur.

Cette dernière réplique du bedeau suscita des ricanements dans l'auditoire.

Tout à coup, Augustine Parent sortit du magasin général où elle avait probablement partagé les derniers ragots de la paroisse avec Olivette Beaudet.

— Léo ! dit-elle d'une voix forte et autoritaire. Arrive ! On va être en retard !

Le bedeau ne se le fit pas dire deux fois et il quitta précipitamment le groupe, la tête basse.

Les hommes se regardèrent un instant, puis éclatèrent de rire.

— Ce pauvre Léo se fait des idées, dit le maire. Il a pas fini d'en voir de toutes les couleurs avec Augustine Parent. Ça prendra pas de temps qu'elle va le mettre à sa main.

Après le départ du bedeau, Eusèbe demanda à Jean s'il avait fini ses achats.

— Oui, je les ai mis dans ta voiture. Si t'as des choses à acheter, je vais t'attendre, ajouta-t-il.

— Non, tout est correct. Si t'es prêt, on peut retourner à la maison.

Durant tout le voyage de retour, Eusèbe ne dit pas un mot de sa rencontre avec la supérieure du couvent. La conversation porta exclusivement sur l'assemblée contradictoire qui aurait lieu huit jours plus tard. Ils se promirent d'y assister. C'était un divertissement à ne pas manquer, même s'il y avait des bagarres qui éclataient de temps à autre entre les supporteurs des deux candidats.

Quand la voiture tourna pour entrer dans le rang Sainte-Anne, la pluie qui avait menacé tout l'après-midi se mit à tomber doucement. Elle était fine et chaude.

— Ça va être bon pour les jardins, laissa tomber Jean.

— Et pour les champs aussi, dit Eusèbe. Ça fait longtemps qu'il est rien tombé. La terre est sèche. Dis donc, est-ce que tu veux prendre mes deux petits cochons tout de suite ? Je te ramènerai chez vous avec.

— Si ça te dérange pas trop, on est aussi ben de faire ça aujourd'hui.

La voiture d'Eusèbe dépassa la maison des Bergeron et s'arrêta dans la cour des Marcotte. Eusèbe cria à Maurice, qui traversait la cour, d'entraver deux cochons et de les mettre dans deux poches de jute.

Dix minutes plus tard, Eusèbe laissait Jean chez lui et prétextait le train à faire pour ne pas entrer boire quelque chose.

Chapitre 9

Les fraises

La première semaine de juillet fut passablement occupée chez les Bergeron. Après deux jours de pluie bienfaisante, La température s'était remise au beau et facilitait les travaux extérieurs.

Bernard et Louis complétèrent les réparations de l'étable en remplaçant certaines tôles percées du toit pendant que Jean s'occupait de changer des madriers pourris sur la plate-forme de la charrette à foin et de faire ferrer ses chevaux chez Cadieux, le forgeron du village.

Annette était contente de son jardin qui allait lui donner bientôt ses premières fèves jaunes.

Le mardi matin, elle vit arriver Mariette Marcotte. La jeune fille de 18 ans était envoyée par sa mère pour lui proposer de venir cueillir des fraises. À l'entendre, il y en avait tellement que les Marcotte ne savaient plus quoi en faire.

Annette ne se fit pas répéter l'invitation. Armées de nombreux récipients et vêtues de robes à longues manches, ses deux filles et elle se rendirent chez les voisins sans perdre de temps.

Estelle et Marie les vit arriver et elles sortirent de la maison pour les accueillir avec un grand sourire.

— Bonjour tout le monde, fit Estelle. Annette, je sais que Marcelin Delorme a planté une dizaine de fraisiers au bout de son jardin, mais j'ai pensé qu'ils ne te donneraient jamais assez de fraises pour faire des confitures pour toute ta famille. Pour lui, ça suffisait à ses besoins, mais pour toi, c'est pas assez.

— T'as raison. La récolte a pas été fameuse, admit Annette en déposant sur la galerie de sa voisine les récipients vides qu'elle avait apportés.

— Nous, ça fait plus de trente ans qu'on en cultive, reprit Estelle. C'est effrayant ce qu'on peut en avoir encore, même si on en a ramassé une trentaine de paniers. J'ai déjà eu le temps de faire une cinquantaine de gros pots de confiture et j'en ai donné à Élise Riopel qui est pas en état de venir s'en chercher. Il va ben falloir que je m'arrête un jour, dit-elle avec un bon rire. Si ça fait ton affaire, prends toutes les fraises que tu peux. Il fait beau. Je vais même aller te donner un coup de main avec deux de mes filles. Je vais juste laisser Pauline à la maison pour préparer le dîner. Venez, on va vous montrer la place.

Les six femmes marchèrent quelques instants pour rejoindre le champ de fraises situé à une trentaine de mètres derrière l'étable des Marcotte. Elles se mirent à la cueillette sans perdre de temps. En moins de deux heures, tous les récipients apportés furent pleins de gros fruits rouges et sucrés.

— J'ai des paniers en masse dans la remise, proposa Estelle. Si tu veux en ramasser plus, te gêne pas.

— Écoute, Estelle, je voudrais pas exagérer sur le pain béni, dit Annette, tentée par la proposition.

— Ben non, on a le temps d'en ramasser encore pas mal avant le dîner. De toute façon, dit-elle pour mettre sa voisine à l'aise, si tu les cueilles pas, elles vont pourrir dans le champ.

Estelle envoya Mariette chercher des paniers vides et le travail reprit sous le chaud soleil de juillet.

Un peu avant midi, Annette se releva en se tenant les reins et, à la vue de toutes les fraises cueillies, elle dit à Isabelle :

— Va donc dire à ton père de venir nous chercher avec la voiture. Comme ça, on sera pas obligé de faire plusieurs voyages pour transporter toutes les fraises.

Mariette, qui avait beaucoup parlé avec l'adolescente durant l'avant-midi, proposa de l'accompagner. Les autres rassemblèrent au bout du champ tous les contenants pleins et attendirent la voiture.

Une dizaine de minutes plus tard, elles virent arriver Jean avec la voiture sur laquelle les deux filles étaient assises, les jambes pendantes.

Il s'exclama devant toutes les fraises qu'on avait amassées durant l'avant-midi et il voulut offrir quelque chose à Estelle et à ses filles, autant pour les fruits que pour leur travail. Elles ne voulurent rien entendre.

On chargea les contenants sur la voiture et les femmes trouvèrent assez d'espace pour s'y asseoir en se tassant. Jean et Annette laissèrent les Marcotte dans leur cour et, après de nombreux remerciements, ils revinrent à la maison.

L'après-midi fut consacré à l'équeutage des fraises. Annette en conserva une partie pour manger avec de la crème et, aidée de Colette et d'Isabelle, se mit à faire des confitures dont toute la famille se régalerait. Pendant ce temps, Jean s'occupa de faire la chasse à tous les pots vides qu'il pouvait trouver dans la remise. La table de la cuisine d'été en fut couverte. Après les avoir ébouillantés, ils furent remplis et scellés avec de la paraffine. Ce travail occupa deux journées entières. À la fin, Annette dut constater avec satisfaction qu'elle avait confectionné autant de confiture que sa voisine.

Pour remercier les Marcotte, elle leur apporta elle-même deux poudings aux fraises, en espérant qu'ils n'en avaient pas déjà trop mangé.

****

Le samedi soir, il fallut s'entendre sur l'identité de ceux et celles qui iraient passer la journée du lendemain au village pour assister à l'assemblée contradictoire. Même si la politique n'intéressait pas beaucoup les femmes, elles voulaient être aussi de la fête et elles voyaient là une occasion de rencontrer du monde, vêtues de leur plus belle robe.

Finalement, Bernard suggéra de faire le train avec son père le matin et d'assister à la basse-messe avec Colette. Ils reviendraient à la maison après. Les autres pourraient assister à la grand-messe, pique-niquer au village et assister à une partie de l'assemblée. Vers deux heures, Louis pourrait revenir à la maison avec Isabelle pour faire la traite et préparer le souper pendant qu'il irait à son tour au village avec Colette pour voir la fin de la fête.

Comme Jean et Annette ne voyaient pas une autre façon de faire, ils acceptèrent la suggestion de leur aîné.

Chapitre 10

L'assemblée contradictoire

Le dimanche matin, le ciel était nuageux et tout laissait présager une journée pas trop chaude. Chez les Bergeron, c'était le branle-bas dans toute la maison. Chacun voulait faire sa toilette en même temps. Annette dut élever la voix pour qu'on laisse la place à Colette et Bernard qui devaient partir tôt pour la messe.

Lorsqu'ils revinrent de la basse-messe sur le coup de neuf heures et demie, Jean, Annette, Louis et Isabelle les attendaient, endimanchés et prêts à partir. Pendant que Louis et son père rangeaient le repas du midi dans la voiture, Annette demanda à Colette s'il y avait beaucoup de monde au village.

— Je pense, m'man, qu'il était encore un peu trop de bonne heure, mais j'ai vu qu'ils avaient dressé une estrade dans la cour de l'école et que les organisateurs avaient placé des banderoles un peu partout.

Ce dimanche-là, le curé Desmeules constata avec mécontentement la fébrilité de ses paroissiens pendant qu'il lisait son bréviaire, en marchant à petits pas sur la longue galerie du presbytère. Il y avait de la nervosité dans l'air. Les interpellations bruyantes d'une voiture à l'autre et les éclats de rire sur le parvis de l'église n'étaient pas la meilleure préparation pour rencontrer le Seigneur.

Quand les cloches sonnèrent au clocher de l'église, il ferma son bréviaire d'un geste sec, descendit l'escalier et se dirigea, la mine sévère et le ventre avantageux, vers la porte de la sacristie pour aller se préparer pour la grand-messe.

Au début de la célébration, quand il se rendit compte que quelques hommes et jeunes gens étaient demeurés debout au fond de l'église, il s'avança dans le chœur pour les inviter sèchement à prendre place dans un banc, à leur plus grande humiliation et sous les regards goguenards de l'assemblée. Ce matin-là, le curé Desmeules prononça un long sermon sur la piété et il mit ses paroissiens en garde contre les excès que les réunions politiques entraînaient. À la fin de la messe, il prévint sévèrement les hommes en particulier qu'il ne tolérerait pas qu'ils donnent le mauvais exemple à leurs enfants en consommant de l'alcool ou en jurant durant la réunion politique.

À la sortie de la messe, les habitants de Saint-Anselme purent constater que des gens des paroisses voisines avaient commencé à arriver pour assister à l'assemblée contradictoire prévue pour 13 h. Il y avait des attelages partout dans la rue Principale. Leurs propriétaires les avaient attachés un peu partout, là où ils le pouvaient. Ici et là, des groupes d'hommes se formaient et on discutait haut et fort de politique.

Annette et Jean rejoignirent les Marcotte, les Riopel et les Riendeau qui étaient venus avec dix de leurs enfants. Les hommes convinrent de laisser leur voiture à l'endroit où ils les avaient laissées avant la messe parce qu'ils n'étaient pas certains de trouver une place où les garer s'ils les déplaçaient. On envoya les enfants chercher le repas qu'on y avait déposé ainsi que des couvertures.

— On pourrait peut-être aller s'installer dans le champ, à côté de la forge de Roméo Cadieux, proposa Agathe Riendeau.

— Si on fait ça, dit Eusèbe, on risque de pas avoir des bonnes places dans la cour d'école quand l'assemblée va commencer.

— C'est vrai qu'il y a du monde des autres paroisses qui sont déjà en train de s'installer là. Peut-être qu'on ferait mieux d'y aller nous autres aussi.

On décida donc de pique-niquer comme les autres dans la cour de l'école. Ainsi, on serait certain de ne pas être trop loin de la scène lorsque l'assemblée contradictoire débuterait.

Quand les quatre familles entrèrent dans la cour de l'école, elles se rendirent compte qu'elles n'avaient pas été les seules à avoir eu cette idée. Une cinquantaine de personnes étaient déjà installées devant l'estrade.

Annette et Estelle se débrouillèrent pour trouver un coin ombragé sous les érables qui bordaient la cour et elles étendirent par terre de grandes couvertures. On disposa sur ces dernières la nourriture que l'on mit en commun.

À jeun depuis la veille, les adultes et les enfants firent honneur au pain de ménage, au fromage, aux œufs durs et aux tartes aux fraises. Si les enfants d'Agathe Riendeau dévoraient à belles dents, Élise Riopel, dont la pâleur faisait peine à voir, ne mangeait pratiquement rien.

— Il faut te forcer, Élise, lui fit remarquer Estelle, maternelle. Tu es dans ton huitième mois. Si tu veux que ton petit soit fort, tu dois manger plus que ça.

— Je le sais ben, Madame Marcotte, mais mon estomac garde rien.

— Qu'est-ce que le docteur Tanguay en dit ? demanda Annette, intéressée.

— Tu connais pas le docteur Tanguay, fit remarquer Agathe Riendeau. Pour lui, tout va toujours ben. Il m'a accouchée de mes treize enfants. Je sais comment il est avec les femmes en famille. Il t'examine sans dire un mot. Il te prescrit un fortifiant et il te met à la porte. Lui arracher une phrase, c'est comme lui arracher une dent, dit-elle avec humour.

— Il a pas changé, laissa tomber Élise en arborant un pauvre sourire.

De toute évidence, la majorité des femmes présentes dans la cour d'école étaient peu intéressées par la réunion politique. Un bon nombre d'entre elles, suivies le plus souvent de leurs enfants, allèrent marcher dans le village dès la fin du repas. En cela, elles n'étaient pas tellement différentes des jeunes gens de la paroisse.

La plupart de ces derniers s'étaient rassemblés devant le magasin général pour fumer, boire une boisson gazeuse et reluquer les jeunes filles qui passaient devant eux.

Jérôme Beaudet, en homme d'affaires avisé, avait ouvert une sorte de kiosque près de son magasin général sitôt la messe finie. Il avait fait une ample provision de boissons gazeuses, de friandises et de bière d'épinette, provision qu'il était certain d'écouler durant l'après-midi. Les jeunes s'étaient installés sur la galerie du magasin comme une volée de moineaux et ils échangeaient des commentaires sur les nouveaux arrivés qui se précipitaient vers la cour d'école parce qu'ils craignaient de manquer le début de l'assemblée.

Les gens continuaient à arriver de partout. Il y en avait de Sainte-Monique, de la Visitation, de Saint-Cyrille et d'autres villages des alentours. Certains avaient parcouru une longue distance pour assister à cette assemblée contradictoire entre le vieux conservateur, Tancrède Laliberté, et le jeune libéral prometteur, Euclide Joyal. Tous les deux avaient la réputation de parler fort et d'être capables de se défendre.

La cour d'école était maintenant remplie et la foule empiétait sur le terrain du couvent. Les connaisseurs avaient remarqué l'arrivée de deux ou trois groupes de matamores, payés probablement par l'un ou l'autre des candidats. Ils s'amenaient supposément pour protéger leur candidat, mais on savait fort bien qu'ils étaient présents surtout pour intimider les adversaires trop bruyants. Pas un organisateur rouge ou bleu du comté n'aurait osé tenir une réunion sans leur soutien.

Un peu avant 13 h, à quelques minutes d'intervalle, deux convois de trois véhicules automobiles entrèrent dans Saint-Anselme en klaxonnant. Ils s'arrêtèrent à peu de distance l'un de l'autre, devant l'école. Des encouragements mêlés à des huées saluèrent l'apparition de chacun des candidats, accompagné, comme il se devait, de leur organisateur dans le comté, de leur femme et de leurs enfants. Les deux petits groupes se frayèrent un chemin dans la foule pour se rendre jusqu'à l'estrade où le maire Girouard les attendait en compagnie de ses échevins.

En bordure de la cour d'école, Jean Bergeron avait retrouvé Marcelin Delorme et le bedeau auxquels s'étaient joints Eusèbe Marcotte et François Riopel. Il était évident que la politique ne passionnait aucun des cinq hommes. Ils étaient là pour profiter du spectacle.

À l'arrivée des candidats, la plupart des femmes s'étaient volontairement éloignées de la cour de l'école. Elles avaient trouvé refuge sous les arbres plantés devant le couvent des sœurs de l'Assomption. Le beau Louis-Georges Proulx était venu y rejoindre Pauline Marcotte.

Chaperonnés par Marie et Mariette, les deux amoureux étaient partis faire une promenade jusqu'à la dernière maison du village. Ils voulaient fuir la foule de plus en plus bruyante.

— Quelqu'un a vu Isabelle ? demanda Annette, soudain inquiète de la disparition de sa cadette.

— Je l'ai aperçue il y a deux minutes avec ton garçon devant chez Beaudet, répondit Agathe Riendeau qui revenait avec le plus jeune de ses fils qui avait réussi durant quelques minutes à échapper à sa surveillance.

Annette se rassura.

Pourtant, Isabelle n'était pas avec Louis. Elle avait rencontré le fils d'un cultivateur du rang Saint-Louis, un beau parleur qui arborait une petite moustache conquérante.

Léandre Martineau avait remarqué cette belle jeune fille brune et il s'était présenté sans perdre un instant. Pendant que ses parents étaient occupés ailleurs, il profita de l'occasion pour l'inviter à faire une balade dans sa voiture attelée à une jument fringante. À 19 ans, il se croyait un homme et il essayait d'impressionner la jeune fille en lui racontant ses exploits. Sans méfiance et peu intéressée à demeurer tout l'après-midi avec les femmes devant le couvent, Isabelle accepta.

Dans la cour de l'école, le maire, Antoine Girouard, était parvenu à calmer la foule pour présenter les deux politiciens. Peu à peu, les plus chauds partisans s'étaient tus pour mieux entendre les orateurs exposer les mérites de leur parti politique. Les organisateurs s'étaient entendus pour que chacun des candidats expose d'abord le programme de son parti avant de laisser les deux hommes s'affronter. Un tirage au sort avait désigné Euclide Joyal pour prendre d'abord la parole.

Le candidat libéral se leva et s'avança sur l'estrade avec une belle assurance. Cet agronome de moins de 40 ans était bien connu dans le comté et on lui prédisait un bel avenir en politique. Il rappela d'abord aux électeurs que les libéraux avaient le pouvoir au Québec depuis 34 ans et qu'ils avaient donné à la province des premiers ministres aussi remarquables que Marchand, Parent, Lomer Gouin et Louis-Alexandre Taschereau. Le gouvernement de ce dernier avait de nombreuses réalisations à son crédit. Euclide Joyal plastronnait sur la scène, Il parla de la fondation des semaines sociales et de l'Union des cultivateurs catholiques, de la création du 22e régiment, de la loi de l'assistance publique et de la mise sur pied de la Commission des liqueurs. Le jeune politicien parla longuement de l'électrification rurale qui deviendrait, selon lui, une priorité du prochain gouvernement. Pendant tout le temps où il s'adressa à la foule plus ou moins attentive, son adversaire discutait ostensiblement avec son organisateur assis à ses côtés sur l'estrade.

Quand vint son tour de prendre la parole, Tancrède Laliberté se leva avec un sourire triomphant sur les lèvres. Ce vieux routier de la politique provinciale n'avait été élu qu'une fois, en 1916, mais rien dans son comportement ne laissait deviner qu'il avait mordu la poussière aux quatre dernières élections. C'était tout de même mieux que son propre parti qui n'était pas parvenu à former le gouvernement depuis 1896. Après avoir chanté la gloire de son chef, Camillien Houde, et des nouveaux candidats vedettes que ce dernier avait attirés dans les rangs du parti, il se lança, sans plus attendre, dans une attaque à fond de train contre l'inertie du Parti libéral depuis le début de la crise économique. Il reprocha à ce dernier d'être responsable de tous les malheurs survenus dans la province. Tout au long de son exposé, il fit de nombreuses blagues pour dérider la foule et il se moqua sans retenue de l'inexpérience de son adversaire et des politiciens libéraux qui avaient été impliqués dans différents scandales.

Chacune des saillies du conservateur était accueillie par des rires et des huées. L'assemblée devenait amusante. Dans le fond de la cour, des cruchons d'alcool payés par l'un ou l'autre des partis avaient fait leur apparition. On offrait un petit verre aux assoiffés.

Sur la scène, la lutte était vraiment engagée. Les deux politiciens se faisaient maintenant face et se prenaient durement à partie. Le face à face tournait à l'engueulade publique. Aucun ne reculait devant les exagérations et les mensonges les plus éhontés pour mettre la foule de son bord.

— C'est la faute de Taschereau et de sa bande de ministres incompétents si les prix des produits agricoles ont baissé de 60 % depuis deux ans, clama Tancrède Laliberté.

— C'est pas vrai, rétorqua Euclide Joyal. C'est la crise économique. La baisse est mondiale. Partout dans le monde, c'est la même chose. C'est pas Houde qui va changer quelque chose à ça. Il y a qu'à regarder ce qu'il fait comme maire de Montréal. La meilleure preuve : on a un gouvernement conservateur à Ottawa depuis l'année passée. Est-ce que Bennett a changé quoi que ce soit ? Non ! C'est pire qu'avant.

— Ça, c'est faux ! hurla le conservateur. Qui est-ce qui a pensé donner des millions pour aider les chômeurs ? Les conservateurs. Qui est-ce qui est en train de préparer un programme de secours direct ? C'est encore nous autres, pas les libéraux.

Et le ton des orateurs montait, face à la foule surchauffée. L'algarade ne s'essoufflait pas.

Quelques jeunes gens, en mal d'action, commencèrent à se bousculer après s'être largement invectivés. Les provocations et les défis pleuvaient. Il y eut des échanges de coups entre groupes de jeunes venus de différentes paroisses. Plusieurs hommes mûrs s'interposèrent pour calmer les esprits, mais c'était comme un feu de broussailles. Quand le calme revenait dans un coin de la cour, la bagarre reprenait ailleurs.

Vers 14 h, Louis se mit à la recherche de sa sœur pour retourner à la ferme. Il la vit descendre de la voiture d'un parfait inconnu. Furieux, il s'approcha.

— D'où est-ce que tu viens, toi ? lui demanda-t-il sans tenir compte de Léandre Martineau qui aidait la jeune fille à descendre.

— Je suis juste allée faire un tour, répondit Isabelle avec défi.

— Toute seule, avec quelqu'un que tu connais pas ? Attends que m'man sache ça ! Tu vas passer un mauvais quart d'heure, toi !

— Aïe, le jeune, dit Léandre d'un air avantageux, en s'avançant vers lui. Tu pourrais peut-être fermer ta gueule. T'es pas obligé de tout rapporter à ta mère.

Louis vit rouge. Il attrapa l'autre à la gorge et le repoussa vers sa voiture sur laquelle Léandre vint donner durement.

— Toi, je te parle pas. Débarrasse.

Léandre voulut réagir face à Isabelle qui avait blêmi en voyant l'assaut de son frère. Pendant un instant, il pensa frapper Louis. Puis, il sentit que l'autre était plus musclé que lui et fort capable de lui servir une vraie raclée devant les jeunes gens qui commençaient à s'approcher de la scène. Il se contenta de remettre de l'ordre dans sa tenue et d'essayer de sauver la face devant Isabelle.

— On se reverra, dit-il à Louis, menaçant. À ce moment-là, on va régler nos comptes.

Louis entraîna sa sœur par le bras vers leur voiture et il lui intima l'ordre de monter. Sans dire un mot de plus, ils prirent le chemin du rang Sainte-Anne.

À leur arrivée à la ferme, Isabelle entra dans la maison sans un mot pour Colette et Bernard qui les attendaient pour partir.

— Elle est pas de bonne humeur, la petite sœur, laissa tomber Bernard.

— C'est pas grave, répliqua Louis. Ça va lui passer. Allez-y si vous voulez voir quelque chose avant que ça finisse.

Après le départ de ses deux aînés, Louis alla rejoindre sa sœur, boudeuse, qui s'était mise à la préparation du souper, comme sa mère le lui avait demandé. Avant d'aller changer de vêtements pour aller traire les vaches, Louis, lui dit :

— Je dirai pas un mot à m'man de cette histoire-là. Ça l'énerverait trop. Mais si jamais ce gars-là vient rôder autour de la maison, il va avoir affaire à moi.

Isabelle fit comme si elle n'avait pas entendu.

Colette et Bernard arrivèrent au village assez tôt pour assister à la fin de l'assemblée qui se termina dans le chahut. Les plus ardents supporteurs accompagnèrent leur candidat jusqu'à leur automobile pour éviter que certaines têtes chaudes s'en prennent à lui en traversant la cour.

Quand les véhicules eurent disparu, la foule se dispersa peu à peu. Ici et là, il resta des petits groupes qui s'attardèrent à parler politique et à faire des pronostics sur l'élection du 31 juillet. Certains hommes se mirent à la recherche de leur famille qui avait déserté depuis longtemps le lieu de rassemblement. D'autres, moins pressés, attendirent que leur femme ou un de leurs enfants vienne leur demander s'ils rentreraient bientôt à la maison.

La cour de l'école offrait un bien triste spectacle. Elle était jonchée de papiers gras et de bouteilles de boissons gazeuses. Mais la fête était bel et bien finie. Le maire Girouard s'entretenait avec Antonio Veilleux et Joseph Lévesque qui avaient fait des pieds et des mains pour que l'assemblée ait lieu à Saint-Anselme.

— J'espère que vous allez faire nettoyer tout ça le plus vite possible, dit-il aux deux hommes.

— Inquiète-toi pas, lui répondit Joseph Lévesque, demain matin, ça paraîtra plus qu'il y a eu une assemblée, ici.

— On aurait dû charger cinq cennes par tête pour assister à l'assemblée, ajouta Antonio Veilleux. Juste voir mon candidat et l'entendre valaient ce prix-là, dit-il pour narguer son adversaire libéral.

— On sait ben, vous autres les Bleus, tout ce qui vous intéresse, c'est de faire la piastre avec n'importe quoi. Mais t'as raison, mon Tonio, ton Laliberté est un maudit bon bouffon... mais les histoires qu'il raconte valent pas cinq cennes, par exemple !

— Arrêtez de vous tirer la pipe vous deux, leur intima le maire. Oubliez pas de faire nettoyer la cour des sœurs aussi. Elle est presque aussi sale que la cour d'école. J'ai pas envie de les avoir sur le dos demain matin.

Jean Bergeron et Eusèbe retrouvèrent leur famille devant l'église. Ils parlaient avec François Riopel et sa femme Élise dont les traits tirés disaient assez l'état d'épuisement dans lequel la jeune femme se trouvait.

— Si vous voulez traîner un peu plus longtemps au village, offrit Jean à ses deux aînés, gênez-vous pas. Ça fait pas longtemps que vous êtes arrivés. Votre mère et moi, on peut rentrer avec François ; il a de la place dans sa voiture.

Bernard jeta un coup d'œil à sa sœur avant de dire :

— Non, p'pa, on est prêt à rentrer. Il y a plus rien à voir. Presque tout le monde est parti.

Eusèbe se pencha pour ramasser le panier de victuailles qui avait contenu le déjeuner de sa famille.

— On va rentrer nous autres aussi, dit-il, parlant plus à sa femme qu'à ses filles. C'est pas parce que mes gars sont pas intéressés par la politique que je dois leur laisser faire tout seul le train.

— Marie et Mariette vont monter avec Louis-Georges, dit Estelle à son mari. Je l'ai invité à souper.

Louis-Georges Proulx, un grand garçon maigre dont la mince moustache brune ne parvenait pas à faire oublier les nombreux boutons d'acné qui s'épanouissaient tant sur ses joues que sur son front, jeta à son amie Pauline un regard déçu. Encore une fois, il aurait à supporter la présence de chaperons.

Tout le monde se dirigea lentement vers les voitures. On monta à bord après s'être salués et on prit sagement le chemin du retour. Le ciel s'était soudainement obscurci et la pluie menaçait.

— Une journée pareille, dit Jean Bergeron à sa femme, c'est plus fatigant qu'une journée d'ouvrage.

— C'est vrai, convint-elle, mais si on sort jamais de chez nous, on verra jamais personne et on saura jamais ce qui se passe. Ça change les idées et ça fait du bien.

Chapitre 11

Les élections

Jusqu'au jour du scrutin, la politique occupa une place de choix dans les conversations. Si pour certains, la campagne électorale n'était qu'une distraction bienvenue, d'autres, par contre, prenaient la chose très au sérieux. Pour la plupart, l'allégeance politique était une affaire familiale et l'idée de trahir le parti pour lequel leur père ou leur grand-père avait toujours voté ne leur serait jamais venu à l'esprit.

Pourtant, il était évident, dès le début de la campagne, que les Rouges formeraient le prochain gouvernement. Le Parti conservateur de Camillien Houde souffrait de ce que son chef était écartelé entre ses obligations comme maire de Montréal et celles comme dirigeant du Parti conservateur provincial. Selon des rumeurs, des candidats mécontents le contestaient. L'homme avait beau multiplier les déclarations fracassantes et les attaques personnelles, il n'arrivait pas à faire oublier que son parti était beaucoup trop faible pour remonter la pente. Par contre, Louis-Alexandre

Taschereau dirigeait une troupe aguerrie et sa caisse électorale était très bien garnie. En vieux politicien expérimenté, il avait beau jeu de rendre le premier ministre conservateur Bennett responsable de tous les problèmes économiques dans lesquels se débattaient les habitants du Québec.

À Saint-Anselme, il y eut encore quelques assemblées de cuisine après l'assemblée contradictoire du début du mois. Les cultivateurs indécis reçurent la visite d'organisateurs de chacun des partis pour leur offrir une petite somme ou un avantage quelconque s'ils votaient pour leur candidat le 31 juillet. On vit même, tour à tour, chacun des candidats venir serrer la main des électeurs à la porte de l'église après la grand-messe. Même si l'issue du scrutin général ne faisait pas de doute dans la plupart des esprits, la lutte était intéressante entre Joyal et Laliberté dans le comté de Nicolet. L'important demeurait d'élire un député qui appartiendrait au gouvernement, sinon le comté risquait d'être privé de bien des subsides durant les quatre années suivantes.

Cependant, les élections ne faisaient pas oublier les travaux quotidiens. Le temps des foins était enfin venu. Tous les fermiers s'en occupaient. Comme la pluie était assez souvent de la partie depuis quelques jours, il fallait travailler vite et très tard le soir pour éviter que le foin coupé ne pourrisse dans les champs. On travaillait de l'aube au crépuscule à engranger la nourriture des vaches durant tout l'hiver.

Chez les Bergeron, la coupe et le ramassage du foin ne se firent pas sans mal. Jean et Annette durent réapprendre les gestes de leur jeunesse et leurs enfants comprirent vite à quel point ce travail était exigeant pour les muscles des bras et du dos. Pour ces derniers, ça ne ressemblait en rien aux quelques vacances estivales passées chez le grand-père à Saint-Éphrem. Travailler de l'aube jusqu'à la tombée de la nuit était épuisant au point que chacun n'aspirait plus qu'à retrouver son lit à la fin d'une longue journée de travail sous le soleil.

Quand Louis se plaignait en s'essuyant la figure avec son large mouchoir à carreaux, son père se contentait de lui dire :

— C'est le métier qui rentre. À la longue, tu vas t'habituer.

Un mardi après-midi, au moment où le ciel commençait à se couvrir et la température à fraîchir un peu, Jean était heureux. Il venait de décharger sa dernière charretée de foin avec ses fils. Pendant que les femmes travaillaient au jardin, il examina avec eux les réparations urgentes à faire à la grange dont certaines planches étaient pourries.

— On a déjà réparé l'étable. Maintenant, il est temps qu'on s'occupe de la grange, décréta-t-il. Ça sert à rien de mettre du foin là, dit-il à ses fils, si la pluie entre et vient le pourrir.

— J'ai vu des planches empilées derrière l'étable, lui répondit son aîné. Elles m'ont l'air encore bonnes. On peut changer facilement les planches les plus pourries par des nouvelles. Ça prendra même pas une journée complète pour faire ça.

— Fais donc ça avec Louis demain.

****

Le vendredi matin de cette semaine-là, l'oncle Hormidas arriva sans prévenir dans l'intention de voir comment son neveu se tirait d'affaire sur sa ferme. Il désirait surtout se rendre compte si son débiteur serait en mesure de le rembourser, intérêts et une partie du capital, à la fin de l'automne, comme il avait été entendu. Le vieil homme constata avec plaisir que tout le monde travaillait et que la ferme avait l'air en bon état. Comme il ne voulait pas encombrer ses hôtes au moment de l'année où il y avait le plus de travail, il annonça dès son arrivée à Jean et Annette qu'il repartirait le lendemain matin. Durant toute la journée, il se contenta d'accompagner Jean un peu partout et de voir comment il se débrouillait.

Durant le souper, Louis surprit tout le monde en lui demandant :

— Est-ce que ça vous dérangerait, mon oncle, que je monte en Beauce avec vous ? J'aimerais aller passer une semaine à Saint-Éphrem pour voir grand-père et grand-mère. Ça fait deux ans que je les ai pas vus.

Hormidas regarda Jean avant de répondre :

— Ça me ferait plaisir de t'amener, si ton père peut se passer de toi.

— Il a Bernard, Colette et Isabelle pour lui donner un coup de main, répondit le jeune homme avec insouciance.

Le visage de Jean rougit violemment et il abattit sa main sur la table.

— Baptême, par exemple ! Il manquerait plus que ça ! Tu vas avoir 20 ans dans un mois. T'es plus un enfant ! Faut être un maudit sans-cœur pour dire ce que tu viens de dire ! T'es prêt à nous laisser tout l'ouvrage sur les bras pendant que t'irais te promener. Ta mère et tes deux sœurs feraient ton ouvrage. T'as pas honte ? Y en est pas question ! Tu restes ici, tu m'entends, et tu feras ta part.

Louis blêmit devant cet éclat de son père. À ses yeux, une semaine loin de la ferme n'était pas la fin du monde. Il se leva de table sans terminer son souper et il monta à sa chambre.

Le lendemain matin, Hormidas Bergeron quitta la famille de son neveu très tôt. Avant de partir, Jean lui promit que le premier remboursement de sa dette serait déposé chez son notaire en novembre, tel qu'il avait été entendu lors du prêt.

— Je suis pas inquiet pour mon argent, affirma alors le vieux célibataire. Juste à voir comment tu te débrouilles, je suis certain que tu vas y arriver.

Pendant plusieurs jours, Louis fit la tête et prit un air de martyr chaque fois qu'il devait accomplir une tâche. Mais d'un commun accord, Annette et Jean firent semblant de ne pas s'en apercevoir, persuadés que cela lui passerait. De toute manière, il y avait tant de travail à accomplir qu'ils n'avaient pas le temps de se pencher sur les états d'âme de leur second fils.

****

Le dimanche 31 juillet, une chaleur écrasante pesait sur toute la région. Après la grand-messe, la plupart des habitants de Saint-Anselme se rendirent à l'école du village transformée en bureau de votation. Des représentants des deux partis surveillaient le déroulement du vote, mais le tout se déroula dans le calme le plus complet.

À l'extérieur, Lévesque et Veilleux plastronnaient et invitaient leurs plus ardents supporteurs à venir fêter chez eux dès que les résultats du scrutin seraient connus. L'un et l'autre promettaient d'arroser abondamment la victoire.

Ce jour-là, les Bergeron rentrèrent sans s'attarder au village après être allés voter. Ils profitèrent de la journée pour se reposer. Après le souper, Mariette Marcotte vint les inviter à se joindre à leur famille pour jouer quelques parties de cartes. Elle devait aussi transmettre l'invitation aux Riopel.

Vers 20 h, tous les Bergeron, sauf Louis, se rendirent chez leurs voisins. Une brise rafraîchissante s'était mise à souffler à l'heure du souper, ce qui rendait l'air beaucoup plus respirable.

Quand Élise Riopel arriva avec son mari, quelques minutes plus tard, Estelle et Annette remarquèrent que la future mère semblait beaucoup mieux, comme si la proximité de sa délivrance lui donnait un regain d'énergie.

Pauline invita Bernard et Colette à s'installer près d'elle et de son cavalier, Louis-Georges Proulx, sur la galerie. Marie et ses trois frères sortirent aussi des chaises pour s'installer avec eux. Pour sa part, Mariette entraîna Isabelle dans sa chambre. Les adultes prirent place dans la grande cuisine d'été des Marcotte dont toutes les fenêtres étaient ouvertes pour laisser entrer l'air frais. Estelle offrit du sucre à la crème, des bonbons au beurre d'arachide et du vin de cerise confectionnés par ses filles avant de venir s'asseoir avec ses invités.

Après avoir parlé des élections durant quelques minutes, on décida de jouer quelques parties de « romain cinq cents ». Henri et Maurice acceptèrent, un peu à contrecœur, de quitter les jeunes assis à l'extérieur pour former une équipe prête à affronter Élise et François Riopel.

Durant les deux heures suivantes, on changea de partenaire à quelques reprises. Il y eut des cris de victoire des gagnants et des lamentations, plus ou moins feintes, des membres des équipes perdantes. À certains moments, les joueurs étaient si bruyants que les jeunes quittaient momentanément le balcon pour venir voir se qui se passait dans la cuisine d'été.

Vers 22 h 30, on abandonna les cartes d'un commun accord et on parla de rentrer.

— À l'heure actuelle, fit Eusèbe Marcotte en rangeant les deux paquets de cartes dans leur boîte, je suis sûr qu'on a une bonne idée du gagnant des élections.

— En tout cas, au village, on doit déjà savoir qui a gagné dans le comté, répliqua François Riopel. Si Laliberté est pas entré, ce pauvre Veilleux a pas fini d'entendre parler de sa défaite.

— Je suis certain que Lévesque lui réserve une surprise à la fin de la soirée, ajouta Eusèbe en riant.

— Bon, c'est ben beau tout ça, mais il va falloir se lever de bonne heure demain matin, dit Jean Bergeron en se levant. On vous remercie beaucoup de toutes vos politesses. Je pense qu'on va rentrer se coucher.

À ce signal, Annette se leva et Isabelle, descendue depuis peu de la chambre de Mariette, l'imita. François et Élise Riopel firent de même.

— Je pense qu'on va faire un bout de chemin avec vous autres, dit Élise à Jean et Annette.

Tout le monde se retrouva sur la galerie. Louis-Georges Proulx comprit qu'il devait aussi quitter les lieux. Il se leva, salua tous les gens et remercia les

Marcotte pour leur hospitalité. Il se dirigea ensuite avec Jocelyn et Henri vers l'écurie pour atteler son cheval à sa voiture.

Avant que le jeune homme ait repris la route pour rentrer chez lui, les Bergeron, accompagnés des Riopel, avaient déjà couvert la moitié de la distance qui les séparait de la ferme de Jean. Bernard, Colette et Isabelle marchaient devant eux.

— Élise, es-tu certaine de ne pas vouloir que Bernard attelle pour te ramener à la maison ? offrit-elle à sa voisine dont la démarche lourde semblait soudainement plus pénible.

— Ben non, Madame Bergeron, Je suis capable de marcher. On est presque rendus.

Derrière les deux femmes, Jean demanda à François quelle surprise Lévesque pouvait bien préparer à Antonio Veilleux.

— C'est sûr que notre Veilleux va se faire réveiller aux petites heures par une bande d'ivrognes qui vont venir lui chanter : « Il a gagné ses épaulettes » et ils vont faire brûler un mannequin de paille devant sa maison.

— T'as l'air ben certain de toi, on dirait.

— Voyons, Monsieur Bergeron ! Chaque fois qu'il a perdu ses élections, les libéraux du coin lui ont toujours fait la même farce. Je vois pas pourquoi ça changerait cette année.

Le lendemain après-midi, tous les habitants de Saint-Anselme savaient qu'Euclyde Joyal l'avait emporté par une mince avance sur son adversaire conservateur dans Nicolet et que Taschereau, encore une fois, avait été reporté au pouvoir à Québec. Comme Joseph Lévesque le proclamait sans aucune pitié :

— Les meilleurs ont gagné et les Bleus ont eu juste la volée qu'ils méritaient.

Chapitre 12

Élise

Le lendemain des élections, la vie reprit son cours normal. Tout le monde savait qu'on n'était pas prêt de revoir Euclyde Joyal à Saint-Anselme maintenant qu'il était élu. Pour le rencontrer, il faudrait aller à son bureau de Nicolet. Pour ce qui était des promesses faites durant la campagne, personne ne se faisait d'illusion à leur sujet : elles se réaliseraient quand les poules auraient des dents.

Au début de la deuxième semaine du mois d'août, Annette dit à ses filles un lundi matin :

— Cette année, on a pas eu de framboises, mais il est pas question qu'on manque les bleuets. Bernard a dit qu'il en avait vu des belles talles proches du bois. Après le déjeuner, on va aller en chercher.

— Est-ce qu'on y va toutes les trois ? demanda Isabelle.

— Non, il faut quelqu'un à la maison pour préparer le dîner des hommes, sinon on sera obligées de revenir vite et on aura pas le temps de cueillir des bleuets pour la peine.

— Je peux ben rester, proposa Isabelle. Je vous aiderai à trier les bleuets quand vous reviendrez.

Deux heures plus tard, Colette et sa mère partirent à travers champs avec un goûter et une bouteille d'eau, bien décidées à cueillir une ou deux chaudières de bleuets. Elles trouvèrent facilement l'endroit décrit par Bernard et elles se mirent au travail sans tarder, ignorant le chaud soleil et les piqûres d'insectes.

Au milieu de l'après-midi, les deux chaudières apportées étaient pleines à déborder et elles prirent le chemin du retour.

— C'est pas une ben bonne année pour les bleuets, fit Annette, ils sont pas mal petits, mais ils sont sucrés. Ça va être bon avec du lait et du sucre. On a de quoi faire pas mal de tartes et on va en mettre en conserve.

****

Quelques jours plus tard, Annette prit la décision de s'occuper activement de sa voisine de gauche, Élise Riopel dont la délivrance était prévue pour la fin du mois.

— Colette, dit-elle à sa fille, Dieu sait que tu m'es ben utile dans la maison et que je vais avoir de la misère à me passer de toi pendant quelques semaines, mais je pense qu'Élise va avoir ben plus besoin de toi que moi. Je peux toujours me débrouiller avec Isabelle.

— À quoi pensez-vous exactement, m'man ? demanda Colette.

— Ton père et moi, nous avons parlé à François. Il doit continuer à faire son ouvrage et il est inquiet pour sa femme, seule dans la maison. Elle attend son petit d'un jour à l'autre. J'aimerais que tu ailles rester chez les Riopel le temps que le petit arrive. Aux premières contractions, François viendra m'avertir avant d'aller appeler le docteur Tanguay chez les Marcotte.

— Pas de problème, dit Colette. J'aiderai Élise à faire son ordinaire. Quand est-ce que je dois y aller ?

— Cet avant-midi, si tu veux. Prépare ta valise, ton père va atteler pour aller te conduire.

— Voyons, m'man ! Je suis capable de traîner une petite valise jusque chez le voisin quand même.

Quand Colette fut partie, la maison sembla brusquement bien vide à Annette. Elle ne pouvait plus compter que sur Isabelle dont le caractère un peu fantasque l'inquiétait depuis quelques semaines.

Colette n'avait pas quitté le foyer depuis plus de trois jours qu'on apprit que l'institutrice de l'école du rang Saint-Joseph, rang situé à l'autre extrémité de Saint-Anselme, se mariait à l'automne. La jeune Ruth Dupré ne pourrait reprendre son travail après avoir épousé un jeune cultivateur de Saint-Cyrille. Par conséquent, son contrat avait été annulé. Les commissaires de la commission scolaire se pliaient à un règlement appliqué partout dans le comté. Les femmes mariées ne pouvaient enseigner au cas où une grossesse viendrait perturber l'année scolaire.

En apprenant la nouvelle, Annette s'empressa d'aller voir Colette chez les Riopel pour la pousser à demander la place. Sa fille détenait un brevet d'études supérieures et elle était capable d'occuper le poste laissé vacant. Il ne fallait pas perdre de temps. La réunion des commissaires aurait lieu à la fin du mois et c'est durant cette réunion que toutes les candidatures seraient examinées. La mère supposait qu'on donnerait la préférence à une fille de Saint-Anselme, si elle avait la compétence voulue.

— As-tu pensé que faire l'école serait ben plus intéressant que manger les fenêtres à regarder tomber la neige durant tout l'hiver ? demanda Annette. Tu gagnerais presque cent piastres pour ton année. Ça aiderait pas mal ton père. En plus, tu serais logée et chauffée.

— Oui, je comprends, fit Colette, très tentée. Par contre, je serais obligée de rester toute seule dans l'appartement fourni par la commission scolaire. Ça sera pas drôle de passer mes soirées toute seule à corriger des devoirs et à préparer des classes.

— Tu pourras toujours venir passer tes fins de semaine à la maison. Le rang Saint-Joseph est pas au bout du monde. Ton père pourrait aller te chercher le vendredi après-midi et te ramener le dimanche soir...

— D'accord, m'man. Si p'pa a le temps de me conduire au village, j'irai voir le président de la commission scolaire cette semaine.

— Tu vas y aller aujourd'hui, ma fille, dit Annette avec autorité. Je viens te remplacer pour m'occuper d'Élise. Retourne à la maison faire ta toilette. Ton père t'attend.

Moins d'une heure plus tard, Annette vit passer la voiture conduite par Jean. Colette, vêtue de sa plus belle robe, était assise à ses côtés. Elle tenait une enveloppe dans laquelle elle avait glissé son diplôme. Ils trouvèrent Antoine Girouard chez lui, en train de faire une courte sieste après son repas du midi.

Pendant que le président de la commission scolaire interviewait la jeune fille, Jean alla acheter quelques articles au magasin général où il rencontra Marcelin Delorme en grande discussion avec Jérôme Beaudet et sa femme, Olivette.

— Bonjour Monsieur Delorme, salua Jean en le voyant. On dirait que vous êtes toujours ici.

— C'est pas pour rien, fit le vieil homme, en clignant de l'œil. Jérôme me paie pour que je surveille sa clientèle. Il paraît qu'il y en a qui partent sans payer. Le pauvre homme est au bord de la faillite. Il en dort plus.

— Aïe ! le père ! partez pas des rumeurs comme ça, vous, s'exclama le commerçant.

— Farce à part, fit Marcelin Delorme, on parlait du plus vieux des Riendeau qui vient de partir pour aller vivre à Montréal. Vincent a beau avoir de la misère à faire vivre treize enfants, il est pas content. Son Ernest est parti en pensant que la grande ville va lui permettre de vivre ben mieux que sur une terre. Moi, je pense que le jeune va vite se rendre compte que c'est difficile de manger trois repas par jour quand on a pas de job... et que les jobs courent pas les rues. Ton Louis doit être au courant de ça. Quand il vient au village, il est toujours avec lui. Même que ça nous surprend qu'il soit pas parti avec le garçon de Riendeau.

— Parlez pas de malheur, Monsieur Delorme, fit Jean. On en vient de la ville, nous autres, et on sait ce qu'il y a là. Je comprends pas que Louis soit pas arrivé à persuader le gars de Vincent Riendeau que la misère l'attendait à Montréal. Il a cherché une job pendant un an sans en trouver.

— Va donc faire comprendre ça à un jeune, toi ! s'exclama Marcelin Delorme.

Pendant ce temps, Colette avait eu une courte conversation avec Antoine Girouard qui l'avait fait passer au salon pour donner plus d'importance à l'entretien. Il s'était assis au secrétaire placé au fond de la pièce, armé d'un formulaire et d'une plume. Il inscrivit toutes les informations dont il avait besoin, au fur et à mesure que la jeune fille les lui donnait.

— J'espère que t'es pas fiancée et que tu penses pas te marier cette année ? demanda-t-il.

— J'ai même pas de cavalier, Monsieur Girouard, répondit Colette.

— Bon ! Tout est en règle, conclut-il avec un sourire. Il ne manque plus que le certificat de bonnes mœurs que monsieur le curé devra fournir. Je peux pas te promettre que la commission scolaire va t'engager avant la réunion qui va avoir lieu à la fin du mois, mais t'as de bonnes chances. Ordinairement, l'engagement des maîtresses d'école, c'est fait à la fin juin ou au début du mois de juillet, mais le mariage de Ruth Dupré nous a pris de court.

Quand Colette sortit de la maison, Jean l'attendait déjà devant la porte.

Sur le chemin du retour, pendant que sa fille lui racontait son entrevue avec Antoine Girouard, le cultivateur ne l'écoutait que d'une oreille. Le quadragénaire était préoccupé par le comportement de Louis qui n'avait toujours pas l'air de s'habituer à vivre à la campagne. Il n'aurait pas été autrement surpris si on lui avait appris que son fils avait poussé le garçon de Vincent Riendeau à aller vivre en ville. Il aurait cent fois mieux aimé qu'il fréquente l'un ou l'autre des fils d'Eusèbe Marcotte, des garçons à la tête solide...

****

Une semaine plus tard, le mercredi soir, Colette fut tirée brusquement du sommeil par un François Riopel au bord de l'affolement. Il était deux heures du matin. Sa femme l'avait réveillé parce que les contractions avaient commencé.

Colette s'empressa d'aller voir Élise et pressa François d'aller réveiller sa mère avant d'aller appeler le docteur Tanguay chez les Marcotte. Elle était aussi énervée que le futur père et elle ne savait pas trop quoi faire pour venir en aide à sa voisine qui geignait à chaque contraction. À tout hasard, elle mit de l'eau à bouillir et sortit les linges prévus par Élise. Elle s'assit à côté de cette dernière et lui tint la main, tout en se demandant pourquoi sa mère n'arrivait pas plus vite.

Quelques minutes plus tard, François, énervé, s'arrêta à la maison pour laisser descendre Annette et pour dire à Colette qu'il avait appelé chez le docteur Tanguay, mais que sa femme lui avait dit que le médecin était chez les Berthiaume du rang Saint-Paul. Le vieux Azarius Berthiaume avait une crise d'angine. Comme les Berthiaume n'avaient pas le téléphone, il allait chercher le docteur et revenir avec lui le plus vite possible.

Annette entra et prit les choses en main. Avec des paroles rassurantes, elle calma Élise qui criait de plus en plus fort. Avec l'aide de sa fille, elle remit un peu d'ordre dans la chambre et installa plus confortablement celle qui s'apprêtait à accoucher.

L'attente interminable commença, une attente ponctuée de contractions de plus en plus violentes qui laissaient la future mère pantelante et couverte de sueurs.

Colette en était à sa première expérience de ce genre. Elle remarqua que sa mère avait un front de plus en plus soucieux. Pendant une période d'accalmie, les deux femmes sortirent de la chambre.

— Pourquoi le docteur prend tant de temps à venir ? demanda à voix basse la jeune fille énervée.

— Le rang Saint-Paul est pas à la porte à côté, chuchota Annette. En plus, le docteur laissera pas mourir un malade pour courir ici. Énerve-toi pas ; il va arriver.

— Mais vous savez quoi faire, s'il est pas là à temps, pas vrai, m'man ? demanda Colette d'une voix angoissée.

— D'habitude, oui, mais avec Élise, l'accouchement peut être pas mal difficile.

Le silence de la maison fut soudainement brisé par les plaintes d'Élise Riopel, des plaintes qui allèrent en s'amplifiant au point de devenir insupportables. Les deux femmes rentrèrent précipitamment dans la chambre. Colette épongea le front de la jeune femme et Annette encouragea Élise à ménager ses forces.

Une heure plus tard, François revint.

— Le docteur arrive, dit-il à sa femme hagarde, pour la rassurer.

Finalement, le docteur Tanguay ne fit son apparition que vers 4 h du matin. Le petit homme, vêtu d'un costume noir fripé, laissa son chapeau sur une chaise de la cuisine et entra dans la chambre sans perdre un instant. Il tira de sa poche de veston de petites lunettes rondes, ouvrit sa trousse et, du geste, invita les deux femmes et le mari à sortir de la pièce. Fidèle à sa réputation de vieux praticien taciturne, il ne dit pas un seul mot.

Quelques instants plus tard, François venait à peine de se laisser tomber sur une chaise que la porte de la chambre s'ouvrit.

— De l'eau chaude ! commanda le docteur Tanguay qui avait enlevé son veston et relevé ses manches de chemises jusqu'aux coudes.

Colette s'empressa de lui apporter une pleine bassine d'eau qu'elle avait mise à bouillir sur le poêle. Le médecin la prit et referma la porte derrière lui avec son pied.

Et les minutes s'écoulèrent lentement... De temps à autre, on entendait la voix rude du docteur ordonner à sa patiente :

— Pousse ! Pousse plus fort !

Debout devant la fenêtre de la cuisine, Colette vit le soleil se lever puis, quelques minutes plus tard, elle aperçut au loin, son père et un de ses frères se diriger vers l'étable.

François faisait les cent pas entre la cuisine et le salon en demandant toutes les cinq minutes : « Pourquoi c'est si long ? ». Finalement, Annette lui conseilla d'aller traire ses vaches plutôt que de se ronger les sangs inutilement. Elle le ferait prévenir sitôt que l'enfant serait né. Sans un mot, le jeune homme sortit de la maison et s'en alla chercher ses vaches qui paissaient dans le champ situé derrière l'étable.

Annette fut soulagée par le départ de François. Le va-et-vient continuel du futur père commençait à l'énerver sérieusement. Elle se mit à placer sur la table de cuisine tout ce qui était nécessaire pour laver et emmailloter le nouveau-né. Elle sentait que la délivrance approchait.

Quelques instants plus tard, un grand cri provint de la chambre. Les deux femmes, interdites, fixèrent la porte de la pièce. Il y eut des vagissements, puis plus rien. Brusquement, la porte de la chambre s'ouvrit. Le docteur Tanguay tendit à Annette une petite chose toute rouge.

— Vous savez quoi faire ? demanda-t-il avec rudesse.

— Inquiétez-vous pas. J'ai eu quatre enfants, répondit Annette, un peu insultée par la question.

Le médecin se contenta de rentrer dans la chambre et de refermer la porte derrière lui.

Quelques minutes plus tard, au moment où les deux femmes terminaient la toilette du nouveau-né, le docteur sortit de la chambre, l'air épuisé.

— Dites au père d'aller chercher le curé ; ça presse, ordonna-t-il avant de retourner rapidement auprès de sa patiente.

Interloquées, les deux femmes se regardèrent. Annette prit le petit et le serra contre elle. Puis, reprenant son sang-froid, elle dit à Colette :

— Cours à la maison et demande à Louis ou à Bernard d'aller chercher au plus vite monsieur le curé au presbytère.

Colette ne se le fit pas répéter. Elle se précipita hors de la maison et courut chez elle d'où sortait justement Louis, à moitié réveillé.

— Vite, Louis, attelle la noire et va chercher monsieur le curé au presbytère. C'est urgent. Élise est au plus mal.

Pendant qu'elle retournait chez les Riopel, Louis prévint son père et partit pour le village sans perdre un instant.

Quand Colette rentra chez François Riopel, ce dernier n'avait pas encore fini son travail à l'étable. Elle vit sa mère assise dans la chaise berçante, tenant dans ses bras le nouveau-né qui semblait s'être endormi.

— Est-ce un garçon ou une fille ? demanda-t-elle à mi-voix. Dans tout cet énervement, j'ai pas remarqué.

— C'est une belle fille, répondit Annette, et elle a l'air d'avoir tous ses morceaux.

— Est-ce que tu veux que j'aille avertir François ?

— Non, laisse-le finir la traite. Il voudra voir Élise et je pense pas que le docteur va aimer l'avoir dans les jambes avant un bon moment. Si tu veux, ma fille, on va réciter un chapelet pour que la mère de ce petit ange s'en tire.

Malgré leur fatigue, la mère et la fille entreprirent la récitation du chapelet à voix basse. Colette s'était agenouillée, face au crucifix tandis que la mère n'avait pas bougé, de peur de réveiller l'enfant qu'elle berçait.

Quand François rentra de l'étable, il trouva les deux femmes dans cette position et il blêmit.

— Qu'est-ce qui se passe ? demanda-t-il au bord de la panique.

Colette se signa rapidement et se leva.

— Du calme, François, dit Annette. Viens voir d'abord ta fille. On ne faisait que prier pour qu'Élise se remette rapidement de son accouchement.

Le jeune homme s'approcha de sa voisine et regarda le bébé que lui tendait Annette. Il prit maladroitement l'enfant et les larmes lui vinrent aux yeux tant il était ému par ce petit être sans défense. Après quelques instants, il s'empressa de redonner l'enfant à Annette.

— Elle est belle ta fille, non ?

— C'est un ben beau bébé, dit-il attendri. Je vais aller voir Élise pour le lui dire.

— Non, François, dit Annette. Reste ici, le docteur en a pas fini avec elle.

Puis elle prit son courage à deux mains pour lui avouer :

— Il faut que je te dise qu'il y a l'air d'avoir des complications. Remarque, c'est peut-être pas trop grave, mais le docteur Tanguay a pas voulu prendre de chance et il a envoyé chercher monsieur le curé. On a pas voulu te déranger. On a envoyé Louis le chercher.

À ces mots, toute vie sembla quitter le visage du jeune père. Il regarda fixement Annette et Colette, comme pour s'assurer que ce n'était pas une plaisanterie.

— Voyons donc ! Ça a pas de bon sens ! Élise a juste 25 ans. Elle peut pas mourir comme ça.

— Qui te parle de mourir ? dit Annette d'un ton sévère. C'est juste une précaution au cas où son état s'aggraverait.

Une heure plus tard, le curé Desmeules entra dans la maison, porteur des huiles saintes. Il salua tout le monde, serra l'épaule de François au passage et alla frapper à la porte de la chambre à coucher.

Le docteur Tanguay le laissa entrer, faisant signe à François d'attendre dans la cuisine. Sitôt que la porte fut refermée, le praticien se tourna vers le curé Desmeules et lui chuchota :

— Je pense, Monsieur le curé, que j'ai fait pour elle tout ce qui était possible. Je parviens pas à juguler l'hémorragie. C'est à vous de remplir votre ministère.

— Y a-t-il encore un espoir de la sauver ? demanda le curé Desmeules.

— Je le crois pas, chuchota le médecin en jetant un coup d'œil vers la femme allongée dans le lit. Pendant que vous vous préparez, je vais aller dire deux mots au père.

Le docteur Tanguay sortit de la chambre dont il referma soigneusement la porte. Il prit François par le bras et l'entraîna vers le salon, loin des deux femmes et de Louis qui était entré pour prendre des nouvelles.

— Louis, tu vas aller chercher madame Marcotte et la ramener ici, dit sa mère. Dis-lui que j'ai besoin d'elle. Elle va comprendre.

Dans le salon, le médecin faisait preuve d'une douceur inaccoutumée pour annoncer au jeune père de se préparer au pire.

— François, il va falloir que tu sois fort, aussi fort qu'Élise l'a été pour mettre au monde ta petite fille. J'ai fait ce que j'ai pu, mais elle a une hémorragie interne.

On aurait dit que tout le sang s'était retiré du visage du jeune homme qui regardait le docteur Tanguay avec la plus complète incompréhension. Il ravala péniblement le sanglot qui lui nouait la gorge pour dire :

— Docteur, ma femme est jeune, elle peut pas mourir de même. La petite a ben trop besoin d'elle... Puis moi aussi. C'est pas possible.

Le médecin lui mit la main sur l'épaule.

— Tu sais aussi bien que moi qu'on décide pas. Viens la voir et essaie de te contrôler.

Les deux hommes entrèrent dans la chambre. Le curé Desmeules avait tiré à moitié la toile qui masquait la fenêtre pour que le soleil n'inonde pas la chambre et il avait allumé deux cierges qu'il avait disposés sur les tables de chevet. Il avait mis son étole et sorti la petite fiole d'huiles saintes dont il avait imbibé un tampon. Le docteur Tanguay laissa François au pied du lit de la mourante et sortit de la pièce. Le mari, figé, fixait la figure de sa femme pendant que le prêtre terminait le rituel de l'extrême-onction.

Dans la cuisine, le praticien demanda à Colette si elle pouvait lui servir une tasse de thé fort parce qu'il devait aller voir un autre malade dans le rang Saint-Édouard avant de pouvoir enfin aller dormir quelques heures. Regardant Annette et Colette qui semblaient l'interroger silencieusement, il laissa tomber :

— Je pense que c'est fini. Il n'y a plus aucun espoir de la sauver. Il faudra se dépêcher à trouver une parente capable de se charger de l'enfant durant quelque temps...

Les larmes aux yeux, Colette et sa mère se regardèrent.

— Je vais me charger de l'enfant, dit Annette avec détermination. François a pas de parenté qui demeure dans la région. Un homme peut pas s'occuper seul d'un bébé.

Dans la chambre, le curé Desmeules trouva des paroles de réconfort pour François avant de le laisser seul avec son épouse.

François se mit à genoux près du lit et passa sa main sur le front d'Élise. Elle ouvrit les yeux, mais ne sembla pas le reconnaître. Ses lèvres remuèrent sans prononcer un mot. Il prit sa main qu'elle serra quelques instants. Puis, peu à peu, son étreinte se relâcha et elle émit un râle. François appela à l'aide. Le docteur Tanguay entra dans la pièce et écarta François du lit. Il prit le pouls de sa patiente et vérifia si elle respirait encore.

Bouleversées, Colette et Annette se tenaient dans l'embrasure de la porte. Finalement, le médecin ferma délicatement les yeux de la jeune femme, avant de quitter la pièce en entraînant avec lui le mari.

Le curé promit de venir prier au corps le soir même avant de partir avec Louis qui venait d'arriver avec Estelle et sa fille Pauline. Le docteur Tanguay partit aussi après avoir offert ses condoléances au jeune veuf, assommé par le départ brutal de sa femme. Colette déposa le bébé dans le berceau que François lui avait confectionné avant d'aller accueillir ses deux voisines.

— Elle est déjà partie ? demanda Estelle, bouleversée par la nouvelle.

— Ça lui a pris toute la nuit pour accoucher de sa fille, répondit Annette. Le docteur Tanguay a été incapable d'arrêter une hémorragie interne.

— Bon, fit Estelle, en reprenant son sang-froid. Il va falloir penser aux choses pratiques. Toutes les deux, on va faire la toilette d'Élise. Pendant ce temps-là, Pauline va préparer quelque chose à manger à François. Il faut qu'il tienne le coup. Eusèbe s'en vient avec la voiture. Il ira vous reconduire, toi et Colette, pour que vous puissiez aller dormir quelques heures. Ensuite, je vais lui demander d'aller avec François chez l'entrepreneur de pompes funèbres. Durant leur absence, je vais essayer de préparer le salon avec Pauline pour l'exposition du corps.

— Parfait, dit Annette, épuisée. Je reviendrai avec Colette ou Isabelle préparer de la nourriture avec toi à la fin de l'après-midi. Nous allons apporter le bébé à la maison avec le berceau et nous en prendrons soin.

Les deux femmes entrèrent dans la chambre de la morte avec un bol d'eau tiède et des serviettes. On entendit les bruits de tiroirs qu'on ouvrait et fermait, puis il n'y eut plus dans la chambre mortuaire que des chuchotements. Une quinzaine de minutes plus tard, Élise Riopel avait été lavée, coiffée et vêtue de sa plus belle robe.

Dès son arrivée chez les Riopel, Eusèbe Marcotte fut mis au courant de la triste nouvelle. Il offrit ses condoléances à un François amorphe que Pauline et Colette essayaient maladroitement de consoler avant d'aller dire une prière devant la défunte qui reposait sur son lit.

À la sortie de la chambre, Estelle tira à l'écart le gros homme et lui expliqua ce qu'elle attendait de lui. Il se contenta de hocher la tête à plusieurs reprises avant de s'avancer vers Annette et Colette.

— Si vous êtes prêtes, je vais vous laisser chez vous avant d'aller avec François à Saint-Cyrille.

Les deux femmes, l'une portant l'enfant, l'autre le berceau, furent laissées devant leur maison. Eusèbe continua jusque chez lui. Il informa ses enfants de la triste nouvelle et il demanda à Marie de mettre dans un panier les victuailles demandées par sa mère. Quelques minutes plus tard, Marie entrait chez François avec le panier de provisions, tandis que le jeune veuf prenait place aux côtés de son voisin.

Chez les Bergeron, Bernard vit arriver sa mère et Colette portant le bébé et son berceau. Il avertit les autres de leur arrivée. Isabelle s'empressa de se charger du bébé et de préparer les biberons en suivant les instructions d'Annette pour permettre à sa mère et à Colette d'aller se coucher.

Avant de sortir de la maison avec ses deux fils, Jean demanda à sa cadette :

— Isabelle, vas-tu être capable de nous faire à dîner ?

— Craignez rien, p'pa, tout sera prêt à l'heure.

— Bon, on va laisser dormir ta mère et Colette jusqu'au début de l'après-midi. Elles doivent retourner chez François pour donner un coup de main pour préparer à manger.

— Je ferai pas de bruit. Elles vont pouvoir se reposer, assura Isabelle.

Dans la cour, Bernard proposa à son père :

— Si vous êtes d'accord, p'pa, je vais m'occuper du train de François pendant quelques jours, le temps qu'il reprenne le dessus. Je verrai aussi à ce que le poêle manque pas de bois.

— Fais donc ça, mon gars, dit Jean. Louis et moi, on va s'occuper de nos animaux.

— En plus, si je me trompe pas, c'est à François de faire le ramassage du lait la semaine prochaine, dit l'aîné.

— Je le ferai à sa place, dit Louis, sans autre commentaire.

Ils retournèrent au travail, conscients du drame vécu par leur jeune voisin.

Au milieu de l'après-midi, Jean s'empressa d'atteler son cheval pour éviter à sa femme et à sa fille, chargées de deux paniers de provisions, d'avoir à aller à pied chez les Riopel, même si la distance à parcourir était courte. En même temps, il voulait voir s'il pouvait rendre service. Il savait que François était rentré une heure plus tôt parce qu'il l'avait vu passer avec Eusèbe Marcotte.

Estelle informa les Bergeron que le jeune veuf avait fini par accepter d'aller dormir quelques heures avant que les premiers visiteurs fassent leur apparition. L'entrepreneur serait là d'une minute à l'autre pour la mise en bière. Elle assura Jean que les femmes seraient en mesure de faire le nécessaire jusque là. Jean leur dit de ne pas réveiller François pour la traite des vaches dont Bernard se chargerait, et il partit en promettant de revenir après le souper.

Même si la préparation de différents plats était passablement avancée, Estelle apprécia beaucoup l'aide apportée par Annette et sa fille. Elles avaient même pensé à apporter un bout de crêpe noir qu'elles avaient fixé à la porte d'entrée de la maison.

Vers 15 h, Théodore Duchesne, l'entrepreneur de pompes funèbres de Saint-Cyrille, arriva en compagnie de l'un de ses fils. Les deux hommes vêtus d'un costume noir descendirent de leur voiture le cercueil acheté à la fin de l'avant-midi par François et ils le portèrent dans la chambre à coucher où ils entrèrent en compagnie d'Annette et d'Estelle. Pauline et Colette restèrent dans la cuisine.

Quelques instants plus tard, le fils de l'entrepreneur alla chercher deux tréteaux dans la voiture et les installa dans un coin du salon. Puis, il rentra dans la chambre et en sortit avec son père en portant le cercueil dans lequel Élise reposait maintenant. Ils installèrent la bière sur les tréteaux et dissimulèrent ces derniers sous un voile noir avant de quitter les lieux.

— Comme il a été entendu avec monsieur Riopel, dit le père aux femmes présentes, nous viendrons chercher le corps samedi matin, à 8 h.

Sur ces mots, il monta avec son fils dans sa voiture et partit.

Les quelques heures de repos qu'il avait prises semblaient avoir fait du bien à François. Lorsqu'il se leva vers 17 h, il alla s'agenouiller de longues minutes devant la dépouille de son épouse. Estelle dut aller le chercher et l'inciter à faire un brin de toilette. Elle le força à manger un peu avant l'arrivée des visiteurs parce que la soirée serait longue et fatigante.

Dès le début de la soirée, la maison se remplit de gens venus de tous les rangs de Saint-Anselme et du village. Ils étaient reçus par Annette et Estelle. François ne quittait pas le cercueil des yeux. Après avoir fait une courte prière devant le corps de la défunte, les visiteurs s'installaient pour passer la veillée. Les femmes se tenaient dans le salon, les hommes, dans la cuisine et les jeunes, sur la galerie.

Quand le curé Desmeules fit son apparition, les discussions cessèrent et il y eut un mouvement vers le salon. Le prêtre parla à voix basse durant quelques minutes à François, puis il invita les personnes présentes à s'agenouiller pour la récitation du chapelet et des prières pour les défunts. Dès que le prêtre eut terminé, les jeunes s'empressèrent de quitter la pièce surchauffée et les hommes regagnèrent la cuisine.

Après avoir félicité Annette et Estelle pour la belle charité chrétienne dont elles faisaient preuve, le curé s'arrêta un instant près de Colette en train de confectionner d'autres sandwiches destinés aux visiteurs dans la cuisine.

— Tu es bien la fille de Jean Bergeron ? demanda-t-il en la regardant par-dessus ses petites lunettes rondes.

— Oui, Monsieur le curé, répondit la jeune fille un peu intimidée.

— C'est toi qui as demandé de faire l'école aux enfants du rang Saint-Joseph ?

— Oui.

— Le président de la commission scolaire m'a demandé si tu étais une bonne catholique pratiquante. Je lui ai dit que tu l'étais. De ce côté-là, t'as pas à t'inquiéter. À ce que je vois, tu es en plus une jeune fille qui n'hésite pas à venir en aide à ceux qui en ont besoin. Je t'en félicite. Tu connais les devoirs d'une bonne chrétienne, conclut le prêtre en se dirigeant vers la porte.

Dehors, voyant Eusèbe Marcotte seul, en train d'allumer un fanal près de la galerie, il s'approcha de lui.

— Bonsoir, Eusèbe. Mère Saint-Sauveur m'a dit que ta Marie voulait entrer chez les sœurs de l'Assomption cet automne. J'espère que t'es content de donner un de tes enfants à Dieu ?

— Bonsoir, Monsieur le curé. Pour Marie, il y a encore rien de décidé. On la trouve ben jeune pour prendre une décision de même.

— J'espère que toi et ta femme encouragez sa vocation.

— Pour dire la vérité, monsieur le curé, on l'encourage pas et on la décourage pas. On la laissera choisir.

— Bon, tant mieux. C'est une bénédiction pour une famille d'avoir un de ses enfants au service de Dieu.

Sur ces mots, le curé Desmeules se dirigea vers sa voiture. Eusèbe resta songeur après cette courte conversation. La religieuse s'était empressée de raconter au curé leur rencontre du mois de juin. C'était étonnant que le curé ne s'en soit pas mêlé avant. Pour sa part, il n'avait pas abordé le sujet avec sa fille depuis qu'elle leur avait révélé ses intentions et il ne lui avait rien dit de sa visite au couvent. Levant la tête, il aperçut sa Pauline en grande conversation avec Bernard Bergeron, debout sur la galerie. Il se demanda ce que ces deux-là pouvaient bien avoir à se dire, surtout qu'il avait remarqué depuis longtemps que le Bernard était particulièrement timide.

Dans la cour, ses trois fils formaient un groupe avec Louis Bergeron, deux fils Riendeau et deux autres jeunes du village. Les jeunes parlaient de filles et de chevaux.

Dans la cuisine, les femmes avaient déposé sur la table des sandwiches, des tranches de gâteau et des rafraîchissements. Tout en mangeant, les hommes avaient commencé à se raconter des histoires et des éclats de rire fusaient de temps à autre. Certaines femmes apparaissaient alors dans la pièce et elles leur demandaient, l'air courroucé, de baisser le ton par respect pour la morte.

La maison ne se vida qu'un peu après minuit. Les Marcotte et les Bergeron s'organisèrent entre eux pour se relayer durant la nuit afin de ne pas laisser la défunte et François seuls. Colette et Pauline décidèrent ensemble, malgré leur fatigue, de rester les premières une heure ou deux pour remettre un peu d'ordre dans la maison. Les autres rentrèrent chez eux avec l'intention de profiter de quelques heures de sommeil.

Lorsque les Bergeron rentrèrent, Annette s'aperçut qu'Isabelle avait monté dans sa chambre le berceau du bébé et comme ce dernier avait l'air de dormir comme un ange, elle s'empressa d'aller se mettre au lit.

— On dirait que notre Isabelle s'est découvert un talent de mère, dit-elle à son mari en étouffant difficilement un bâillement.

— C'est l'impression que j'ai, répondit Jean. Elle s'en est occupée toute la journée. Tu aurais dû la voir. Personne pouvait s'approcher de la petite.

La journée du vendredi ressembla à la veille. Il y eut des visiteurs chez les Riopel toute la journée. Ils n'étaient pas très nombreux, mais il y avait toujours quelques personnes pour veiller au corps. François bougeait à peine du salon et il faisait pitié à voir. À aucun moment, il ne s'informa de sa fille. C'était comme si elle n'existait pas. Il ne pensait qu'à sa femme qui reposait là, sous ses yeux.

Estelle et ses trois filles ainsi qu'Annette et Colette assuraient une sorte de permanence chez François Riopel. L'une d'elles recevait les visiteurs, préparait et servait les repas. Seule Isabelle échappait à la rotation. Il avait été entendu que son rôle consisterait à s'occuper du nouveau-né et elle le faisait avec un entrain et une compétence qui surprenaient sa mère.

****

Quand arriva la levée du corps le samedi matin, tout le monde était au bord de l'épuisement. François retarda le plus longtemps possible la fermeture du cercueil et il fallut qu'Estelle le raisonne pour qu'il accepte de laisser l'entrepreneur faire son travail.

La bière fut installée dans la voiture funéraire. Les attelages des Bergeron, des Marcotte et de François attendaient déjà dans la cour. Bernard conduisait la voiture de François. Sous un soleil radieux, le convoi funèbre prit la route de l'église.

Colette resta seule chez les Riopel pour ranger et faire disparaître toutes les traces du deuil, de manière à ce que le jeune veuf retrouve, à son retour, une maison normale.

Le bedeau sonna le glas au moment où le convoi arrivait au sommet de la côte qui débouchait sur le village. Plusieurs habitants de Saint-Anselme s'étaient déplacés pour assister aux funérailles d'Élise. Ils accueillirent sur le parvis le corps de la jeune femme et le suivirent dans l'église. Le sermon du curé Desmeules fut émouvant et plein d'espoir. Tout en incitant ses paroissiens à songer à leur fin prochaine, il les encourageait à profiter des joies de la vie terrestre et à croire en une seconde vie au ciel, là où Élise était déjà. Il assura François que, de là-haut, sa femme veillerait toujours sur la fille qu'elle lui avait laissée et sur lui.

À la fin de la cérémonie, l'assistance emboîta le pas au prêtre qui, entouré de ses deux servants de messe, suivit le cercueil qui fut porté jusqu'au cimetière situé derrière l'église. La bière fut déposée près de la fosse et il y eut une dernière prière avant qu'elle ne soit descendue dans la terre. Les gens allèrent serrer la main de François en lui prodiguant des paroles d'encouragement avant de quitter les lieux.

Finalement, Eusèbe et Jean entraînèrent le veuf vers la sortie, suivis par les membres de leur famille. Il fallait maintenant que le jeune homme apprenne à apprivoiser sa peine. La vie continuait et sa petite fille avait besoin de lui.

Sur le chemin du retour, Annette dit à son mari :

— Ce pauvre François va avoir de la misère à se remettre. Je sais pas comment il va s'en sortir.

— Laisse faire le temps, répliqua son mari. Il y a ben de l'ouvrage qui l'attend. Ça va l'occuper et l'empêcher de trop penser. En plus, il va lui falloir trouver une solution pour le bébé.

— En attendant, dit Annette, la petite peut rester chez nous. Colette, Isabelle et moi, on est capables de s'en occuper.

— Surtout Isabelle, laissa tomber Jean.

Chapitre 13

Aurore

Après les funérailles d'Élise Riopel, la vie reprit ses droits. Dès le lendemain matin, Bernard Bergeron trouva François dans son étable en train de laver les bidons de lait qui serviraient à recueillir le lait de la traite. Ce dernier remercia chaudement son jeune voisin de s'être occupé de ses bêtes durant les derniers jours et il l'assura qu'il était maintenant en mesure de faire son travail.

Avant que Bernard ne rentre chez lui, il lui demanda de prévenir ses parents qu'il passerait les voir au début de l'après-midi.

Les Bergeron finissaient à peine leur repas du midi qu'ils virent François arriver à pied. Annette lui offrit à dîner, mais le jeune homme refusa en alléguant qu'il sortait de table. Il accepta cependant la tasse de thé que lui tendait Colette.

Quand Isabelle descendit l'escalier en portant le bébé dans ses bras, François cessa de parler. La jeune fille déposa l'enfant dans ses bras et il regarda longuement ce dernier, les larmes aux yeux. Il lui tendit le petit doigt que sa fille saisit dans sa petite menotte.

François s'arracha difficilement à la contemplation de son enfant pour parler à ses hôtes.

— Je suis d'abord venu tous vous remercier pour tout ce que vous avez fait pour Élise, la petite et moi. Franchement, je sais pas comment je pourrai un jour vous remettre tout ça.

— Te casse pas la tête avec ça, dit Jean. Nous l'avons fait de bon cœur. Si on aide pas nos voisins dans le malheur, qui on va aider ?

— Je vous dois au moins de l'argent pour la nourriture que vous avez fournie.

— Pas une cenne, dirent ensemble Jean et Annette.

François n'était pas plus riche que ses voisins et il parut soulagé. Il avait raclé les fonds de tiroirs pour payer le service funèbre et il s'était engagé à payer le cercueil en plusieurs traites.

— Il reste la petite. À dire vrai, je sais pas trop quoi faire. Engager une femme du village pour s'en occuper, ça va être malaisé et en plus, je suis pas trop sûr que le curé va approuver qu'une femme vive dans la même maison qu'un homme seul... À moins qu'elle soit assez vieille pour passer pour ma mère, fit-il avec un pauvre sourire.

— Justement, dit Annette, on voulait t'en parler. On a pas d'enfants à la maison et on est trois femmes capables de s'en occuper comme il faut. Que dirais-tu qu'on se charge de ta petite pendant quelques mois ? Ça te permettrait de te virer de bord et de voir venir. En plus, tu serais pas trop loin pour venir la voir quand ça te tenterait.

— C'est vraiment trop ! s'exclama le jeune père. J'ai l'impression d'ambitionner sur le pain béni.

— Mais non, c'est la solution la plus raisonnable, dit Annette, toute heureuse de garder l'enfant sous son toit.

— Oui, mais pour le dédommagement ? demanda François.

— T'occupe pas de ça, répondit Jean. Je pense pas que la nourriture donnée à ta fille va nous mettre sur la paille.

— Bon ! Il me reste à vous demander un dernier service, fit François. Monsieur le curé m'a dit qu'il aimerait baptiser la petite le plus tôt possible, au cas où il lui arriverait quelque chose. Est-ce que Bernard et Isabelle accepteraient d'être les parrain et marraine de ma petite dimanche prochain ?

Un instant interdit par la demande, l'aîné des Bergeron répondit :

— Ça va nous faire plaisir, François. Pas vrai, Isabelle ?

— C'est certain ! s'exclama la jeune fille, rayonnante de fierté.

— Je serai la porteuse, décida Annette.

Quelques minutes plus tard, le jeune homme quitta les Bergeron pour se rendre chez les Marcotte. De toute évidence, il avait décidé de remercier tous ceux qui l'avaient aidé dans son épreuve. Le bébé dans les bras, Isabelle se planta devant la fenêtre et regarda son voisin marcher en direction de la ferme voisine.

Annette, qui s'était approchée à son tour de la fenêtre, laissa tomber, comme pour elle-même :

— Ce pauvre François ! Il est pas encore sorti du bois.

La température demeura chaude en ce début septembre, comme si Dieu avait décidé que l'été ne prendrait jamais fin. Les cultivateurs mirent à profit ces belles journées pour avancer leurs travaux. L'avoine et l'orge étaient mûres et prêtes à être récoltées.

Pendant que les hommes travaillaient aux récoltes, les femmes vidaient progressivement le jardin et mettaient tout ce qu'elles pouvaient en conserve.

Chez les Bergeron, les ketchup vert et rouge embaumaient toute la maison en cuisant sur le poêle à bois et on les mettait dans des pots sitôt qu'ils étaient cuits. Les conserves de maïs lessivé, de betteraves et de fèves s'accumulaient sur les étagères. Les pommes de terre, les carottes et les navets étaient placés dans le caveau.

Le dimanche après-midi suivant, les Bergeron et les Marcotte, que François Riopel avait aussi invités à l'événement, se retrouvèrent à l'église pour le baptême de la petite fille qui fut prénommée Aurore en l'honneur de sa grand-mère paternelle décédée quelques années auparavant.

À la fin de la courte cérémonie, tout le monde se réunit chez Jean Bergeron pour déguster le gâteau et les tartes confectionnés pour cette occasion par Colette, la veille. Les invités firent leur possible pour rendre la réunion joyeuse malgré le deuil qui venait de frapper le jeune père, mais on sentait que le cœur n'y était pas.

Louis attira François dans un coin de la cuisine.

— Si tu veux, François, je vais faire le ramassage du lait à ta place, la semaine prochaine.

— Je te remercie pour ton offre, fit son voisin, mais il faut que je m'habitue à la vie normale, même si Élise est plus là. Puisque c'est mon tour, je vais faire la run. Ça va me changer les idées.

À la fin de l'après-midi, chacun rentra chez soi. Isabelle, qui avait dû partager le bébé avec les autres femmes durant tout l'après-midi, fut tout heureuse de l'avoir pour elle toute seule. Après tout, n'était-elle pas la marraine ? Elle changea les langes de la petite, lui donna son biberon et la coucha dans son berceau avant de rejoindre sa mère et sa sœur déjà en train de préparer le souper.

****

Arrivés à la maison, les Marcotte s'empressèrent d'aller changer de vêtements avant d'aller traire les vaches et nourrir les animaux. Ils devaient se passer de l'aide de Henri, invité à souper par les parents de sa promise, Germaine Côté.

— Qu'est-ce qui se passe avec Pauline ? demanda Eusèbe. On a pas vu son Louis-Georges de la journée. C'est rare, ça !

— Je le sais pas trop, répondit Estelle. Elle m'en a pas parlé. Ça se peut qu'il y ait eu quelque chose de spécial dans sa famille aujourd'hui.

Quand son mari eut quitté la maison en compagnie de Jocelyn et de Maurice, Estelle alla retrouver Pauline, qui pelait les pommes de terre du souper, assise à la table de cuisine. Pour la première fois de la journée, la mère remarqua la mine préoccupée de l'aînée de ses filles.

— Est-ce que tout va ben, ma grande ? lui demanda-t-elle avec sollicitude.

— Oui, m'man, répondit Pauline d'un ton neutre.

— Louis-Georges est pas malade au moins ?

— Je pense pas.

Estelle décida d'arrêter de tourner autour du pot.

— Écoute, si c'est à cause d'une petite chicane entre vous deux qu'il est pas venu aujourd'hui, c'est pas la fin du monde. Ça arrive.

— Mais on s'est pas chicané, m'man, dit Pauline. C'est fini entre nous deux. Il reviendra plus.

— Bon, voilà autre chose ! s'exclama Estelle. Qu'est-ce qui s'est passé ?

— Rien de spécial, m'man, répondit Pauline d'un air las. Depuis quelque temps, Louis-Georges commençait à me parler de fiançailles. Moi, de mon côté, je passais mon temps à me demander si c'était un gars pour moi, si je l'aimais assez pour me fiancer avec lui.

— Pourquoi ça ?

— Ben, quand il venait veiller, j'étais rendue que j'avais hâte que la soirée finisse.

— Ah oui ! fit sa mère, étonnée. C'est ton père qui va être surpris. Je pense qu'il l'haïssait pas, ton Louis-Georges.

— En tout cas, dimanche passé, à la fin de la soirée, je lui ai dit que j'étais pas prête à me marier et qu'il ferait mieux de trouver une autre fille.

— Qu'est-ce qu'il a dit ?

— Rien. On aurait dit qu'il s'attendait à ça. Il est parti comme si rien n'était. Je pense qu'il a ben compris parce qu'il est pas venu aujourd'hui.

— Ça a pas l'air de te faire ben de la peine ?

— Non.

Il y eut un long silence entre les deux femmes. Puis Estelle regarda attentivement sa fille avant de demander :

— Dis donc, Pauline, as-tu un autre garçon en vue, toi ?

— Ben, pour vous dire franchement, je pense que j'haïrais pas ça que Bernard soit mon cavalier et qu'il vienne veiller ici de temps en temps.

— Bernard ?... Bernard Bergeron ?

— Oui. Je lui ai parlé plusieurs fois et je pense qu'on s'entendrait ben ensemble. En plus, il est pas laid et il a une tête sur les épaules. Il est pas comme Louis-Georges. Lui, il sait ce qu'il veut dans la vie.

— C'est toute une nouvelle, dit Estelle. Remarque, moi, j'ai rien contre le garçon d'Annette, mais je m'attendais pas à ça.

— M'man, il y a rien de fait encore. Il a jamais dit qu'il voulait me fréquenter. Le problème avec lui, c'est qu'il est gêné sans bon sens. Il va falloir que je lui fasse comprendre qu'il m'intéresse et que j'aimerais qu'il vienne me voir.

— Attention, ma petite fille, fit Estelle, sévère. Va pas te lancer à la tête d'un garçon ; tu risques de lui faire peur. Pense aussi à ta réputation.

— Inquiétez-vous pas, m'man. Je vais ben trouver le moyen de lui faire comprendre ça sans qu'il s'en doute.

Le soir même, Estelle apprit la nouvelle à son mari alors qu'ils étaient seuls sur la galerie, en train de profiter de l'air frais avant d'aller se coucher. La réaction d'Eusèbe ne se fit pas attendre.

— Batèche ! jura le gros homme, elle pouvait pas se rendre compte avant qu'elle l'aimait pas ? Elle lui a fait perdre presque un an à ce gars-là.

— Voyons, Eusèbe, dit Estelle, raisonnable. Ça arrive ces histoires-là. Toutes les fréquentations finissent pas nécessairement devant monsieur le curé.

— Je veux ben croire, mais moi, je la croyais presque casée, fit Eusèbe, mécontent. C'est pas parce que je cherche à m'en débarrasser, mais une fille de 21 ans... Est-ce qu'elle va finir vieille fille ?

— Non, je pense pas, dit en riant sa femme. Notre Pauline a déjà un autre cavalier en vue.

— Ah oui ! Qui c'est le prochain gars qui va venir user le divan de mon salon ?

— Le garçon de Jean Bergeron, Bernard.

— Le plus vieux ? Le grand brun qui dit jamais un mot plus haut que l'autre ? Pourquoi pas ! Il est pas ben jasant, mais d'après son père, il est vaillant.

— Il y a juste un problème, fit remarquer Estelle en baissant encore plus la voix. Le beau Bernard est tellement gêné qu'il lui a pas dit qu'il avait envie de la fréquenter. On va ben voir comment notre fille va se débrouiller pour l'attirer dans notre salon.

— Ouais ! Ça promet ! conclut Eusèbe. Elle se débrouillera comme elle voudra ; c'est son maudit problème. On est tout de même pas pour aller le chercher par la main, son Bernard. S'il est trop bête pour se rendre compte que notre Pauline est la plus belle fille de Saint-Anselme, il restera chez eux.

Sur ces paroles bien senties, Eusèbe se leva de sa berçante et rentra se coucher.

****

Le mardi après-midi, le président de la commission scolaire s'arrêta chez les Bergeron pour rencontrer Colette, gênée d'être surprise en train de travailler au jardin. Elle le fit entrer dans la maison et passer au salon.

Sans perdre de temps, Antoine Girouard tira de sa poche le contrat d'engagement qu'il avait apporté.

— Je te félicite, dit-il avec le sourire. Les commissaires ont décidé de t'engager pour faire l'école aux enfants du rang Saint-Joseph. Tu vas avoir quatorze enfants dans ton école et tu commences lundi prochain.

La jeune fille, qui ne croyait pas beaucoup à ses chances d'obtenir le poste, resta d'abord muette de surprise. Puis, elle le remercia en lui promettant de faire tout son possible pour que les enfants réussissent.

Avant de lui faire signer son engagement, le responsable de la commission scolaire tint tout de même à lui préciser certaines règles.

— Tu dois entrer au moins deux jours avant l'arrivée des enfants pour t'installer et faire un peu de ménage dans l'école.

— Il n'y a pas de problème, dit Colette.

— Je suis passé voir l'école hier. Le bâtiment est en bon état et les bois de chauffage a déjà été livré et cordé pour l'hiver. Le puits et les toilettes sèches, dehors, sont corrects. Il te reste plus qu'à demander à quelqu'un de nettoyer le tuyau du poêle avant que les froids arrivent.

— D'accord.

— Je te laisse la clef de l'école et celle de l'armoire où sont rangés les livres, la craie et tout le reste de ton matériel. Tu es responsable de la propreté du local. Tu te feras aider par les élèves pour l'entretien.

— Très bien.

— Je te rappelle que t'as pas le droit de recevoir la visite de garçons ni dans la classe, ni dans ton logement. Si quelqu'un du rang en voit un seul, tu peux être certaine que nous allons l'apprendre et ton contrat sera automatiquement annulé.

— Ça ne se produira pas, affirma Colette, agacée par toutes ces mises en garde.

— Ah ! Une dernière chose avant de te faire signer. Je sais pas comment tu avais prévu organiser ta classe, mais d'habitude, les maîtresses d'école se font aider par les plus vieux pour enseigner aux plus jeunes. Mais il faut pas que ça nuise trop aux élèves de 6e et de 7e année. Tu vas recevoir la visite de l'inspecteur deux ou trois fois durant l'année et ce sont ses rapports qui feront qu'on t'engagera ou pas l'année prochaine. Normalement, c'est l'abbé Letendre qui vient vérifier si tu enseignes ben le catéchisme, mais avec lui, je pense pas que tu vas avoir des problèmes. Il est ben arrangeant. De temps en temps, moi ou un commissaire, on passera jeter un coup d'œil pour voir si tout se passe ben. Bon ! si t'es encore décidée à enseigner, il te reste plus qu'à mettre ta signature en bas de ce contrat.

Antoine Girouard tendit à la jeune fille sa plume réservoir et le contrat. Elle apposa sa signature au bas de la feuille.

— Je te souhaite bonne chance. Je suis sûr que tu vas être capable de faire l'ouvrage. Je te laisserai une copie de ton engagement à l'école du rang Saint-Joseph la semaine prochaine, dit le quinquagénaire en se dirigeant vers la porte.

Lorsque le président de la commission scolaire eut repris la route, Colette se précipita au jardin pour apprendre à sa mère et à sa sœur qu'elle venait d'être engagée. Ses exclamations réveillèrent la petite Aurore dont on avait installé le berceau à courte distance, à l'ombre d'un érable. Les pleurs de l'enfant calmèrent l'excitation de la jeune fille. Isabelle, plus rapide que sa mère, alla prendre l'enfant et la berça quelques instants pour la rassurer.

Le soir même, toute la famille célébra la bonne nouvelle. Seul Bernard partageait sans arrière-pensée la joie de sa sœur. Isabelle se réjouissait de perdre une concurrente qui cherchait souvent à s'occuper de la petite Aurore. Annette songeait qu'elle perdait son meilleur soutien dans la maison. Jean calculait que l'aide monétaire apportée par sa fille l'aiderait à compléter le montant dû à l'oncle Hormidas en novembre. Finalement, Louis enviait sa sœur d'avoir la chance de quitter la ferme et de s'en éloigner, ne serait-ce que de quelques kilomètres.

Colette décida de prendre les trois dernières journées de la semaine pour aller organiser sa classe et aller faire un peu de ménage tant dans la classe que dans son appartement situé à l'étage.

Le lendemain matin, Louis se proposa pour aller la conduire à l'école du rang Saint-Joseph, trop heureux d'échapper une heure ou deux aux travaux de la ferme.

Le rang Saint-Joseph était le dernier rang de Saint-Anselme et il était aussi celui qui était le plus éloigné du village. L'étroite route de terre traversait des boisés sur une assez longue distance avant de longer quelques fermes. Louis, qui venait pour la première fois à cet endroit, dit à sa sœur :

— Sacrifice ! On est presque rendus à Saint-Gérard.

— Je le sais pas, répliqua sa sœur qui regardait avec anxiété partout autour d'elle, mais on est loin de chez nous.

Après avoir roulé quelques minutes dans le rang, les deux jeunes gens découvrirent l'école après un virage. Le petit bâtiment gris d'un étage couvert de bardeaux de cèdre était érigé au centre du rang, à une centaine de mètres de la ferme la plus proche. Il semblait en bon état.

Lorsque Colette déverrouilla la porte d'entrée après avoir monté les deux marches qui conduisaient à un balcon étroit, elle ressentit une grande fierté. Elle était chez elle. Pendant que Louis montait à l'étage sa valise et quelques boîtes de nourriture et d'effets personnels, sa sœur ouvrit toutes les fenêtres pour aérer l'endroit où la chaleur était presque insoutenable.

Après le départ de son frère, la jeune fille se mit résolument au travail. Elle consacra le reste de l'avant-midi à enlever les toiles d'araignée, à laver les fenêtres et les pupitres et à balayer sa classe. Après le dîner, elle fit le ménage de son appartement et rangea sa nourriture et ses vêtements.

À la fin de la journée, elle alluma une lampe à huile qu'elle déposa au centre de la petite table de son nouveau logis. Elle regarda autour d'elle, contente de tout le travail effectué. Les deux pièces de l'appartement ne contenaient que le strict nécessaire. Elle n'avait trouvé dans la petite chambre qu'un lit étroit, un placard, une chaise et une petite table sur laquelle étaient posés un bol de grès et une cruche qui serviraient à sa toilette. La cuisine n'offrait qu'une vieille table en bois, deux chaises, un poêle à bois et un placard. Comme il n'y avait pas l'eau courante, elle devrait aller chercher son eau au puits situé à l'arrière de l'école.

Fatiguée, Colette se mit au lit avant 22 h. Les deux prochaines journées seraient réservées à l'organisation de sa classe.

Chapitre 14

Marie

Le mois de septembre passa très rapidement. La température chaude des premiers quinze jours céda peu à peu la place à la fraîcheur. Finies les soirées passées à se bercer sur la galerie. Les journées raccourcissaient et il fallait passer un lainage dès que le soleil était couché.

Chez les Bergeron et les Marcotte, on emménagea dans la cuisine d'hiver après avoir fait un grand ménage de la pièce. La cuisine d'été ne servait plus qu'occasionnellement durant la journée pour faire des conserves. Si la cuisine d'hiver représentait une nouvelle pièce à apprivoiser pour Annette ; pour Estelle, il s'agissait d'un retour à la normale. Elle s'était toujours sentie plus à l'aise dans sa grande cuisine.

Le sujet de conversation générale en cette fin de septembre était le prochain mariage du bedeau avec la cuisinière du curé. Partout dans la paroisse, on faisait des gorges chaudes sur cette union et des rumeurs circulaient sur l'affrontement qui avait eu lieu entre Léo

Durand et le curé Desmeules. Olivette Beaudet, la source des ragots, tenait ses informations d'Augustine elle-même, disait-elle.

Cette dernière lui avait raconté ce qui s'était passé lorsque son fiancé était venu faire publier les bans. Le curé Desmeules l'avait fait entrer dans son bureau et la ménagère s'était empressée de venir écouter à la porte.

— Je m'en viens vous voir pour publier les bans, Monsieur le curé, avait dit Léo, plein de fierté.

— Qui se marie ? avait demandé le curé, faisant celui qui ne comprenait pas.

— Ben, Augustine et moi.

— Pourquoi vous marier si vite ? Ça fait pas si longtemps que ça que tu fréquentes Augustine, avait dit le curé, sévère.

— Je veux la marier dans quinze jours, avait fait Léo, pas du tout intimidé par le prêtre. Oubliez pas que j'ai 63 ans. Je rajeunis pas et, sauf votre respect, j'ai pas l'intention de geler tout seul dans mon lit tout l'hiver. Je suis veuf depuis cinq ans. C'est long, ça, Monsieur le curé.

— Laisse faire les détails ! avait dit le curé en élevant la voix. Si tu la maries, va pas t'imaginer que ta femme va aller coucher à la maison tous les soirs. Sa place est au presbytère, j'en ai besoin. Elle pourrait peut-être déserter une fois par semaine, et encore...

— Comment ça, une fois par semaine ? avait demandé le fringant sexagénaire. Sa place est dans ma maison, pas au presbytère. Il me semble, Monsieur le curé, qu'après avoir fait la vaisselle du souper, elle pourrait rentrer à la maison et s'occuper un peu de son mari. Sans vous offenser, je la marie pas pour qu'elle reste avec vous.

— T'es vraiment pas raisonnable, Léo, avait répliqué le curé. À ton âge, il faut se ménager. Toi et elle, vous êtes plus des jeunesses. Il me semble que tu devrais être heureux que ta femme soit si utile à ton curé.

— Non, Monsieur le curé, je suis pas heureux pantoute. Je pense que je vais demander à ma promise de rester à la maison et de se contenter de me faire mon ordinaire. À la longue, vous finirez ben par vous trouver une autre servante dans le village.

Selon Olivette Beaudet, le curé avait fait marche arrière devant la menace de perdre sa cuisinière et il avait accepté, à contrecœur, de la laisser rentrer chez elle chaque soir, après le souper.

Cette victoire du petit sexagénaire n'avait pourtant pas fait taire les mauvaises langues. On affirmait qu'il perdrait ses airs de matamore aussitôt qu'Augustine aurait mis les pieds dans sa maison. Cette dernière était une maîtresse femme et on voyait mal comment il parviendrait à la « dompter », comme il se plaisait à le dire. « Augustine va le mettre à sa main en quelques jours. » disaient celles qui la connaissaient bien. « Le pauvre Léo va passer de plus en plus de temps au magasin général, je vous en passe un papier. » compatissaient ses vieux amis, persuadés qu'il s'apprêtait à faire une erreur qui gâcherait ses dernières années.

****

Si le premier jour de classe, Colette put faire la connaissance de ses quatorze élèves, elle se rendit compte qu'elle devrait attendre la fin des récoltes pour pouvoir compter sur la présence assidue des quatre garçons de 6e et de 7e année. En d'autres mots, elle n'eut devant elle que quatre petits de 1re et 2e année et six élèves de 3e, 4e et 5e année durant le mois de septembre. Cette longue absence - que les parents justifiaient parce qu'ils avaient besoin d'aide pour rentrer les récoltes - l'agaçait et l'inquiétait. Le retard pris par ces élèves devrait être comblé avant le passage de l'inspecteur.

Le vendredi avant-midi de la première semaine, l'abbé Letendre frappa à la porte de l'école. Le jeune prêtre, un grand homme émacié et timide, se présenta à Colette et demanda à rencontrer ses élèves. La douceur et la compréhension dont il fit preuve envers les enfants plurent à la nouvelle institutrice. De toute évidence, il était passé à l'école pour les inciter à étudier de leur mieux leur catéchisme et pour leur parler de la vie du Christ. Lorsqu'il prit gauchement congé, elle ne put s'empêcher de le regarder partir par l'une des fenêtres de la classe. Il se déplaçait, les épaules voûtées, comme s'il portait un énorme fardeau.

****

À la fin septembre, les champs et les jardins étaient dénudés. Les cultivateurs pouvaient bénir Dieu de leur avoir donné des récoltes abondantes cette année-là. Il avait su doser les journées ensoleillées et les pluies bienfaisantes. Malgré tout, Jean Bergeron et sa famille durent constater que leur dur labeur ne leur avait rapporté que bien peu de profits. Les prix des produits agricoles étaient en chute libre et l'argent demeurait rare. Après avoir payé ses comptes chez Beaudet, Jean se rendit compte qu'il aurait beaucoup de mal à rembourser l'oncle Hormidas, deux mois plus tard.

— Ça a pas d'allure, dit Louis. On a travaillé comme des esclaves du matin au soir pendant cinq mois et tout ce que ça nous rapporte, c'est une maudite poignée de cennes noires.

— Surveille tes paroles, toi ! fit Annette. On devrait pas se plaindre. On va manger à notre faim tout l'hiver : c'est déjà pas si mal. Il y a des milliers de gens de la ville qui prendraient notre place avec le sourire.

— Mais, m'man, avec quoi on va se payer un peu de linge neuf ?

— On s'en passera, mon gars. L'important, c'est d'avoir le ventre plein et un toit sur la tête.

Louis se leva de table, l'air peu convaincu. Il n'acceptait pas d'avoir tant travaillé pour se retrouver, en bout de compte, les poches vides.

Chez les Marcotte, on n'acceptait pas mieux la chute des prix, mais Eusèbe et les siens étaient fatalistes à ce sujet. La terre avait été bonne et comme leur ferme était beaucoup plus grosse que celle de leurs voisins, les récoltes avaient été plus abondantes.

— Ça sert à rien de s'énerver, dit Eusèbe. Les prix vont finir par remonter. En attendant, on a de quoi vivre ; c'est déjà ça. Le plus important est qu'on aura pas à toucher au vieux gagné.

Les trois fils hochèrent la tête. Ils avaient fait tout ce qu'ils pouvaient ; le reste ne dépendait pas d'eux.

****

Le dimanche suivant, le curé Desmeules annonça qu'il poursuivrait la semaine suivante sa visite de paroisse commencée au début du mois. Il était rendu au rang Sainte-Anne. Comme à chaque année, cette annonce déclencha chez toutes les ménagères du rang une chasse intransigeante au moindre grain de poussière dans le salon et la cuisine.

Pour Estelle Marcotte, pas de demi-mesure. Elle entraîna ses deux filles dans le lavage des murs, des plafonds, des fenêtres et des parquets. Il fallait que la maison soit reluisante de propreté pour la visite annuelle du curé. Il était le seul visiteur qu'on faisait entrer par la porte d'entrée principale, celle qui donnait sur le salon.

Lorsque le curé Desmeules se présenta chez les Marcotte le jeudi après-midi, ce ne fut une surprise pour personne puisqu'on suivait la progression de sa visite dans le rang depuis le lundi précédent. Il était déjà passé chez les Riendeau et les Bergeron, la veille. En conséquence, le pasteur trouva Estelle, Marie et Mariette endimanchées et prêtes à le recevoir. Les hommes n'avaient pas fait de frais de toilette, mais ils portaient des vêtements propres et étaient soigneusement rasés.

Après lui avoir pris son manteau, on fit asseoir le curé dans le meilleur fauteuil du salon. Le prêtre s'informa de la santé de tous les membres de la famille et des récoltes et il mentionna discrètement à Eusèbe qu'il comptait recevoir la dîme avant la mi-novembre. Le cultivateur le rassura.

— J'aurais quelques mots à dire à vos parents dans le particulier, dit le prêtre aux enfants. Je vous reverrai dans quelques minutes pour la bénédiction.

Les six jeunes se levèrent sans se faire prier et quittèrent la pièce.

— Vous devinez pourquoi je veux vous parler ? demanda le curé.

— Je suppose que c'est au sujet de Marie, dit Eusèbe, renfrogné subitement.

— C'est en plein ça. Votre fille a-t-elle changé d'idée ? Veut-elle toujours devenir religieuse ?

— Je le sais pas, répondit Eusèbe. On en a pas parlé depuis le printemps passé. Toi, Estelle, es-tu au courant ?

— Elle m'en a pas parlé. Je l'ai laissée réfléchir tout l'été. On a qu'à le lui demander, proposa la mère, partagée entre son mari et le curé.

Eusèbe appela Marie qui s'était réfugiée dans la cuisine. La jeune fille entra dans le salon.

— Monsieur le curé veut savoir si tu as toujours l'intention d'entrer chez les sœurs de l'Assomption, dit Eusèbe.

— Oui, dit-elle sans hésiter. J'attendais que vous me donniez la permission.

— T'es ben sûre que tu veux t'enfermer dans un couvent ? demanda son père, avec un reste d'espoir.

— Oui, p'pa. J'aimerais ça.

— Si c'est ce que tu veux, tu peux y aller, concéda le gros homme, attristé à la perspective de perdre sa fille préférée.

— Bon, cela va faire plaisir à mère Saint-Sauveur qui s'inquiétait de ne pas avoir des nouvelles de votre fille, dit le curé. Le noviciat de Nicolet est prêt à l'accueillir quand vous le voudrez ; mais le plus tôt sera le mieux.

— C'est ben beau tout ça, mais ça règle pas le problème de la dot, lança Eusèbe d'une voix acerbe. Moi, je suis pas d'accord pour donner une dot à une fille que j'ai fait instruire et qui va travailler toute sa vie pour la communauté. Il faut que je pense à mes cinq autres enfants. Déjà que Henri parle de se marier le printemps prochain... Il va falloir que je l'aide à s'établir. L'argent est rare et il pousse pas dans les arbres, Batèche !

Estelle fit signe à Marie de quitter le salon.

— Écoute, Eusèbe, dit le curé Desmeules. Il y a moyen de s'arranger. Tu es tout de même capable de donner un petit montant aux sœurs pour payer les frais du noviciat de ta fille. Quand viendra le temps des vœux, tu pourras t'arranger avec elles pour la dot. Qu'est-ce que t'en dis ?

— Ouais ! C'est peut-être mieux de même !

— Bon, Estelle, quand est-ce que le trousseau de ta fille sera prêt ? Il faudrait tout de même pas trop tarder !

— Je pense que dimanche prochain, Marie sera prête. On ira la conduire à Nicolet, pas vrai, mon vieux ?

Eusèbe se contenta de hocher la tête. Il venait de découvrir que sa femme et sa fille étaient de mèche avec le curé pour enlever sa décision. De toute évidence, Estelle savait que Marie allait entrer au noviciat et elle avait déjà complété son trousseau sans lui en dire un mot. Cette cachotterie lui fit mal au cœur.

Avant de quitter la maison, le curé Desmeules fit agenouiller tous les membres de la famille pour les bénir et bénir le foyer. Il félicita les parents d'offrir leur fille à Dieu.

Eusèbe attendit de se retrouver seul avec Estelle avant d'éclater.

— Estelle Bellavance, tu devrais avoir honte de toi ! dit Eusèbe, rouge de colère. Après vingt-cinq ans de mariage, tu me fais des cachotteries dans le dos avec les enfants et le curé...

— Calme-toi, Eusèbe ! dit Estelle. Je t'ai rien caché. Tout ce que j'ai fait, c'est que j'ai préparé en cachette du linge pour Marie au cas où elle changerait pas d'idée. C'est pas un crime ! J'en ai même pas parlé à monsieur le curé et à Marie...

— En tout cas, t'as l'air d'accord pour qu'elle parte, affirma Eusèbe.

— On peut pas faire autrement. Si Dieu veut qu'elle devienne une sœur, on peut pas refuser ça.

— On sait ben...

Eusèbe sortit en claquant la porte, laissant sa femme derrière lui.

Lorsque Marie vint la rejoindre dans la cuisine, sa mère, philosophe, se contenta de lui dire :

— T'inquiète pas. Tu connais ton père : il va finir par s'habituer à l'idée. Demain, il aura déjà accepté que tu partes.

— Oui, mais m'man, il a l'air de nous en vouloir.

— Ça lui passera, conclut Estelle. Viens m'aider à préparer le souper.

****

Le dimanche après-midi suivant, malgré la pluie fine qui tombait, Eusèbe attela la voiture et plaça à l'arrière un coffre renfermant les effets personnels de sa cadette.

Pendant ce temps, Marie, les yeux brillants d'excitation, mit son manteau, embrassa ses frères et ses deux sœurs avant de se jeter dans les bras d'Estelle qui avait du mal à refouler ses larmes. Bourru, Eusèbe rentra dans la maison et mit fin aux effusions.

— Grouille-toi un peu, Marie. On arrivera jamais au couvent aujourd'hui si on part pas.

— J'arrive, p'pa, dit la jeune fille en embrassant sa mère une dernière fois avant de passer la porte.

Ils montèrent dans la voiture et prirent le chemin de Nicolet. La route était détrempée. Marie regardait le paysage désolé comme si elle avait voulu s'imprégner de ces images. Les érables qui bordaient le chemin avaient perdu une partie de leurs feuilles. Celles qui restaient encore attachées aux branches avaient pris des teintes rouges et or. Au moindre coup de vent, elles iraient rejoindre les autres qui jonchaient le sol pour former un tapis épais aux couleurs ternes autour de chaque arbre.

Durant tout le voyage, Marie tenta de sortir son père de son mutisme par un joyeux babillage, mais Eusèbe ne répondait la plupart du temps que par monosyllabes. Quand ils arrivèrent au couvent au milieu de l'après-midi, la sœur tourière les introduisit dans le bureau de la supérieure, une grande femme sèche sans âge. Elle pria Marie d'attendre quelques minutes dans le couloir, le temps de dire quelques mots à son père. Quand ils furent seuls, la religieuse dit :

— Monsieur Marcotte, j'ai reçu de mère Saint-Sauveur et du curé Desmeules des lettres de recommandation élogieuses au sujet de votre fille. Tous les deux affirment qu'elle pourrait devenir une excellente religieuse. Toutefois, on ne connaît pas les desseins de Dieu. Votre fille entre au noviciat. C'est une étape importante qui nous permettra d'évaluer la profondeur de sa vocation. Au début, le plus difficile pour elle sera de vivre loin de sa famille et de ses amis. Nous le savons. Sa première épreuve sera de ne pas aller vous visiter avant deux ans. Elle ne pourra vous écrire qu'à quelques occasions. Elle va souffrir de cette séparation autant que vous. Ensuite, elle va devoir apprendre à se plier aux règles de la vie en communauté et cela ne sera pas facile.

Eusèbe l'écouta sans faire de commentaire. Il réalisait brusquement qu'il perdait sa fille.

— Vous savez que notre mandat est de former des enseignantes qui sont appelées à éduquer chrétiennement les jeunes filles, reprit la supérieure. Marie apprendra avec nous son rôle d'éducatrice. J'espère qu'elle jouit d'une bonne santé. Vous devez savoir que si elle tombait malade, nous devrions vous la renvoyer.

— Elle a jamais été malade, parvint difficilement à articuler le gros homme.

— Bon. Il ne reste à régler que les frais de son entretien ou sa dot, si vous préférez. Notre communauté n'est pas riche et elle compte sur la générosité des parents qui lui confient leurs filles.

— Je sais, dit Eusèbe. Le problème, ma mère, c'est que je suis pas riche non plus et que j'ai cinq autres enfants. J'ai apporté cinquante piastres et c'est vraiment tout ce que je peux vous donner.

La supérieure eut une petite moue de dépit, mais elle saisit tout de même les billets que lui tendait Eusèbe.

— Je suis persuadée, Monsieur Marcotte, que dans quelques mois, vous serez en mesure de faire un don plus généreux à la communauté qui a accueilli votre fille. Le curé Desmeules me disait dans sa lettre que vous possédez une grosse ferme...

— C'est vrai, dit Eusèbe en se levant, mais ce que notre curé vous a pas dit, c'est qu'avec la crise, on donne presque nos produits pour rien. L'argent est rare pour tout le monde.

La religieuse, ramenée à la dure réalité, se contenta de pincer les lèvres.

— Si vous voulez dire au revoir à votre fille, fit-elle sèchement, il vous reste quelques minutes.

Eusèbe retrouva sa cadette debout dans le couloir. Il la prit maladroitement dans ses bras.

— Si t'as besoin de quelque chose, fais-nous-le savoir, lui dit-il, ému.

— Oui, p'pa, répondit Marie, la gorge serrée.

— Pis, si un jour, tu sens que ta place est pas avec les religieuses, occupe-toi pas de ce que monsieur le curé ou mère Saint-Sauveur vont penser. Hésite pas. Appelle à la maison et je viendrai te chercher. T'auras toujours ta place chez nous. Écris-nous sitôt que tu le pourras, ça fera plaisir à ta mère.

Eusèbe refoula ses larmes, embrassa sa fille et sortit du couvent en compagnie du jardinier. Tous les deux prirent le coffre de la jeune fille et le déposèrent dans le parloir. Marie avait déjà quitté les lieux à la suite de la responsable des novices.

Chapitre 15

Pauline et Bernard

Lorsque vint le temps des labours d'automne, Jean envoya Louis chez les Marcotte apprendre comment les voisins épandaient le fumier. Le jeune homme revint à la fin de l'avant-midi avec une mine dégoûtée, mais son père n'en tint aucun compte. Il le chargea de commencer le fumage l'après-midi même pendant que Bernard et lui finissaient un travail urgent.

— On va pas être obligés d'étendre tout le tas de fumier qui est derrière l'étable, j'espère ? demanda Louis.

— On verra ben, répondit le père. On étendra ce qu'il faudra.

— Commence par mon jardin, intervint Annette. Il m'en faut une bonne charretée si on veut avoir de beaux légumes l'an prochain.

— Tu parles d'une maudite job ! maugréa Louis, mécontent. Non seulement tu travailles pour rien, mais il faut charrier de la merde en plus.

— Arrête de te lamenter pour rien, dit Jean, à bout de patience. Demain, on va se mettre à trois pour fumer et ça va avancer vite.

Quand Louis rentra à la maison après son premier après-midi de fumage, il sentait si mauvais qu'Annette l'arrêta sur le seuil.

— Reste là, lui dit-elle. Je vais aller te chercher une chemise propre et un pantalon et tu iras te changer dans la grange. Rapporte ton linge sale, on va le laver tout de suite.

À son retour, Louis s'assit à la table sans dire un mot. Isabelle, taquine, renifla bruyamment en le servant. Son geste n'échappa pas à Annette qui lui fit les gros yeux. Ce n'était vraiment pas le moment d'asticoter son fils dont la mauvaise humeur était évidente. Par chance, son père et son frère finirent leur travail dès le lendemain soir et, avant la fin de la semaine, le fumage était terminé.

Le jour où les Bergeron furent prêts à labourer, Jean se rendit compte dès les premiers instants qu'il avait perdu la main. Il n'avait fait les labours qu'à quelques occasions sur la ferme paternelle de Saint-Éphrem. La charrue tirée par son cheval le plus robuste lui échappait des mains au moindre obstacle. Bernard, plein de bonne volonté, n'était pas plus habile que son père. Quant à Louis, il demeurait un spectateur indifférent.

François Riopel fut le premier à remarquer les difficultés de ses voisins et il ne tarda pas à venir chez les

Bergeron. Avec beaucoup de tact, il leur proposa de leur donner un coup de main, prétextant que ses labours étaient presque terminés. Il lui suffit d'une journée pour corriger les erreurs du père et des fils. À la fin, les sillons tracés étaient assez profonds et droits pour prouver que les trois hommes étaient capables de s'en tirer honorablement. Fait étrange, c'était Louis qui s'était révélé le plus habile, mais il n'en avait tiré aucun plaisir et aucune fierté. Le jeune homme continuait à afficher un air morose.

****

Si les Bergeron faisaient peu de cas des sautes d'humeur habituelles de Louis, Estelle, pour sa part, s'inquiétait de la nervosité croissante de sa fille Pauline qui avait toujours eu un caractère un peu plus difficile que celui de ses deux sœurs cadettes. Jusqu'au départ de Marie, la jeune fille avait fait montre d'une gaieté et d'un entrain qui l'avaient aidée à traverser l'épreuve de la séparation. Mais depuis, son caractère s'était assombri et il ne se passait guère de journée sans accrochage avec sa sœur Mariette pour des vétilles.

Estelle se doutait bien de la cause de cette nervosité : Bernard Bergeron. Depuis le début du mois de septembre, elle avait vu sa fille saisir la moindre occasion de se rendre chez les voisins dans l'espoir d'aguicher le beau Bernard. Elle n'avait pas eu de chance. La plupart du temps, le jeune homme était absent ou travaillait avec son père. En plus, la pluie des dernières semaines ne l'avait pas aidée puisqu'elle l'empêchait de rencontrer son futur cavalier, « par hasard », à l'extérieur. Après une autre colère de sa fille aînée qui reprochait à sa sœur de s'être servie de sa brosse à cheveux, Estelle éclata.

— Pauline, ça va faire ! Elle te l'a pas mangée, ta brosse !

— M'man, je lui ai dit cent fois de pas venir fouiller dans ma chambre. J'haïs ça ! Moi, je vais pas fouiller dans ses affaires.

— Correct ! Correct ! Elle a compris, fit Estelle, exaspérée. Dis donc, toi, ce serait pas parce que le beau Bernard s'occupe pas de toi que tu es rendue avec un caractère de cochon.

— Voyons, m'man, il a rien à voir là-dedans.

— Tout ce que je vois, c'est qu'il est pas encore venu veiller avec toi et ça fait presque deux mois que tu manges les fenêtres du côté des Bergeron dans le but de l'apercevoir. C'est pas à le regarder à distance que tu vas l'attirer ici.

— D'abord, c'est pas vrai que je passe mon temps à regarder chez les voisins. Puis, le Bernard, il m'intéresse pas tant que ça.

— Pas à moi, ma fille, dit sèchement Estelle. Si tu veux pas finir vieille fille, t'es mieux de changer de caractère, en tout cas.

Pauline tourna les talons, monta dans sa chambre et claqua la porte. Elle en avait assez.

Elle avait cru facile de vaincre la timidité de Bernard Bergeron et d'en faire son cavalier. Tout d'abord, elle avait pensé resserrer ses liens avec sa sœur Colette avec qui elle s'entendait bien, mais le départ de cette dernière pour l'école du rang Saint-Joseph rendait la chose difficile. Quand Colette revenait la fin de semaine, elle était occupée à faire son lavage et à cuisiner sa nourriture pour la semaine. À 18 ans, Isabelle était vraiment trop jeune pour elle et, de plus, elle était toujours à prendre soin du bébé de François Riopel. Elle ne pouvait tout de même pas accompagner sa mère chaque fois qu'elle allait chez les voisins. Annette Bergeron finirait par trouver sa présence bizarre.

L'après-midi même, le soleil perça l'épaisse couche de nuages de couleur ardoise et le vent, qui soufflait depuis le début de la matinée, tomba.

Estelle trouva un prétexte pour aller chez les Bergeron quand elle aperçut Isabelle en train de promener Aurore dans un vieux landau sur la route. Elle trouva Annette seule dans sa cuisine.

Les deux femmes s'assirent devant une tasse de thé bouillant. Estelle entama avec précaution le sujet qui l'avait amenée chez sa voisine.

— C'est rare qu'on puisse se parler sans avoir les enfants autour de nous, pas vrai, Annette ?

— C'est certain.

— Ils nous causent ben des problèmes. Plus ils grandissent, moins ils sont faciles.

— Nous, c'est Louis qui continue à nous inquiéter. Il est jamais content, fit Annette. Jean est patient avec lui, mais j'ai ben peur qu'il éclate un jour.

— Moi, c'est ma Pauline...

— Qu'est-ce qu'elle a, ta Pauline ?

— Elle a arrêté de fréquenter le petit Proulx de Sainte-Monique parce qu'elle trouvait de son goût un gars de Saint-Anselme, mais ce gars-là a pas l'air de s'en rendre compte.

— Qui est-ce ? demanda Annette, curieuse.

— Je pense que c'est ton Bernard, dit Estelle, un peu embarrassée.

— Bernard ! Mais il nous a rien dit, à son père et à moi, fit Annette qui faillit échapper sa tasse tant son étonnement était réel.

— Il s'est peut-être pas rendu compte que Pauline s'intéressait à lui, admit Estelle.

— C'est ben possible, rétorqua Annette. Il a jamais sorti avec une fille. Je pense qu'il est trop gêné... Pourtant, j'haïrais pas ça qu'il fréquente ta fille.

Soulagée par cette déclaration, Estelle proposa à sa voisine de faciliter la rencontre des deux jeunes gens.

— J'y pense tout à coup. Ton garçon va toujours avec Isabelle à la basse-messe le dimanche. Que dirais-tu si on lui demandait d'amener Pauline aussi. Ça faciliterait peut-être les choses ?

— Je m'en occupe. Je lui dirai qu'elle est la seule à aller à la basse-messe chez vous. Pendant le voyage, ils vont ben être obligés de se parler, même si Isabelle est là. On va ben voir si ça va dégêner mon grand.

Le soir même, Estelle dit à son mari :

— Écoute, Eusèbe. Notre Pauline devient de plus en plus difficile à vivre.

— Oui, j'ai remarqué. Qu'est-ce qu'elle a encore ?

— Ça vient de ce qu'elle arrive pas à attirer Bernard Bergeron dans notre salon.

— Qu'est-ce que tu veux que j'y fasse ? demanda le quinquagénaire. Je t'ai déjà dit que j'irais pas le chercher par la main.

— Non, c'est pas ce que je te demande, dit Estelle avec impatience. J'en ai parlé à Annette et elle est d'accord pour que son Bernard vienne chercher Pauline pour l'amener à la basse-messe dimanche prochain.

— Bon, ça va, mais faudrait pas que ça dure trop longtemps parce qu'on va être serrés en maudit tous les cinq dans la voiture pour aller à la grand-messe.

Le samedi soir suivant, Estelle prévint ses trois fils qu'ils iraient tous à la grand-messe le lendemain matin. Comme Henri s'étonnait d'être obligé de changer son horaire, ce qui retarderait son arrivée à Saint-Gérard, chez son amie, Germaine Côté, sa mère dut lui expliquer la raison de ce changement.

— Fais ça pour ta sœur, veux-tu ? lui demanda Estelle.

— Je veux ben une fois, m'man, mais j'espère que le Bernard Bergeron va se déniaiser vite. Avec la grand-messe, je vais presque arriver au milieu de l'après-midi chez Germaine et elle va me poser des questions. Je suis tout de même pas pour lui dire que je cherche à caser ma sœur.

Ce soir-là, quand Annette prévint Bernard qu'il aurait à aller chercher Pauline Marcotte le lendemain matin, les yeux de son père pétillèrent de malice.

— Sais-tu, ma femme, je pense que je devrais aller à la basse-messe demain matin. Conduire une belle fille comme la Pauline à l'église, ça me déplairait pas trop. Il me semble que le chemin me paraîtrait pas trop long avec une belle créature comme ça à côté de moi.

— Tu devrais avoir honte, Jean Bergeron ! s'indigna Annette. Et devant les enfants à part ça ! C'est plus de ton âge. Je suis certaine que Pauline Marcotte va aimer mieux s'asseoir à côté de Bernard qu'à côté d'un vieux bonhomme qui perd déjà ses cheveux.

— Qu'est-ce qu'ils ont mes cheveux ? demanda Jean en s'étirant le cou pour tenter d'apercevoir sa tête dans le miroir suspendu au-dessus de l'évier.

— Laissez faire, p'pa, dit Bernard. Je vais aller la chercher.

— En tout cas, fit son père, si tu changes d'idée, gêne-toi pas pour me le dire. Je me sacrifierai. Il y a rien qu'un père peut pas faire pour son gars.

Annette lui lança un regard furieux.

— T'auras pas à te dévouer, mon vieux.

Le lendemain matin, Bernard fut dispensé de la traite des vaches et il passa près d'une heure à soigner sa toilette. Quand il parut dans la cuisine où Isabelle finissait de donner le biberon à Aurore, sa sœur ne put s'empêcher de remarquer :

— Seigneur ! On dirait que tu t'en vas à des noces. J'espère que c'est pas juste pour moi que tu t'es fait beau de même.

— Arrive, la petite, dit son frère avec humeur. Arrange-toi pas pour qu'on soit en retard.

Isabelle tendit Aurore à sa mère et fit une profonde révérence à Bernard.

— Excusez-moi, Monseigneur. Je voudrais pas que votre belle princesse attende.

Colette et sa mère se regardèrent avec un sourire plein de sous-entendus.

Le jeune homme rougit et s'empressa d'aller atteler la voiture. Il prit la peine d'entasser une pile de couvertures sur une partie du banc arrière de manière à inciter Pauline Marcotte à prendre place à ses côtés.

Pendant qu'Isabelle enfilait son manteau, sa mère la mit en garde :

— Va surtout pas gêner ton frère avec tes farces plates quand Pauline sera là. Tu m'entends ? Laisse-les parler ensemble et essaie pas de le faire étriver durant le voyage.

— C'est correct, m'man, j'ai compris. Je serai sage comme une image et un bon chaperon. Je vais les surveiller tout le temps, dit la jeune fille en ouvrant la porte. Il y aura pas de jeux de mains.

— Isabelle !

Lorsque Isabelle monta dans la voiture, elle vit les couvertures et elle ne put s'empêcher de faire remarquer à son frère.

— C'est ça, mon Bernard. Pendant que tu feras les yeux doux à Pauline Marcotte, j'aurai qu'à parler au tas de couvertes que t'as mis à côté de moi.

Lorsque la voiture quitta la cour des Bergeron, Pauline cessa de regarder par la fenêtre. Elle vérifia une dernière fois son chapeau dans le miroir et elle mit son manteau. Son excitation était visible. Elle sortit dès que la voiture arriva devant la maison des Marcotte.

Par la fenêtre de la cuisine, Estelle vit sa fille prendre place à côté de Bernard Bergeron et elle fit une prière silencieuse pour que son manège fonctionne.

En ce dimanche matin d'octobre, l'air était piquant et sec. Pauline parla quelques instants d'Aurore avec Isabelle, assise à l'arrière, avant d'interroger Bernard sur les travaux qu'il restait à faire aux Bergeron avant l'arrivée des premiers gels. Le jeune homme, timide, répondit d'abord par monosyllabes, puis, de façon plus détendue au fur et à mesure qu'il prenait confiance en lui. Pendant qu'Isabelle faisait des efforts méritoires pour se taire, Pauline scrutait le profil du conducteur. Elle était émue de se sentir si près de lui.

À leur arrivée devant l'église, Bernard aida les deux jeunes filles à descendre de la voiture. Alors qu'il lui tenait le bras pour faciliter sa descente, Pauline se jeta à l'eau.

— Je vais t'attendre, le temps que tu attaches le cheval, lui dit-elle à mi-voix, le cœur battant. Si le cœur t'en dit, tu peux t'asseoir avec moi dans notre banc.

— Ce sera pas long, j'arrive, dit Bernard, tout heureux de la proposition de sa passagère.

Isabelle avait pris les devants et était déjà installée dans le banc des Bergeron quand elle vit passer près d'elle Pauline, suivie de son frère. Ce dernier, fier comme un paon, ne lui jeta même pas un regard en passant près d'elle. « Eh ben ! se dit-elle, le petit frère se dégêne en pas pour rire. »

Durant toute la messe, les deux jeunes gens ne cessèrent pas de s'épier l'un l'autre. Si Pauline se demandait si elle n'avait pas manqué de retenue en se lançant à la tête de son voisin, Bernard, pour sa part, flottait sur un nuage. Depuis plusieurs semaines, il cherchait lui aussi une manière d'aborder la jeune fille et de lui faire sentir qu'elle lui plaisait. Mais le plus difficile restait à faire. Comment lui faire comprendre qu'il aimerait devenir son cavalier ?

Au retour de la messe, au moment où la voiture abordait le rang Sainte-Anne, Bernard, rougissant, prit son courage à deux mains.

— Pauline, qu'est-ce que tu fais cet après-midi ? demanda-t-il d'une voix peu assurée.

— Rien de spécial, répondit la jeune fille.

— Il fait beau. Est-ce que ça te tenterait de faire une promenade après le dîner ?

— Oui, j'aimerais ça, accepta Pauline, enthousiaste.

Le jeune homme dissimula le mieux qu'il put la joie et la fierté qui venaient de l'envahir.

Bernard déposa Pauline chez les Marcotte et il rentra chez lui avec sa sœur. Pendant que le jeune homme s'empressait d'aller à sa chambre changer de vêtements, Isabelle, moqueuse, singeait un homme ivre dans son dos, sous le regard désapprobateur de ses parents.

— Qu'est-ce que t'as, toi ? Es-tu malade ? lui demanda Louis, en train de nouer sa cravate devant le miroir.

— Chut ! fit Annette, en lui montrant l'escalier que son frère venait de monter. Qu'est-ce qui s'est passé ? demanda la mère à mi-voix à sa cadette.

— M'man, je suis pas une rapporteuse, fit Isabelle en prenant un air outragé. Je suis muette comme une carpe, ajouta-t-elle avec dignité.

— Isabelle, arrête tes folies ! ordonna sa mère. Pauline et Bernard se sont-ils ben entendus ?

— Je sais pas, m'man, mais j'ai eu ben gros d'ouvrage comme chaperon. Je pense que mon petit frère est amoureux parce qu'il touchait pas à terre en revenant. Je suis même pas sûre qu'il m'a reconnue.

— T'es donc tête folle, Isabelle Bergeron, fit sa mère, exaspérée. Au lieu de dire des niaiseries, tu ferais mieux de commencer à t'occuper du dîner.

Sur ces mots, Jean, Annette, Colette et Louis sortirent de la maison, montèrent dans la voiture et partirent pour le village.

Après la messe, Louis s'empressa de rejoindre deux jeunes du village avec qui il avait prévu de passer l'après-midi, tandis que Jean se joignait à un groupe d'hommes qui avaient l'air d'apprécier ce que Marcelin Delorme racontait.

— Je vous dis qu'on était pas grand monde aux noces de notre bedeau hier. Si on était une dizaine de personnes, c'est beau.

— Il y avait juste des fouineux, Marcelin, fit Lorenzo Camirand. Quand on se marie à 7 heures du matin, c'est qu'on veut pas être vu par trop de monde.

— Pardon, dit Marcelin en regardant Camirand avec un air supérieur, j'avais été invité, moi. Oublie pas, mon Lorenzo, que j'étais le témoin du marié.

Puis le vieil homme se tourna vers le reste de son auditoire.

— Vous auriez dû voir comment notre bedeau était à l'envers. Il a eu ben de la misère à dire « oui ». On le comprend, le pauvre homme, ça prendra pas de temps qu'il va regretter son veuvage.

— Il paraît que c'est son frère Antonius qui a servi de témoin à Augustine, dit Jérôme Beaudet. Il a dit à ma femme qu'il pensait jamais que sa sœur finirait par se remarier.

— En tout cas, l'Augustine avait l'air sévère en pas pour rire quand elle s'est assise à côté de Léo, ajouta Marcelin.

Le bonhomme était mieux de se tenir le corps raide et de pas changer d'idée au pied de l'autel... Je sais pas ce qu'elle lui aurait fait.

— Sont-ils partis en voyage de noces ? demanda Antoine Girouard qui s'était tu jusqu'à présent.

— Oui, trois jours à Drummondville, répondit Marcelin. C'est tout ce que Léo a pu avoir du curé qui ne voulait pas se passer plus longtemps de sa ménagère. Je te dis que ça donne pas grand temps à notre bedeau pour conquérir sa quatrième femme. On va ben voir, quand il reviendra, s'il a commencé à la dompter...

Sur ces mots, le groupe se défit et la plupart des hommes se rendirent à leur voiture pour rentrer à la maison.

****

Cet après-midi-là, Bernard se présenta chez les Marcotte peu après le dîner.

En le voyant venir, Estelle prévint ses enfants de ne pas effaroucher le nouveau prétendant de leur sœur avec des taquineries.

— Que j'en vois un faire une niaiserie, menaça Pauline, et il va le regretter.

— On peut tout de même lui parler, j'espère ? demanda son jeune frère Jocelyn.

— De quoi vous allez ben pouvoir parler tout l'après-midi ? demanda Maurice. Veux-tu que j'aille m'asseoir avec vous autres au salon ?

— Toi, mêle-toi de tes affaires et va jouer avec ton accordéon, répliqua sèchement la jeune fille.

Quand Bernard entra, il salua un peu gauchement les Marcotte présents dans la cuisine. Pendant que Pauline achevait de se préparer, Eusèbe lui parla de ce qu'il lui restait à faire dans les champs avant la première neige.

Quelques minutes plus tard, Estelle, qui les regardait marcher côte à côte sur la route, dit à son mari :

— Je pense, mon vieux, que notre Pauline a peut-être trouvé le prétendant qu'il lui fallait. Je trouve qu'ils forment un beau couple.

— Whow ! la marieuse, t'emballe pas trop vite. Si je me rappelle ben, tu as dit la même chose quand Louis-Georges Proulx a commencé à venir voir ta fille.

Une heure plus tard, les jeunes gens rentrèrent et Pauline fit passer Bernard au salon. Maintenant, c'était officiel : il était devenu son nouveau cavalier.

— Maudit ! chuchota Eusèbe à sa femme assise dans sa chaise berçante, il fallait qu'ils reviennent de leur marche juste au moment où je voulais aller me coucher une heure avant d'aller faire le train.

— Vas-y, Eusèbe. Je m'endors pas. Je vais surveiller les amoureux.

Pendant ce temps, François Riopel était confortablement installé dans la cuisine des Bergeron, en grande conversation avec Annette et Isabelle, la petite Aurore sur les genoux. Jean venait de partir avec Colette pour la conduire à son école du rang Saint-Joseph.

Le jeune veuf tentait encore de surmonter le choc de la disparition de sa femme et il avait organisé sa vie du mieux qu'il pouvait. Il éprouvait une immense gratitude envers ses voisins qui continuaient à l'aider. Bien sûr, l'entretien de la maison souffrait de l'absence d'Élise. Il n'avait ni le goût ni l'habileté nécessaire pour se cuisiner de vrais repas. Par chance, Annette et sa fille lui apportaient, une ou deux fois par semaine, un plat qu'elles lui avaient préparé. De plus, il était devenu une tradition de l'inviter à souper le dimanche soir.

Depuis le début de son veuvage, François avait pris l'habitude de s'arrêter quelques minutes chez ses voisins deux ou trois fois durant la semaine pour voir sa petite fille. Quand il la prenait dans ses bras et la serrait contre lui, son visage se transformait. Les deux femmes voyaient bien qu'il s'ennuyait de son enfant et qu'elle lui manquait.

Lorsque François vit Bernard revenir à pied de chez les Marcotte, il se leva.

— Voilà Bernard qui revient pour aller faire le train, dit-il aux deux femmes en tendant Aurore à Isabelle. Je pense que je vais faire la même chose.

— On t'attend pour souper, dit Annette pendant qu'il mettait son manteau.

— Merci pour tout, madame Bergeron, fit François. Je serai pas long.

Isabelle le regarda partir.

— Pauvre François, dit-elle à sa mère, qui commençait déjà à dresser le couvert, il a pas l'air ben heureux.

— Oui, il fait ben pitié. Un homme est pas fait pour vivre seul. La plupart du temps, il est pas capable de prendre soin de lui, et encore moins d'un enfant. Il a besoin d'une femme pour tenir sa maison et élever un petit. Il va falloir, à un moment donné, que François oublie sa peine et pense à Aurore. Après son deuil, il devra se trouver une femme...

— Voyons, m'man. Ça fait juste deux mois qu'Élise est morte...

— Oui, je sais ben, mais la vie continue.

Tout en aidant sa mère à préparer le repas, Isabelle pensait avec un serrement au cœur au jour prochain où on lui enlèverait le bébé pour le remettre à une parfaite inconnue.

Chapitre 16

Louis et le quêteux

À la fin octobre, l'hiver commença ses travaux d'approche. Les premières gelées nocturnes firent leur apparition. Les arbres perdirent leurs dernières feuilles et le ciel charriait souvent de lourds nuages.

Un lundi matin, Jean se leva en grelottant et se dépêcha à allumer le poêle. Il vit par la fenêtre que les champs étaient couverts d'une gelée blanche. Il dit à Annette, qui venait de sortir de la chambre à coucher :

— Je pense ben qu'aujourd'hui, on va rentrer les vaches pour l'hiver.

— Ça serait pas une mauvaise idée, fit sa femme. Ça veut dire que nous autres aussi, on est à la veille de s'encabaner. J'espère juste que la maison va être chaude...

— T'inquiète pas pour ça, dit son mari pendant qu'il s'habillait pour aller faire le train. Le vieux Marcelin a toujours vécu ici et il en est pas mort. On a du bois en masse pour chauffer la maison.

Bernard descendit l'escalier en bâillant et il alla se frotter les mains au-dessus du poêle pour les réchauffer.

— Ton frère est-il debout ? demanda Annette.

— Je l'ai pas entendu bouger, répondit Bernard.

— Louis ! cria sa mère, lève-toi. Le train se fera pas tout seul.

Un bruit de pas à l'étage indiqua à Annette que son fils venait de se lever.

Bernard et son père burent une tasse de thé avant de quitter la maison pour l'étable.

Quelques minutes plus tard, Louis fit son apparition dans la cuisine.

— Maudit qu'on gèle ici, dit-il en frissonnant. Ça va être le fun dans l'étable. On va ben crever de froid là-dedans.

— Grouille, lui ordonna Annette. Attends pas que ton père et Bernard aient fait la moitié de l'ouvrage avant d'y aller.

Louis sortit de la maison en se traînant les pieds.

Jean prit tout le monde par surprise après le dîner lorsqu'il annonça à ses deux fils ce qu'ils feraient durant l'hiver.

— La semaine passée, dit-il en allumant sa pipe, je suis allé jeter un coup d'œil à notre terre à bois. On va bûcher une bonne partie de l'hiver pour augmenter notre provision de bois de chauffage et aussi pour fournir à Marcelin Delorme les cordes de bois prévues par le contrat de vente.

Bernard acquiesça, mais Louis se renfrogna.

— On va avoir ben de l'ouvrage, continua le père, mais avec un peu de chance, on va essayer de faire assez de bois de chauffage pour pouvoir en vendre un peu au village. Si on y arrive, ça sera toujours ça de gagné.

— C'est de valeur, p'pa, fit Louis d'un ton décidé, mais comptez pas sur moi cet hiver.

— Comment ça ? demanda Jean, surpris.

— Si ça vous fait rien, je pense que je vais retourner en ville pour me trouver une job. J'ai parlé avec Charles Riendeau, hier après-midi. Il est venu voir sa famille. Ça lui a pris juste trois jours pour en trouver une pas pire à Montréal. Il m'a dit que là où il travaille, ils avaient même recommencé à engager du monde. J'ai le goût d'essayer.

Annette réagit plus vite que son mari.

— Voyons donc, Louis, t'es pas pour aller vivre tout seul en ville. Comment tu vas te débrouiller pour manger ? Où est-ce que tu vas dormir ?

— C'est déjà arrangé, m'man. Charles va me prendre comme pensionnaire. Il reste avec deux gars dans un petit appartement sur la rue Beaudry et il m'a dit qu'il y avait encore de la place.

— C'est ben beau tout ça, mais qu'est-ce qui te dit que tu vas avoir la même chance que le petit Riendeau ? Il y a des dizaines de milliers de chômeurs en ville. Tu devrais le savoir. T'as cherché de l'ouvrage durant un an sans en trouver.

— Oui, mais si j'essaye pas, j'en trouverai pas, répliqua Louis, têtu.

Pendant cet échange entre la mère et le fils, Jean eut le temps d'encaisser le coup. Le départ de son fils était loin de lui plaire, mais il ne le surprenait pas. Cependant, il était assez avisé pour comprendre qu'il était inutile de se mettre en colère et de s'opposer à son départ. Au fond de lui, il sentait depuis des semaines qu'on en arriverait là. Le jeune homme ne s'était jamais fait au travail de la terre. Il ne l'avait vu de bonne humeur que lorsqu'il faisait la tournée de ramassage du lait.

Il fit tout de même une dernière tentative pour le retenir auprès de sa famille.

— Écoute, Louis. T'as travaillé dur pendant presque six mois avec nous autres. Tu le sais comme moi qu'on a pas d'argent à te donner pour t'aider.

— Je le sais, p'pa. J'en ai pas demandé non plus.

— Oui, mais as-tu pensé que tu pourrais peut-être te trouver une job à Drummondville ? Ce serait plus proche.

— À Drummondville, il y a juste la Celanese et ça fait longtemps qu'elle engage plus personne. Elle arrête pas de mettre du monde dehors depuis le commencement de la crise.

— Bon ! conclut Jean, si ton idée est faite, il y a plus rien à ajouter. Quand est-ce que tu pars ?

— Demain matin.

— Comment tu vas monter à Montréal ? demanda son père.

— Riendeau va venir me prendre, fit Louis. Son oncle Xavier est en visite chez eux et il a une auto. Ils retournent en ville demain matin et ils m'ont offert de m'embarquer.

— Ta mère va te préparer des provisions pour demain. Si t'as besoin de quelque chose avant de partir, t'as juste à me le dire. En tout cas, je veux que tu saches que la porte de la maison est toujours ouverte. Si ça marche pas à Montréal, reviens. Reste pas là à endurer de la misère pour rien.

Jean se leva et se dirigea vers la porcherie avec Bernard sur les talons. Les deux hommes avaient prévu de réparer le toit qui fuyait. Ils travaillèrent en silence tout l'après-midi. Bernard sentait que son père en avait gros sur le cœur et lui-même ressentait le départ de son frère comme une sorte de trahison.

En soirée, Louis attela la voiture pour aller annoncer son départ à sa sœur Colette et il ne revint qu'assez tard du rang Saint-Joseph.

Pendant que Bernard était occupé à fabriquer un petit lit pour Aurore dans la remise, les parents étaient assis près du poêle, regardant distraitement Isabelle s'amuser avec le bébé dont elle venait de terminer la toilette. Finalement, Annette dit à mi-voix :

— Ça m'inquiète pour Louis. J'ai peur qu'il fasse de la misère et qu'il soit trop fier pour revenir.

— Moi aussi, concéda Jean. Mais qu'est-ce que tu veux qu'on fasse de plus ? On peut pas couver un grand garçon qui a presque 20 ans ! J'aurais ben eu besoin de ses bras pendant l'hiver, mais il aime mieux s'en retourner en ville.

— On a pas encore 50 ans que déjà la maison se vide, ajouta pensivement Annette. Avec Colette à l'école et lui à Montréal...

— Arrête de t'en faire avec ça, conseilla son mari. Il y a rien à faire. On verra ben ce qui arrivera.

Quand Isabelle décida de monter se coucher en emportant avec elle Aurore qui partageait sa chambre,

Jean mit du bois dans le poêle, baissa la mèche de la lampe et il se dirigea vers sa chambre à coucher. Annette l'avait précédé quelques minutes plus tôt.

Le lendemain matin, pendant que Bernard et son père étaient à traire les vaches à l'étable, Annette réveilla Louis à qui elle avait préparé un gros déjeuner.

— Louis, lève-toi, lui cria-t-elle, debout au pied de l'escalier. Ton père et ton frère sont à la veille de rentrer pour déjeuner et t'es pas pour prendre la route l'estomac vide.

Pour cacher sa tristesse, Annette se faisait bourrue. Elle avait déjà rempli deux boîtes de nourriture qu'elle avait déposées près de la porte.

Quelques minutes plus tard, Louis descendit en tenant une valise en carton où il avait entassé ses rares vêtements. Il la plaça près des boîtes avant de venir s'attabler. Il s'amusa avec la petite Aurore jusqu'à ce que son père et Bernard rentrent.

Le déjeuner servi par Isabelle et sa mère fut assez silencieux.

Les femmes desservaient la table quand une vieille Ford entra dans la cour. Louis mit son manteau, embrassa sa mère et sa sœur en promettant de leur donner des nouvelles le plus vite possible. Jean et Bernard prirent chacun une des boîtes préparées par Annette et le suivirent jusqu'à la voiture. Louis serra la main de son père et de son frère avant de monter à l'arrière. Il fit un signe de la main à sa mère qui le regardait par la fenêtre et la voiture démarra.

****

Trois jours plus tard, à la fin d'un après-midi venteux, nuageux et froid, Isabelle était seule à la maison avec le bébé quand on frappa à la porte arrière. Sa mère était chez les Marcotte et son père était parti avec Bernard marquer les arbres à abattre sur leur terre à bois au début de l'après-midi. Elle crut que c'était François Riopel qui s'arrêtait en passant pour voir sa fille.

Elle se leva et ouvrit la porte sans regarder qui frappait. En apercevant l'inconnu debout devant elle, elle eut un mouvement de recul. Elle allait lui claquer la porte au nez quand elle vit son père s'avancer dans la cour.

L'homme devait avoir une cinquantaine d'années. Il était grand, maigre et voûté. Il portait une vieille casquette sale à oreillettes et un manteau grisâtre rapiécé auquel il manquait des boutons. Sa longue barbe grise mal entretenue donnait à son visage maigre un air inquiétant.

Il tendit la main vers Isabelle.

— La charité, s'il vous plaît, ma petite dame, quémanda l'inconnu.

— Qui êtes-vous ? demanda Jean, qui venait d'arriver derrière lui.

— Bonjour, Monsieur. Je suis un quêteux. Je passe chaque année dans Saint-Anselme.

Jean Bergeron regarda l'homme et se rappela de quelle manière ses parents accueillaient toujours les quêteux à Saint-Éphrem. Même si on se doutait qu'ils étaient parfois plus riches que ceux à qui ils demandaient la charité, on leur donnait quand même quelque chose parce qu'ils avaient la réputation d'être un peu sorciers et de jeter de mauvais sorts. Le quadragénaire n'était pas loin de croire ces superstitions.

— On a pas beaucoup d'argent, fit le cultivateur, mais si vous voulez souper et coucher ici, vous êtes le bienvenu.

— C'est pas de refus, dit le quêteux, en déposant près de la porte le baluchon qu'il tenait à la main. En attendant le repas, je peux toujours me rendre utile. Donnez-moi quelque chose à faire.

Jean vit Annette qui venait de chez les Marcotte et il dit à l'homme :

— Voilà ma femme qui arrive. Elle va s'occuper de vous pendant que je fais le train. Isabelle, donne donc une tasse de thé... au quêteux. Dites donc, je suis pas pour vous appeler « le quêteux » jusqu'à demain matin. Comment vous appelez-vous ? Nous, nous sommes des Bergeron.

— Isidore, Monsieur Bergeron.

— Bon, j'y vais.

Isabelle fit entrer l'étrange personnage et l'invita à s'asseoir à la table de la cuisine. L'homme retira sa casquette et peigna du bout des doigts sa tignasse grise hirsute avant de s'asseoir. Elle venait à peine de lui offrir une tasse de thé bouillant que sa mère entra.

Annette reconnut tout de suite à qui elle avait affaire en apercevant l'individu attablé dans sa cuisine. Isidore se leva poliment pour se présenter.

— Bonjour, Madame, je suis Isidore, le quêteux. Votre mari a été assez aimable pour m'inviter à souper et à coucher. Il m'a dit que vous me donneriez du travail en attendant le repas.

— Vous êtes le bienvenu, le quêteux, fit-elle avec le sourire. Après votre thé, j'aimerais ça que vous me rentriez du bois, si ça vous convient.

Quand le bonhomme fut sorti pour aller chercher des bûches dans l'appentis, Annette demanda à sa fille :

— Sors donc la paillasse et les deux vieilles couvertes rangées au fond de la dépense. On va les faire aérer un peu.

— Le quêteux couchera pas dans la grange ?

— Ben non, c'est ben trop froid. On va l'installer proche du poêle.

— Il me fait peur, ce bonhomme-là, m'man.

— Arrête donc de te faire des imaginations. C'est un vieux quêteux comme les autres.

Isidore transporta plusieurs brassées de bûches qu'il déposa dans la boîte à bois placée près du poêle. Quand elle fut pleine, il resta un long moment dans l'appentis pour corder du bois, sans qu'on le lui demande. Il ne rentra dans la maison qu'en compagnie de Bernard et Jean et les trois hommes se lavèrent avant de s'attabler devant une assiette de bouilli de légumes. Isidore mangea avec un bel appétit et, pour dessert, il se servit une large ration de mélasse qu'il mangea avec quelques tranches de pain de ménage.

Après le souper, Bernard alla changer de vêtements. Il était invité à jouer aux cartes chez les Marcotte. Deux semaines avaient suffi à la belle Pauline pour établir le rythme de leurs fréquentations. Maintenant, le jeune homme était invité à la visiter le mercredi soir et le dimanche soir.

Pendant que les femmes lavaient la vaisselle, Jean et Isidore s'installèrent dans les chaises berçantes. Jean offrit du tabac au quêteux qui s'empressa de bourrer sa pipe avant de l'allumer avec un air satisfait. Jean prit la petite Aurore et l'assit sur ses genoux pour la bercer.

— Allez-vous loin comme ça ? demanda Jean.

— Dans ma run, je fais le tour de presque toutes les paroisses du comté, répondit le quêteux.

— Ça vous prend combien de temps ?

— À peu près neuf mois. J'arrête juste pendant les gros mois d'hiver parce qu'on gèle trop dehors à marcher dans la neige.

Annette se tourna vers les deux hommes et demanda :

— Vous restez où durant l'hiver ?

— Dans une petite cabane, de l'autre côté de Yamaska.

— Ça vous a jamais tenté de travailler comme tout le monde ? demanda Isabelle, un peu effrontée.

— Mais quêter, c'est ça, ma job, ma petite demoiselle. C'est pas aussi facile que ça en a l'air. Je quête depuis vingt ans, depuis la mort de ma femme. Je peux vous dire qu'on est pas toujours aussi ben reçu que chez vous. Il y a ben du monde qui lâchent leurs chiens après nous autres ou qui nous claquent la porte au nez, sans rien nous donner. Cette semaine, j'ai couché un soir dans une grange. Les autres soirs, j'ai dormi dehors, et c'était pas chaud. Des fois, on me donne un quignon de pain ou un bol de soupe que je peux manger sur la galerie, mais ben des fois, on me fait signe de passer mon chemin.

— Par les temps qui courent, c'est sûr que les gens ont de la misère à arriver, dit Jean.

— Faut pas croire ça, fit Isidore. Ce sont les gens les plus pauvres qui me donnent le plus. La plupart du temps, ceux qui ont les moyens me donnent même pas une cenne noire.

Isabelle s'avança vers son père et lui prit la petite Aurore qui s'était endormie sur ses genoux. Elle monta la coucher. Annette prit la théière sur le poêle et servit une tasse de thé à Isidore et à son mari avant de s'en verser une. Ensuite, elle prit son tricot et s'assit près des deux hommes après avoir allongé un peu la mèche de la lampe à huile.

— Il y a pas longtemps que nous sommes ici, dit Annette pour relancer la conversation. Avant, nous vivions à Montréal.

— J'y suis jamais allé, dit Isidore. Une grande ville comme ça, ça me fait peur. J'ai jamais quêté dans une ville, ni à Nicolet, ni à Drummondville.

— Qu'est-ce que vous allez faire quand vous pourrez plus quêter ? demanda Jean, intéressé.

— Je le sais pas trop. Je suppose que si je crève pas comme un chien sur le bord de la route, je vais me ramasser dans un hospice, soigné par les bonnes sœurs.

— Vous avez pas d'enfants ?

— Oui, j'ai deux grands garçons. Ils sont partis aux États-Unis depuis une dizaine d'années et ils m'ont jamais donné de leurs nouvelles.

Durant plus d'une heure, la conversation porta sur la jeune génération, la misère des gens et sur ce que l'avenir réservait. Isidore se révéla un philosophe optimiste qui avait confiance en la nature humaine. Il affirma à ses hôtes que le métier de quêteux allait disparaître et que les jeunes, après la crise, seraient plus exigeants. Selon lui, ils ne se contenteraient plus de travailler du matin au soir comme l'avaient fait leurs parents. À son avis, ça ne prendrait pas encore beaucoup d'années avant que les jeunes qui habitaient à la campagne exigent des distractions, l'électricité et des automobiles, comme les jeunes de la ville.

Le retour de Bernard de sa soirée chez les Marcotte donna le signal du coucher. Jean et Isidore allèrent chercher la paillasse et les couvertures qui avaient été déposées dans la cuisine d'été et on permit au quêteux de s'installer devant le poêle.

Quand Jean se leva le lendemain matin, une douce chaleur régnait déjà dans la cuisine. Isidore avait allumé le poêle depuis longtemps. Pendant que Bernard et son père allaient soigner les animaux à l'étable et qu'Annette préparait des crêpes, le quêteux remplit à nouveau la boîte à bois, après avoir replié ses couvertures et rangé la paillasse dans la cuisine d'été.

Après le déjeuner, Jean lui donna deux sous. Le quêteux remercia le couple de son hospitalité, reprit son baluchon et les quitta sur la promesse de revenir l'année suivante.

Chapitre 17

Le début de l'hiver

La fin de la première semaine de novembre fut marquée par la première chute de neige importante de la saison.

Ce jour-là, Eusèbe était venu chercher Jean Bergeron après le déjeuner pour aller chercher leur farine de sarrasin au moulin de Sainte-Monique où ils avaient apporté leur récolte une dizaine de jours plus tôt. Curieusement, il ne lui serait jamais venu à l'idée d'utiliser son tracteur pour faire cette course. Malgré les remarques de ses fils, il s'entêtait à n'employer cette mécanique que sur la ferme. Il n'avait aucune confiance dans cette machine capricieuse qui, pour lui, ne vaudrait jamais un bon cheval pour se déplacer. Quand son fils Maurice, un fanatique de l'automobile, lui prédisait qu'un jour, on ne verrait plus un cheval sur les routes et qu'ils seraient tous remplacés par des autos et des camions, le cultivateur se contentait de dire : « Parle donc avec ta tête. Les gens seront jamais assez fous pour faire ça. Un bon cheval, c'est peut-être moins vite que ces maudites mécaniques, mais ça te casse pas dans la face pour un oui ou pour un non quand t'en as besoin et ça te coûte pratiquement rien à entretenir. »

Malgré un ciel bas et un petit vent du nord qui avait obligé les deux hommes à s'habiller chaudement, Eusèbe et Jean n'hésitèrent pas à prendre la route.

En six mois, une véritable amitié s'était nouée entre les deux hommes qui se rendaient volontiers des petits services. Ils avaient décidé d'y aller ensemble pour que le trajet leur paraisse moins long. Ils profitèrent de l'occasion pour échanger les dernières nouvelles.

— As-tu reçu des nouvelles de ta Marie ? demanda Jean, qui n'était pas sans ignorer que son voisin s'ennuyait de sa cadette.

— Pas encore. Si je me fie à ce que la supérieure m'a dit, je pense qu'on en aura pas avant les Fêtes. Et toi, Louis, comment il se débrouille en ville ?

— Pas de nouvelles non plus. Une chance qu'il me reste Bernard pour m'aider, fit Jean.

— C'est un bon gars que t'as là. Il est pas ben parlant, mais il est d'aplomb. Je pense que ma Pauline le trouve pas mal à son goût.

— Oui, et il te fait veiller tard deux fois par semaine, non ?

— Pas si tard que ça, répliqua Eusèbe en souriant. Il y a des fois où je suis pas mal vite pour aller me coucher et Estelle est obligée de prendre ma place pour chaperonner les jeunes.

Il y eut quelques instants de silence.

— Tu me fais penser au bedeau, dit Eusèbe. Je l'ai vu hier chez Beaudet. Je te dis qu'il a changé de poil depuis que l'Augustine l'a pris en main. En moins d'un mois, notre Léo a pris encore un peu plus de ventre et il est presque habillé comme le notaire... Il paraît que sa femme lui a dit qu'un bedeau, ça a une job aussi importante qu'un docteur ou qu'un notaire et qu'il a pas le droit de se promener dans le village habillé comme un quêteux.

Les deux hommes rirent.

— J'en ai entendu parler par François la semaine passée, ajouta Jean. Il paraît que sa femme le lâche pas d'une semelle et qu'elle lui a défendu de traîner pendant des heures au magasin général. En plus, elle l'a obligé à faire un grand ménage dans toute la maison et à jeter les souvenirs de ses trois premières femmes. Olivette Beaudet a dit que la cuisinière du curé a menacé son mari de rester au presbytère le soir s'il ne nettoyait pas sa soue à cochons.

— Oui, j'en ai entendu parler aussi, fit Eusèbe. Léo est en train d'apprendre qu'on mène pas Augustine Parent comme on veut. Elle a du nerf et du caractère, cette femme-là. Il a beau s'être vanté au magasin général que sa femme lui préparait ses trois repas pour la journée avant de partir pour le presbytère ; ce qu'il dit pas, le Léo, c'est que sa femme lui prépare aussi, chaque matin, une liste longue comme le bras de jobs à faire.

— J'ai comme l'idée, dit Jean en ricanant, qu'il doit plus rester beaucoup de forces à notre bedeau le soir, quand il se couche.

— En tout cas, fit Eusèbe, quand on le verra dimanche prochain, il faudra ben finir par lui demander s'il est arrivé à la dompter, sa nouvelle femme. On verra ben ce qu'il va nous répondre.

Lorsque les deux voisins arrivèrent au moulin, Eusèbe et Jean chargèrent dans la voiture leurs poches de farine de sarrasin. L'un et l'autre étaient satisfaits du produit de leur récolte. Eusèbe laissa toute sa farine chez le boulanger de Sainte-Monique qui avait trouvé des acheteurs, tandis que Jean vendit la plus grande partie de sa farine à Jérôme Beaudet, tel que promis. Il n'en conserva qu'une vingtaine de livres pour son usage personnel.

La neige se mit à tomber à gros flocons dès qu'ils quittèrent le village pour rentrer.

— On dirait qu'on revient à temps, dit Eusèbe, en se protégeant le visage de la neige du mieux qu'il pouvait.

— On le dirait ben, fit Jean. Dis donc, t'as vendu toute ta farine. Veux-tu en avoir quelques livres de la mienne ?

— Merci ben, mais j'en ai pas gardé parce qu'il nous en reste en masse de l'an passé. Sais-tu que s'il continue à faire frette de même, on va pouvoir faire boucherie cette semaine. Qu'est-ce que t'en dis ?

— C'est une bonne idée, mais je sais pas si Lorenzo aura le temps de me débiter ma viande, répondit Jean.

— Comment ça, Lorenzo ? On a pas besoin de lui pour faire boucherie.

— Peut-être pas toi, mais moi, j'y connais rien. Je suis capable de tuer un cochon ou un veau, mais pas de le découper.

— Écoute, Jean. Je pense qu'on peut se mettre ensemble pour faire ça. J'ai tout ce qu'il faut. Comme ça, toi et Annette, vous pourrez voir comment faire. En plus, je me suis installé un fumoir pour fumer des jambons, tu pourras en profiter, si tu veux.

— C'est pas de refus, accepta Jean Bergeron avec reconnaissance. As-tu l'idée de tuer l'un des deux cochons que j'ai engraissés ?

— Oui et aussi une vache dont la viande va être pas mal tendre. Toi, qu'est-ce que tu vas abattre ?

— Le cochon et un veau du printemps qu'on a engraissé au petit lait durant l'été et l'automne.

— Bon, si ça t'intéresse, on pourra toujours s'échanger un peu de ton veau pour de la vache.

— Je pense que ça va plaire à Annette, dit Jean.

— O.K. On se met à l'ouvrage après-demain matin, si les femmes sont prêtes. Demain, j'ai l'impression qu'on va être embourbés par une bonne bordée de neige.

Comme pour lui donner raison, la neige se mit à tomber de plus en plus dru. Maintenant, le conducteur avait peine à distinguer la route.

— Viens boire quelque chose pour te réchauffer, proposa Jean, une fois rendu devant chez lui.

— Ce sera pour une autre fois si ça te fait rien. Je vais rentrer avant qu'Estelle s'inquiète, dit Eusèbe en remettant sa voiture en marche.

La neige tomba sans arrêt durant toute la soirée et toute la nuit.

À l'aube, quand le vent cessa de souffler, on se rendit compte que cette première grosse tempête de la saison avait transformé le paysage en laissant derrière elle plus de trente centimètres de neige.

Lorsque Jean et Bernard sortirent pour aller nourrir les animaux, ils avaient de la neige à mi-jambes.

— Si la gratte passe pas avant midi, dit Jean à sa femme, en s'assoyant à table pour déjeuner, Riendeau pourra jamais ramasser le lait à temps.

— Il paraît que le conseil municipal a donné le contrat d'ouvrir les chemins à Antonius Côté, du village, fit

Bernard. François m'a dit la semaine passée que le bonhomme avait pas l'habitude de se traîner les pieds.

— C'est ben tant mieux, dit Annette.

Les deux hommes occupèrent une bonne partie de l'avant-midi à pelleter pour dégager les entrées des bâtiments et de la maison. Pendant ce temps, Isabelle nettoya un vieux traîneau découvert dans l'appentis durant l'automne. La jeune fille emmitoufla Aurore et s'amusa avec elle à l'extérieur.

Durant l'après-midi, Jean et Annette firent les comptes sur la table de cuisine. Le moment était venu de penser au versement dû à l'oncle Hormidas. Jean avait prévu d'arrêter chez le notaire la semaine suivante, au moment où il livrerait à Marcelin Delorme les cordes de bois qu'il lui devait pour l'hiver.

— Pour le bois, dit-il à sa femme, il y a pas de problème. Il en a laissé assez pour nous permettre de chauffer tout l'hiver et lui livrer ce qu'on lui doit. Pour les cinquante piastres de mon oncle, c'est une autre paire de manches. C'est juste en maudit. Quand j'aurai donné le montant au notaire, il nous restera presque rien pour nous rendre au printemps. Il faudrait pas qu'une malchance nous arrive...

— T'inquiète donc pas, fit Annette. On arrive et c'est ce qui compte.

— Il y a des fois où je me demande si on aurait pas mieux fait de rester en ville, fit-il, songeur.

— T'es pas sérieux ! s'exclama-t-elle. Si on était encore à Montréal, on crèverait de faim avec juste le Secours direct. T'es plus fier que ça ! Ici, on dépend pas de la charité des autres. On travaille dur, mais on a de quoi manger et se chauffer. On a de bons voisins. Moi, je trouve pas qu'on fait de la misère.

— Ouais ! t'as peut-être raison, reconnut son mari. Mais j'haïs ça être toujours au bout de la piastre, en train de me demander si j'en aurai assez. Je suis tanné de gratter, de ménager tout le temps, de vivre au jour le jour...

— On est comme tout le monde, Jean, l'encouragea sa femme. Tout le monde en arrache, mais on va finir par s'en sortir. On est tout de même mieux que l'automne passé quand toi et les garçons, vous cherchiez de l'ouvrage sans en trouver.

— En tout cas, la semaine prochaine, on va être débarrassés de nos dettes pour un an.

****

Le lendemain avant-midi, c'était le grand branle-bas chez les Bergeron. Pour la première fois, on allait faire boucherie. Si Jean avait admis n'avoir aucune expérience dans ce domaine, il n'en allait pas de même pour Annette qui avait souvent aidé sa mère à faire du boudin et des saucisses quand son père tuait un cochon à l'automne.

Annette et Isabelle rassemblèrent dans des boîtes les plats, les couteaux et les sacs de jute dans lesquels la viande serait emballée et elles attendirent le retour des hommes partis avec la charrette sur laquelle ils avaient chargé le veau et les deux cochons entravés.

Jean et Bernard avaient eu beaucoup de mal à immobiliser les deux porcs pour leur ligoter les pattes. Les grognements et les cris des deux bêtes s'entendaient jusqu'à la maison. Ils les avaient hissés sur la charrette avant de faire subir le même traitement au veau. Jean avait décidé de transporter d'abord les bêtes chez les Marcotte et de revenir chercher sa femme après pour lui éviter d'avoir à transporter dans ses bras les boîtes d'ustensiles.

Même si la distance à parcourir était courte, ils eurent de la difficulté à se rendre chez les voisins avec la voiture.

— Si la plate-forme sur patins avait été prête, constata Jean, ça aurait été plus facile. Une charrette, c'est pas fait pour rouler dans la neige, même si elle est haute sur roues.

— On pourra toujours s'en occuper dès qu'on aura fini de faire boucherie, dit Bernard.

Les deux hommes, aidés par les Marcotte, descendirent les animaux de la charrette et Jean retourna chercher sa femme.

Les trois fils Marcotte et Bernard avaient déjà attaché le premier porc, la tête en bas, aux montants d'une échelle qu'ils avaient dressée dans l'entrée de la grange quand Jean et Annette arrivèrent chez leurs voisins. Une longue table montée sur deux chevalets avait été installée près de la porte, à l'abri du vent.

Sur les directives d'Estelle, Eusèbe trancha la gorge de la bête de manière à ce qu'elle puisse recueillir dans une bassine le flot de sang qui s'en échappait. Quand le flot se tarit, les deux femmes et Pauline le filtrèrent avec un morceau de coton à fromage et les hommes se mirent à dépecer la bête après l'avoir vidée. Les quartiers étaient déposés sur la table et découpés en morceaux qui deviendraient des rôtis, des côtelettes et des jambons. La tête fut mise de côté pour faire de la tête fromagée. Bernard admirait l'aisance avec laquelle Pauline se tirait d'affaire. La jeune fille, les joues rougies par le froid, abattait sa large part de besogne avec une énergie qui lui plaisait.

Après la pause du dîner, on acheva de dépecer le second porc. Isabelle, curieuse, vint voir la scène en traînant derrière elle la petite Aurore confortablement installée dans le traîneau. La cadette des Bergeron ne put supporter le spectacle plus de quelques minutes. Victime de nausées à la vue de tout ce sang, elle rebroussa vite chemin pour rentrer à la maison.

— Ça a tout l'air que tu pourras pas compter sur ta fille pour préparer le boudin, dit Estelle dans un grand rire. Elle est aussi sensible que Mariette. Regarde ma fille. Si je la laissais faire, elle rentrerait à la maison.

En effet, Mariette avait été discrète depuis le début de l'avant-midi. Si elle avait activement participé au rangement des morceaux de viande prêts à être emballés, elle s'était tenue le plus loin possible du dépeçage des bêtes. La jeune fille était pâle, mais il était facile de constater qu'elle combattait ce que sa mère prenait pour de la sensiblerie.

— Je vois ben ça, répondit Annette Bergeron. Isabelle a peut-être mal au cœur du boudin, mais elle aussi, elle aura pas le choix. Je te garantis que mal de cœur ou pas, elle va m'aider à bourrer les tripes avec de la viande à saucisse.

— Veux-tu nous laisser tes jambons à fumer dans le fumoir ? demanda Estelle. Eusèbe a allumé un feu de bois d'érable à matin. Tu vas voir que ça va faire du bon jambon.

— Ça ferait ben mon affaire, si vous avez encore de la place dans le fumoir.

Estelle envoya Jocelyn accrocher les jambons que sa voisine venait d'envelopper dans de la jute dans le fumoir.

Comme il restait encore deux heures avant de faire le train, Eusèbe proposa de tuer le veau et de commencer à le dépecer. Henri tua la bête d'un coup de masse sur le front et on s'empressa de suspendre la bête au bout d'une chaîne dans l'entrée de la grange. Et le travail reprit jusqu'au coucher du soleil.

À la fin de la journée, les Bergeron chargèrent sur la voiture la viande de porc qui avait été préparée et ils rentrèrent chez eux. Annette garda les morceaux qu'elle voulait hacher pour en faire de la chair à saucisse et demanda à Bernard et à son mari de placer le reste au froid, hors de la portée des bêtes. Les deux hommes rangèrent la viande dans un coffre propre, dans l'appentis situé près de la maison.

Après le souper, Isabelle se réfugia dans sa chambre avec le bébé pendant que sa mère confectionnait le boudin, mais un peu plus tard, elle dut quand même venir aider à hacher la viande avec laquelle Annette bourrait les tripes dûment nettoyées et ébouillantées.

— M'man, fit la jeune fille en jetant un coup d'œil au boudin placé au bout de la table, ça me lève le cœur. Je pense que j'en mangerai plus jamais.

— Il va falloir que tu t'endurcisses, ma fille, répondit Annette. Après tout, c'est juste du sang de cochon. Tu vas en voir des pires dans ta vie.

— Peut-être, mais je serai pas obligée d'en manger.

Le lendemain, la température s'était quelque peu adoucie, mais pas au point de faire fondre la neige.

Les deux familles travaillèrent toute la journée à dépecer le veau des Bergeron et la vache que les Marcotte voulaient consommer. Quand le travail fut achevé vers la fin de l'après-midi, Estelle et Annette s'échangèrent des morceaux de viande sans chipoter sur le poids. Elles se partagèrent les os et la graisse pour en faire du savon du pays.

Tout en nettoyant les lieux, on s'entendit pour donner quelques morceaux de porc et de vache à François parce que le jeune homme n'avait pas eu le temps de faire boucherie cette année.

— Je lui apporterai sa viande demain matin, dit Eusèbe.

— Bon, fit Jean en plaçant dans la voiture les derniers morceaux de viande, il ne nous reste plus qu'à vous remercier. Sans vous autres, je pense qu'on aurait pas été capables de faire tout ça.

— Voyons donc, dit Estelle. On s'est juste entraidés.

— Plus que ça, répliqua Annette. On oublie pas que le cochon qu'on va manger vient de chez vous.

— Ben, tant mieux si ça a fait votre affaire, dit Eusèbe. Ma truie a eu une autre portée. Si vous voulez m'en engraisser deux autres, je suis prêt à faire le même marché.

— Si ça te dérange pas, moi, ça fait ben mon affaire, dit Jean avec empressement. Je viendrai chercher tes cochons demain matin.

Ce soir-là, quand les Bergeron s'installèrent près du poêle pour se reposer, le contentement se lisait sur leur visage. Ils avaient une bonne provision de viande pour passer l'hiver.

— Là, on est parés pour l'hiver, dit Annette. On a de la bonne viande, le caveau aux légumes est plein et j'ai fait assez de confitures et de cannage pour nourrir une armée.

— En tout cas, dit Jean avec un sourire satisfait, on est pas parti pour mourir de faim.

Jusqu'au milieu de la semaine suivante, il tomba un peu de neige chaque jour et le froid se maintint. Même si on était encore en automne, l'hiver semblait l'avoir chassé pour s'installer définitivement à sa place. Et la vie des cultivateurs de Saint-Anselme changea de rythme progressivement. Comme ils ne pouvaient plus rien faire dans les champs, ils occupaient leurs journées à soigner leurs animaux et à effectuer les réparations qu'ils avaient remises à plus tard tout au long de la belle saison.

****

Dans la troisième semaine de novembre, Bernard et Jean avaient sorti de la remise une plate-forme sur patins et une vieille sleigh laissées par Marcelin Delorme. Ils les remirent en état en quelques jours en changeant l'une des lisses de la plate-forme et de la sleigh et en repeinturant, par coquetterie, la sleigh. La neige était maintenant assez épaisse pour les utiliser l'une et l'autre comme moyen de transport. Jean aurait préféré avoir une catherine plus haute sur patins ou encore un berlot plus logeable, mais il ne possédait pas l'argent nécessaire pour se permettre ce genre d'achat.

Le mercredi matin, Jean et son fils empilèrent sur la plate-forme du grand traîneau les cordes de bois dues à Marcelin Delorme et ils prirent le chemin du village. Pendant que Bernard déchargeait le bois et le cordait dans la remise du vieil homme, son père s'absenta pour aller chez le notaire Allard.

Marie-Louise Allard, la femme du notaire, vint lui ouvrir, l'œil sévère et la bouche pincée. Après avoir vérifié qu'il ne laisserait pas de neige sur son parquet, elle le fit entrer dans l'étude de son mari.

— Mon mari sera à vous dans un instant, lui dit-elle d'un air hautain, en le saluant d'un petit signe de tête, comme si elle ne le reconnaissait pas.

Lors de sa première visite chez Cyprien Allard, Marcelin lui avait chuchoté que la femme du notaire était la fille d'un juge de Montréal et qu'elle se croyait sortie de la cuisse de Jupiter. Cette grande femme au chignon impeccable et à la robe noire stricte ne fréquentait pratiquement personne au village, même si elle était venue s'y installer vingt-cinq ans auparavant. La seule femme avec qui elle daignait entretenir des relations plus ou moins suivies était l'épouse du docteur

Tanguay. Elles étaient du même « monde », se plaisait-elle à dire. De temps à autre, elle daignait inviter à sa table le curé ou son vicaire, mais elle prenait bien soin de ne pas en faire une habitude. Sa femme de ménage, Eugénie Guérin, ne se gênait pas pour répandre dans le village qu'elle était « fraîche » et « bête comme ses pieds ».

Jean n'attendit pas longtemps le notaire. Deux minutes plus tard, le grand homme maigre vêtu d'un complet lustré par l'usage salua son client et se glissa derrière son bureau en chaussant ses petites lunettes sans monture.

— Qu'est-ce que je peux faire pour votre service, Monsieur Bergeron ?

— Pouvez-vous faire parvenir à mon oncle, Hormidas Bergeron de Saint-Éphrem, en Beauce, un montant d'argent que je lui dois ?

— Sans aucun problème, moyennant des frais minimes.

Jean déposa sur le bureau du notaire la somme que ce dernier compta soigneusement avant de l'enfermer dans son coffre placé dans un coin de la pièce. Ensuite, il rédigea une quittance qu'il remit à son client quand il eut acquitté les frais.

En quelques minutes, tout était réglé. Jean se leva, serra la main du notaire et quitta l'étude. Il se sentait soulagé d'un grand poids. Lorsqu'il reprit la route avec son fils Bernard, il lui dit :

— Nous sommes tranquilles pour un an. Nous ne devons plus rien à personne.

****

Au même moment, la porte de l'école du rang Saint-Joseph venait de se refermer sur le dernier élève à quitter les lieux. Il faisait déjà sombre et Colette alluma une lampe à huile qu'elle déposa sur son pupitre.

Avant de se rasseoir pour corriger les travaux de ses élèves, la jeune femme mit deux bûches dans le poêle installé à l'arrière de la classe et elle alla se planter devant l'une des fenêtres du local. Tout en regardant les enfants qui s'égaillaient sur la route, elle pensa aux trois derniers mois qu'elle venait de vivre.

Elle était étonnée de constater à quel point l'enseignement l'avait conquise. Après des débuts difficiles, elle était parvenue à imposer sa discipline aux quatorze enfants assez turbulents qu'on lui avait confiés. L'arrivée des grands, à la fin septembre, l'avait aidée. La soif d'apprendre de tous ces jeunes l'avait stimulée au point qu'elle consacrait presque toutes ses soirées à imaginer des moyens pour les motiver encore plus. Elle s'était même découvert une patience qu'elle ne soupçonnait pas. Par ailleurs, si les visites hebdomadaires de l'abbé Letendre lui plaisaient assez, elle avait craint le jugement de l'inspecteur venu vérifier la qualité de son enseignement. Elle était consciente que son avenir dans l'enseignement en dépendait, mais tout s'était passé à merveille.

Le lundi précédent, l'inspecteur Tourangeau était arrivé au milieu d'une leçon de français. Ses élèves s'étaient levés spontanément à son arrivée. L'air bonhomme du sexagénaire les avait vite rassurés et ils avaient répondu avec un bel enthousiasme à toutes ses questions. Avec une maîtrise que Colette lui avait enviée, l'inspecteur avait interrogé pratiquement tous les élèves sur les sujets les plus divers. Lorsque les réponses étaient fausses, il s'était contenté de les corriger gentiment, sans faire de commentaires.

À la fin de l'avant-midi, il avait donné congé aux élèves pour le reste de la journée et il s'était assis au pupitre de l'enseignante pour noter quelques remarques. Enfin, il avait rangé ses papiers et endossé son manteau que Colette avait mis sur un cintre.

— Je vous félicite, Mademoiselle Bergeron, pour la qualité de votre travail, lui avait-il dit en souriant. On sent que vous avez l'enseignement dans le sang. En plus, vos élèves ont l'air de beaucoup vous aimer. Je vous encourage à continuer dans la même voie.

— Je vous remercie, Monsieur l'inspecteur, avait fait Colette, soulagée et heureuse du compliment.

— C'est votre première année comme maîtresse d'école ?

— Oui, Monsieur l'inspecteur.

— Continuez. Vous avez le talent nécessaire. Croyez-en un vieil instituteur, vous allez sûrement connaître des moments difficiles, comme nous en avons tous connu, mais faire l'école est un beau métier qui mérite de faire des sacrifices.

Sur ces derniers mots, l'inspecteur l'avait quittée en promettant de revenir au printemps.

Le front appuyé sur la vitre froide de la fenêtre, Colette avait l'impression d'avoir franchi une étape importante de sa vie. Elle savait maintenant ce qu'elle voulait faire : enseigner aux enfants, leur apprendre des choses nouvelles, même si la solitude devait en être le prix. Pour elle, qui était habituée à la chaleureuse atmosphère familiale des Bergeron, il lui était pénible de se retrouver seule chaque soir. C'est pour cette raison qu'elle retardait le plus longtemps possible le moment de monter à son appartement. Tant qu'elle demeurait dans sa classe, elle avait un peu la sensation d'être encore entourée de ses élèves, même si ces derniers étaient déjà rentrés chez eux.

Pourtant, elle était persuadée qu'elle finirait à se faire à ce genre de vie. Les premières semaines, elle avait attendu avec fébrilité la fin du vendredi après-midi, alors que son frère Louis ou son père venait la chercher pour la ramener à la maison. Mais peu à peu, elle s'était mise à avoir hâte au dimanche après-midi parce qu'elle revenait chez elle, dans son école.

Chapitre 18

La décision de l'évêque

Au presbytère de Saint-Anselme, la dernière semaine de novembre fut marquée par un grand ménage occasionné par la visite annuelle de monseigneur Roland Fortier, évêque de Nicolet.

Deux veuves du village travaillèrent pendant quelques jours sous la direction d'Augustine Durand pour que tout soit impeccable dans le presbytère. Avec les années, cette dernière avait appris à bien connaître les goûts culinaires du prélat et elle lui avait préparé du ragoût de boulettes, de la tourtière et de la tarte au sucre, ses mets préférés.

Quand monseigneur Fortier arriva à la fin du samedi après-midi, tout était prêt pour bien le recevoir.

L'évêque était un sexagénaire assez frêle qui avait une haute idée de sa mission. Même si son maintien rigide n'encourageait pas la familiarité, il savait tout de même se montrer chaleureux quand les circonstances l'exigeaient. Le prélat se présenta à la porte du presbytère en compagnie de son chauffeur qui portait sa valise. Sur le pas de la porte, il le renvoya en lui demandant de revenir le prendre tôt, le lendemain après-midi. Ensuite, il salua le curé Desmeules, le vicaire et la ménagère qui l'attendaient debout dans l'entrée.

Augustine débarrassa le prélat de son manteau et de sa valise, et les trois prêtres allèrent s'asseoir dans le salon en attendant l'heure du repas. Ils discutèrent à mi-voix des problèmes de la paroisse et de la santé du diocèse.

Après le souper, monseigneur Fortier félicita Augustine pour le bon repas qu'elle venait de leur servir et il s'installa dans le bureau du curé Desmeules. Comme d'habitude, il offrit à ses deux prêtres de les confesser et de les rencontrer à tour de rôle, en commençant par l'abbé Letendre.

La rencontre avec le vicaire ne dura que quelques minutes. Lorsque le curé Desmeules croisa ce dernier dans le couloir en se rendant à son bureau, il remarqua l'air particulièrement joyeux de l'abbé. Le quinquagénaire entra dans la pièce et ferma doucement la porte derrière lui avant de s'agenouiller devant son supérieur pour se confesser. Ensuite, son évêque lui fit signe de prendre place sur la chaise destinée aux visiteurs.

— Encore une fois, Monsieur Desmeules, je me rends compte que votre paroisse est bien administrée. Vos paroissiens ont un bon pasteur en vous.

— Merci, Monseigneur, fit humblement le prêtre. Je fais ce que je peux.

— Pas de fausse modestie, monsieur le curé. Par ailleurs, je viens de m'entretenir avec votre vicaire. Il n'a pas l'air d'avoir une grosse santé.

— C'est une petite nature, Monseigneur.

— Oui, c'est bien possible. En plus, il m'a laissé clairement comprendre qu'il ne détesterait pas changer de paroisse. Il ne semble pas particulièrement heureux à Saint-Anselme. Est-ce que vous vous entendez bien ?

— Assez bien, Monseigneur.

— Bon. Malgré tout, je dois vous dire que j'ai pris la décision de le déplacer. Dès la semaine prochaine, il ira exercer son ministère dans une paroisse de Nicolet et l'abbé Surprenant viendra prendre sa place. Vous pourrez annoncer le départ prochain de l'abbé Letendre et l'arrivée de votre nouveau vicaire à la grand-messe de demain.

Le curé Desmeules resta sans voix, surpris par ce bouleversement inattendu. Cependant, il connaissait assez bien son supérieur pour savoir qu'il était inutile de discuter quand sa décision était prise.

— Est-ce un jeune prêtre qui sort du séminaire ? demanda-t-il, un peu inquiet.

— Non. Il est prêtre depuis cinq ans. Je suis sûr que vous allez bien vous compléter, ajouta monseigneur Fortier avec un sourire.

Le curé ne pouvait que s'incliner. Il lui faudrait s'habituer à un nouveau subordonné.

— Dans un autre ordre d'idée, Monsieur le curé, j'ai appris que votre ménagère était nouvellement mariée ?

— Oui, Monseigneur, avec mon bedeau, un brave homme de son âge.

— Ça ne lui cause pas des problèmes à votre brave homme que sa femme passe ses journées au presbytère plutôt que de voir à son bien-être et à son foyer ? demanda l'évêque, d'un ton inquisiteur.

— Je pense pas, Monseigneur. Il m'en a pas parlé.

— Quand même, Monsieur Desmeules, j'aimerais que vous voyiez s'il n'y aurait pas, dans votre paroisse, une veuve ou une célibataire d'un âge acceptable qui pourrait remplacer votre ménagère. C'est une excellente cuisinière, mais elle n'est sûrement pas la seule personne capable de cuisiner dans votre paroisse. Pour tout vous dire, je trouverais plus normal qu'elle passe ses journées auprès de son mari.

Le curé Desmeules savait que le désir exprimé par son supérieur n'était, en fait, qu'un ordre déguisé et il en voulut immédiatement à Léo Durand de l'obliger à se séparer de celle qui le servait si bien depuis son arrivée dans la paroisse.

— Je vais essayer de m'en trouver une autre, Monseigneur, mais ça va être difficile de dénicher une aussi bonne cuisinière.

Là-dessus, l'évêque se leva pour signifier à son curé que l'entretien était terminé et il lui demanda de lui montrer sa chambre.

— Il me reste un bon bout de bréviaire à lire avant de me mettre au lit, dit monseigneur Fortier au moment de prendre congé pour la nuit. Je concélébrerai la grand-messe avec vous demain matin.

Quand le curé Desmeules annonça le départ de son vicaire du haut de la chaire, le lendemain matin, il y eut des chuchotements dans l'assistance. Contrairement à la coutume, le prêtre ne fit pas l'éloge de celui qui avait consacré deux ans à servir ses paroissiens du mieux qu'il pouvait. Même son évêque remarqua la sécheresse de la communication, mais il n'en souffla pas un mot durant le dîner pris avant son départ.

Durant les jours qui précédèrent son départ, l'abbé Letendre découvrit avec plaisir qu'il était un prêtre apprécié. De nombreux paroissiens et paroissiennes passèrent au presbytère pour le remercier et pour lui souhaiter bonne chance dans son nouveau ministère. Pour sa part, le curé boudait et ronchonnait, trouvant qu'on faisait bien des manières pour un jeune vicaire qui n'avait pas fait grand'chose dans sa paroisse. En fait, il lui en voulait secrètement d'avoir demandé un changement de ministère et d'avoir probablement laissé entendre à l'évêque qu'il n'était pas facile à vivre. Par conséquent, il lui adressa à peine la parole jusqu'au mercredi matin, moment où un cousin vint chercher le jeune prêtre pour le conduire à sa nouvelle paroisse.

Lorsque toutes ses affaires eurent été déposées dans la voiture, l'abbé Letendre frappa timidement à la porte du bureau de son curé pour prendre congé.

— Je viens vous saluer une dernière fois avant de partir, Monsieur le curé, dit le jeune vicaire. Je tiens à vous remercier pour votre aide et vos conseils durant les années pendant lesquelles j'ai travaillé avec vous.

Le curé se leva de derrière son bureau et lui tendit la main en s'efforçant de sourire.

— Ça m'a fait plaisir de vous avoir à Saint-Anselme, dit-il hypocritement. Je vous souhaite bonne chance dans votre nouvelle mission, l'abbé. Si jamais vous passez par Saint-Anselme, arrêtez me voir.

Le lendemain matin, l'abbé Eugène Surprenant arriva au presbytère à bord d'une voiture surchargée de boîtes et d'objets divers.

Le curé Desmeules était parti visiter des malades cet avant-midi-là et c'est Augustine qui lui ouvrit la porte. Elle eut un choc en apercevant sur le pas de la porte un jeune prêtre de taille moyenne au début de la trentaine, sans chapeau et le manteau déboutonné malgré le froid intense. Contrairement au vicaire précédent, l'abbé Surprenant semblait déborder d'énergie. Il arborait une calvitie naissante et surtout, un sourire communicatif éclairé par des yeux bruns rieurs.

— Bonjour, Madame, vous dérangez pas pour moi, dit-il à Augustine ; je ne suis que le nouveau vicaire. Monsieur le curé est-il là ?

— Il est parti visiter deux malades de la paroisse, répondit la ménagère en jaugeant le nouveau venu. Il va revenir pour dîner.

— Bon. Je perdrai pas de temps. Pouvez-vous me dire où je peux mettre tout mon barda ?

Augustine lui montra sa chambre à l'étage. Deux minutes plus tard, elle vit passer le prêtre qui avait enlevé sa soutane et qui, vêtu d'un pantalon et d'un vieux chandail, se mit à faire des allers et retours, les bras chargés de boîtes que son conducteur laissait dans l'entrée. Augustine, inquiétée par tout le bruit qu'il faisait, quittait sa cuisine à tout bout de champ pour venir voir si le jeune vicaire achevait d'ouvrir et de fermer la porte. « S'il continue, se dit-elle à mi-voix, il va faire geler tout le presbytère. »

Lorsque le curé Desmeules rentra pour dîner, il dut contourner en maugréant les dernières boîtes qui encombraient l'entrée de son presbytère pour se rendre au vestiaire où il suspendit son manteau. À la vue du jeune homme qui dévalait les marches de l'escalier intérieur, le prêtre parut interloqué et jeta un rapide regard autour de lui. Au même moment, il aperçut Augustine.

— Voulez-vous bien me dire, Augustine, ce qui se passe ici ? demanda-t-il d'un air sévère à sa ménagère.

— Votre nouveau vicaire vient d'arriver, Monsieur le curé. Ce sont ses affaires, dit-elle en montrant les dernières boîtes.

— Ah bon ! Et qui est le jeune fou qui s'amuse à courir de haut en bas ?

— C'est lui, Monsieur le curé. Il s'installe dans sa chambre.

— Très bien, je m'en occupe, dit-il d'un air décidé.

Le curé Desmeules intercepta l'abbé Surprenant à l'instant où il s'apprêtait à remonter à l'étage, chargé d'une boîte.

— Un instant, Monsieur ! dit-il de sa voix tonnante au jeune homme, stoppant net son élan.

Le jeune abbé déposa son fardeau au pied des marches de l'escalier, s'essuya la main droite sur son vieux pantalon et la tendit en souriant, à son nouveau curé.

— Bonjour, Monsieur le curé. Je suis Eugène Surprenant, votre nouveau vicaire, dit le prêtre. Je me dépêchais de libérer l'entrée du presbytère avant votre retour, mais j'y suis pas parvenu, comme vous le voyez.

Le curé Desmeules qui dépassait le nouveau venu d'une demi-tête prit la main tendue sans esquisser le moindre sourire. Il regarda lentement son nouveau vicaire de haut en bas en affichant un air de profonde désapprobation.

— Vous êtes le bienvenu, l'abbé. Mais qu'avez-vous fait de votre soutane ? Ici, à Saint-Anselme, les prêtres portent les signes de leur sacerdoce.

— Ne vous inquiétez pas pour ma soutane, Monsieur le curé, elle est bien accrochée derrière la porte de ma chambre, répondit Eugène Surprenant, sans montrer la moindre timidité. Quand il faut jouer au déménageur, il vaut mieux porter la tenue adéquate.

— Ouais ! fit le curé. Et vous en avez beaucoup de boîtes comme ça ?

— Plein ma chambre, répondit l'autre avec entrain, sans tenir compte de la critique sous-entendue. Ce sont des souvenirs et des livres. J'ai bien peur que quand j'aurai votre âge, il me faille trois ou quatre pièces pour ranger tout mon barda.

— Laissez faire mon âge, fit le curé, un peu désarçonné par le sans-gêne de l'abbé. Venez dîner avant que ce soit froid. On parlera après le repas.

— Je suis à vous dans une minute, le temps de me rendre présentable.

L'abbé Surprenant s'élança dans l'escalier et le curé entendit claquer la porte de sa chambre. « Quelle sorte de moineau monseigneur m'a-t-il envoyé ? se demanda le brave homme, un peu inquiet. Je pensais avoir tout vu avec Letendre, mais celui-là, il est bizarre en pas pour rire. »

Un instant plus tard, le vicaire se présenta à la salle à manger, vêtu de sa soutane et il prit la place que son curé lui désignait, à l'autre bout de la table. Après le bénédicité, les deux hommes mangèrent en silence avec un bel appétit. De temps à autre, le curé levait le regard de son assiette pour découvrir avec surprise que l'abbé mangeait au moins autant que lui. Le sourire épanoui d'Augustine qui servait à table disait assez ce qu'elle pensait du jeune homme qui appréciait avec tant d'appétit les mets qu'elle avait préparés.

Finalement, le curé Desmeules se leva de table et dit :

— Si vous en avez fini, l'abbé, passez donc dans mon bureau qu'on s'occupe un peu des vignes du Seigneur.

— Je vous suis, Monsieur le curé, répondit l'abbé Surprenant avec entrain.

Le quinquagénaire s'assit derrière son bureau, chaussa ses lunettes et prit son air le plus sévère pour expliquer à son subordonné la tâche qui l'attendait.

— Vous allez vous occuper des enfants qui fréquentent les écoles de la paroisse et des enfants de Marie. Vous vous chargerez de la visite de certains malades. En plus, vous tiendrez le bureau quand je serai occupé ailleurs.

— Avec plaisir, Monsieur le curé.

— Bon. Pour les messes, vous pourrez dire la vôtre à 7 h chaque matin. Le dimanche, vous vous chargerez de la basse-messe et des confessions avant la grand-messe.

— D'accord.

— Vous verrez aussi à être ponctuel à l'heure des repas. J'aime pas attendre. Prévenez si votre ministère vous empêche d'être présent au dîner ou au souper. La ménagère a pas l'habitude de préparer des repas inutilement.

— Il y a pas de problème, Monsieur le curé.

— Je pense que c'est à peu près tout pour tout de suite. Surtout, l'abbé, prenez pas d'initiative sans m'en parler et rappelez-vous qui dirige cette cure.

— Oh ! je risque pas de l'oublier ! fit le jeune prêtre d'un ton sarcastique, en se levant. Si vous me le permettez, Monsieur le curé, je vais finir de m'installer.

L'abbé Surprenant quitta la pièce sur une courbette plaisante, laissant le curé Desmeules songeur. Le petit abbé ne paraissait pas du tout intimidé par lui et, contrairement à son prédécesseur, il ne semblait pas craindre de lui déplaire.

****

Si les chutes de neige se firent un peu plus rares au début décembre, par contre, le froid devint franchement plus vif. Les deux élèves les plus âgés de Colette Bergeron avaient beau alimenter régulièrement la fournaise placée au fond de la classe, les enfants grelottaient. L'institutrice en était même venue à leur recommander de garder leur manteau pour ne pas tomber malade. Enseigner dans de telles conditions était pénible. Après quelques minutes, les doigts devenaient gourds.

Il faut croire que les enfants en parlèrent à la maison parce qu'un midi, le petit Philippe Gagné, qui habitait la ferme voisine de l'école, revint frapper à la porte de la classe quelques minutes à peine après avoir quitté son institutrice. Il était accompagné de son frère aîné. Colette s'apprêtait à monter dans son appartement lorsqu'elle entendit frapper et elle alla ouvrir. Quand elle découvrit le petit garçon devant la porte, elle lui demanda :

— Qu'est-ce qu'il y a, Philippe ? As-tu oublié quelque chose dans la classe ?

— Non, Mademoiselle, répondit l'enfant, un peu gêné. J'ai dit à ma mère qu'on gelait dans l'école et elle a pensé que mon frère Ulric pourrait venir voir ce qui marchait pas.

La jeune fille fit entrer l'enfant et son frère dans la classe. Elle se souvenait d'avoir aperçu à quelques reprises sur le parvis de l'église ce grand garçon d'une vingtaine d'années aux cheveux noirs bouclés et à la figure taillée à coups de serpe.

Ulric Gagné retira son manteau et sa tuque et se dirigea vers la fournaise. Il souleva le rond et regarda le maigre feu.

— Le problème est pas ben grave, dit-il à l'institutrice. Votre fournaise tire pas parce que les tuyaux sont encrassés. Je vais vous régler ça avant que l'école recommence. Avez-vous du gros sel ?

Colette monta à l'étage et en revint avec une boîte de gros sel. Le jeune homme en saupoudra le feu qui s'éteignit. Il défit les tuyaux et les transporta à l'extérieur avec l'aide de son frère. Il les nettoya et les remit en place en quelques minutes. Il ralluma la fournaise qui se mit à ronfler et à dégager une douce chaleur.

— Voulez-vous que je jette un coup d'œil sur le poêle de votre logement ? demanda Ulric. S'il tire pas mieux que votre fournaise, vous devez geler là aussi.

— Je voudrais pas exagérer, répondit l'institutrice.

— Non, non. Comme vous pouvez le voir, c'est pas ben compliqué.

Ulric Gagné et son frère la suivirent dans son appartement et ils nettoyèrent les tuyaux du poêle avec la même efficacité. En prenant congé, Ulric lui recommanda :

— Mademoiselle, je pense que vous avez un peu trop de sapinage dans votre bois de chauffage. Ce bois-là, ça gomme les tuyaux et ça empêche de ben chauffer. Si vous avez encore des problèmes, gênez-vous pas, je viendrai vous régler ça.

La jeune fille le remercia de s'être dérangé et lui promit de surveiller de près le bois de chauffage qu'elle utiliserait.

Le jeune homme retourna chez lui en compagnie de son petit frère.

Les jours suivants, Colette le vit souvent passer devant l'école et quand il l'apercevait à une fenêtre, il la saluait d'un signe de la main. Elle ne pouvait faire autrement que de lui rendre son salut.

Au milieu de la première semaine de décembre, le petit Philippe attendit que tous les élèves aient quitté la classe à la fin de la journée pour s'approcher de son institutrice d'un air gauche.

— Mademoiselle, ma mère a dit qu'elle aimerait ça que vous veniez souper avec nous autres aujourd'hui.

Surprise, Colette ne sut d'abord quoi répondre. Il aurait été impoli de refuser cette invitation et elle ne voyait pas quelle excuse invoquer pour ne pas aller chez les Gagné.

— Tu remercieras beaucoup ta mère de son invitation et tu lui diras que je serai chez vous dans une heure, dit-elle à son élève.

Lorsqu'elle sortit de l'école chaudement emmitouflée pour aller chez les Gagné, la jeune fille se demandait encore ce qui l'avait incitée à accepter cette invitation. Si elle se mettait à aller manger chez tous ses élèves, elle n'aurait plus une minute pour préparer ses classes et corriger les travaux. En arrivant devant la maison de ses hôtes, elle se promit de ne pas s'attarder après le souper et de rentrer tôt à l'école.

La porte s'ouvrit devant elle. Son élève avait dû guetter son arrivée par la fenêtre. Jeanne Gagné arriva sur les talons de son fils.

— Bonjour, Mademoiselle Bergeron, fit la grosse dame avec un large sourire. Ça fait du bien de voir une autre femme dans la maison. Donnez-moi votre manteau et mettez-vous à l'aise pendant que je le dépose sur mon lit.

Colette jeta un rapide coup d'œil à la cuisine. Tout était d'une très grande propreté et des odeurs alléchantes s'échappaient des chaudrons posés sur le poêle à bois.

— Vous êtes bien bonne de m'inviter à souper, Madame Gagné, dit Colette, un peu embarrassée.

— Il y a pas de bonté là-dedans, dit-elle en riant. Je vis avec six hommes à cœur de jour et j'avais envie de voir une figure de femme dans ma maison. Mon mari et mes cinq garçons prennent pas mal de place ici-dedans et ils s'y entendent pour me faire étriver.

— J'en connais au moins deux, dit Colette en souriant.

— Vous connaissez Philippe et Ulric, le plus jeune et le plus vieux, mais ce sont les moins pires du lot. Attendez de voir les autres quand ils vont venir dévorer leur souper. Tout ce monde-là, ça fait un beau charivari dans la maison.

Quelques minutes plus tard, la porte livra passage à Alphonse Gagné et à ses quatre fils âgés entre 14 et 20 ans. Pendant qu'ils enlevaient leur manteau et leurs bottes, la mère s'empressa de les présenter à la visiteuse.

— Voici Alphonse, mon mari, Ulric, que vous connaissez déjà, Jean-Marie, Étienne et Georges.

Il y eut des salutations de part et d'autre pendant que Jeanne Gagné finissait de mettre les couverts. Quand vint le moment de se mettre à table, la maîtresse de maison fit asseoir son invitée à la gauche de son mari et Ulric s'empressa de venir occuper la place libre entre Colette et le petit Philippe.

— On sait ben, dit Jean-Marie en prenant place sur le banc, face à Colette, le grand frère se jette sur la meilleure place. On le connaît l'Ulric, il va jouer au beau brummel pendant tout le souper.

Chacun ajouta son grain de sel pour se moquer de l'empressement d'Ulric qui protestait tant qu'il pouvait. Le ton était donné.

Durant tout le repas, personne ne fut épargné. Étienne raconta avec force détails comment Jean-Marie s'était étalé sur une bouse de vache l'été précédent. Ce dernier répliqua en mimant le plongeon en bicyclette dans le fossé d'un Étienne un instant distrait par une jolie fille qui passait. Alphonse ne manqua pas de raconter à l'invitée la fois où Ulric avait coupé les cheveux de tous ses frères en prenant comme gabarit un bol à salade et la colère de sa femme en découvrant les résultats. Selon lui, les garçons avaient dû porter une tuque en plein mois de juin pour ne pas faire rire d'eux et il avait fallu les menacer pour les traîner à la messe du dimanche.

Les Gagné semblaient avoir tant de plaisir entre eux que Colette en était estomaquée. Le climat qui régnait autour de la table n'avait rien de comparable avec le silence presque religieux qui existait chez les Bergeron à l'heure des repas. Tous riaient à l'évocation des souvenirs, ce qui ne les empêchait nullement d'avaler une énorme quantité de nourriture. À un certain moment, Jeanne voulut servir une seconde assiettée à Colette, qui refusa.

— C'est pas à votre goût, Mademoiselle Bergeron ?

Colette avala le morceau de pomme de terre qu'elle avait dans la bouche avant de répondre.

— C'est vraiment très bon, Madame Gagné, mais j'ai plus faim. Je travaille pas dehors comme vos garçons. Si je mange une bouchée de plus, je vais éclater.

Rassurée, la maîtresse de maison servit le dessert auquel tout le monde fit honneur.

Après le repas, Colette se leva et aida à desservir la table, malgré les protestations de Jeanne. Quand elle s'empara d'un linge pour essuyer la vaisselle, Ulric s'empressa d'en prendre un pour l'aider. Derrière son dos, une salve d'applaudissements éclata, ce qui fit retourner Colette et Ulric.

— Ah ben, maudit ! dit Alphonse, j'aurai vécu assez vieux pour voir Ulric essuyer un morceau de vaisselle.

Ses frères s'esclaffèrent, mais malgré le rouge qui avait envahi son front, le jeune homme n'en continua pas moins son travail sous le regard goguenard de Jeanne et de son mari, confortablement installé dans sa chaise berçante.

À 20 h, Colette prit congé.

— Je vous remercie beaucoup pour ce bon repas, mais il me reste des copies à corriger.

— Tant mieux si vous avez aimé ça, fit Jeanne, avec un sourire. Vous êtes toujours la bienvenue. Il fait noir dehors. Philippe et un autre de mes gars vont aller vous reconduire jusqu'à l'école.

— C'est pas nécessaire, Madame Gagné. C'est juste à côté. Dérangez-vous pas.

— Il y a pas de dérangement. On sait jamais ce qui peut arriver à cette heure-ci.

Les cinq garçons se précipitèrent vers leur manteau accroché à la patère placée près de la porte.

— J'ai dit un garçon, pas cinq ! fit la mère d'un ton autoritaire.

Ulric lança un regard menaçant à ses frères et finit de boutonner son manteau.

— Je vais y aller avec Philippe, dit-il d'un ton décidé.

— Pauvre Ulric, fit Étienne. On te plaint ben gros de te sacrifier de même. Ça a presque pas d'allure. P'pa, on a peut-être un futur saint dans la famille et on le savait même pas.

— Peut-être ben ! fit Alphonse Gagné en faisant un clin d'œil à la jeune institutrice.

Colette ne put s'empêcher de rire en sortant à l'extérieur en compagnie des deux frères Gagné. Arrivés devant l'école, Ulric lui dit :

— On va attendre que vous ayez allumé votre lampe avant de s'en retourner.

Colette les remercia tous les deux et entra dans l'école.

Chapitre 19

Un mois de décembre occupé

Chez les Marcotte, Eusèbe et Estelle trouvaient bizarre d'avoir auprès d'eux leurs fils en plein mois de décembre.

Eusèbe songeait que les années précédentes, tous les trois les quittaient au milieu de l'automne pour monter au chantier et ils ne revenaient qu'au printemps. Mais cette année, aucun n'était parvenu à se faire engager à cause de la crise. On leur avait dit que la plupart des chantiers resteraient fermés parce que le bois ne se vendait pratiquement pas et que les stocks n'avaient pas assez baissé durant l'année. D'après ce qu'ils avaient appris, seuls quelques-uns avaient ouvert et les patrons s'étaient dépêchés d'engager les hommes qu'ils connaissaient déjà.

Si les garçons étaient déçus, Eusèbe ne l'était pas. On ne manquait pas de travail chez lui. Il profiterait de leur présence pour couper plus de bois sur sa terre, quitte à en vendre. En plus, il avait conscience que c'était probablement la dernière année qu'il les aurait tous les trois autour de lui.

Au début de décembre, Henri, l'aîné de la famille, avait fait la grande demande à Éloi Côté, un cultivateur de Saint-Gérard. Ce dernier avait accepté, sans se faire prier, de lui donner la main de sa fille Germaine. Les fiançailles auraient lieu à Noël et le mariage quelque part autour de Pâques. Il était déjà entendu qu'il allait s'établir sur le bien des Côté, qui avaient même parlé de se donner à leur fille dans quelques années. Henri en avait discuté avec son père. De toute évidence, le jeune homme avait hâte d'être roi et maître chez lui. Même si la ferme des Côté était loin de valoir celle des Marcotte, Henri était prêt à attendre encore quelques années qu'Éloi Côté lui cède son bien.

Maurice, pour sa part, parlait d'aller passer une bonne partie du mois de janvier avec son cousin Lemire, à Drummondville. Le jeune homme avait ouvert un garage deux ans auparavant et il lui avait offert de le prendre comme apprenti mécanicien, ce qui l'enthousiasmait au plus haut point, étant donné son habileté naturelle pour la mécanique. Au fond de lui, Eusèbe craignait bien un peu que son second fils prenne goût à ce travail ; mais comme son Maurice avait une tête sur les épaules, il était persuadé qu'il reviendrait.

En tout cas, avec Jocelyn et Henri, il ne manquerait pas d'aide cet hiver-là. À la maison, Estelle pouvait toujours compter sur Pauline et Mariette. Les trois femmes cousaient une bonne partie de la journée. Elles avaient même entrepris de confectionner des courtepointes et il les voyait rarement inactives.

Il restait Marie. Sa cadette lui manquait. Elle ne leur avait envoyé qu'une courte lettre depuis son entrée au noviciat, lettre dans laquelle elle disait son bonheur de vivre au milieu des religieuses.

— Eusèbe, arrête de jongler, dit Estelle, en se levant. Viens te coucher. Les enfants sont déjà montés.

Le gros homme déposa sa pipe éteinte depuis longtemps. Il se leva, prit une bûche et la mit dans le poêle avant de suivre sa femme dans la chambre à coucher.

****

Au même moment, les pleurs d'Aurore, couchée dans la chambre d'Isabelle, firent lever la jeune fille, assise auprès de ses parents dans la cuisine.

— Ça doit être sa première dent qui commence à percer, fit Annette.

— Bon, on va avoir une belle nuit ! dit Isabelle, excédée. Après les coliques, les dents ! Quand est-ce qu'on va avoir une nuit tranquille ?

— C'est ça, les enfants, ma fille. Il y a toujours quelque chose qui marche pas. Frotte-lui les gencives avec du clou de girofle, ça va la calmer. Si elle continue à pleurer, apporte-la moi, je vais m'en occuper.

— Non, non, je suis capable de régler ça, dit Isabelle en se dirigeant vers l'armoire de cuisine où elle prit du clou de girofle avant de monter l'escalier qui conduisait aux chambres.

Lorsqu'ils furent seuls, Annette dit à son mari :

— Ça me fait tout drôle quand je la regarde faire avec Aurore. Une vraie mère. C'est vrai qu'elle va avoir 18 ans cette semaine, c'est plus une enfant.

— Dire que c'est notre bébé... Ça nous vieillit, la mère.

— François est passé hier pour voir la petite. J'ai idée qu'il s'en ennuie pas mal. Quand je lui ai dit que c'était la fête d'Isabelle cette semaine, il m'a demandé ce qu'il pourrait ben lui acheter.

— Pourquoi ?

— Parce qu'il se rend compte que c'est surtout elle qui s'occupe de sa fille.

— T'es sûre qu'il y a pas une autre raison ? demanda Jean, soupçonneux.

— Voyons donc, Jean Bergeron ! François a huit ans de plus qu'Isabelle. C'est un homme fait, tandis que ta fille est encore une enfant. En plus, il est en plein deuil.

— Faudrait peut-être te faire une idée. Tu viens de me dire que ta fille était plus une enfant.

— Tu comprends ce que je veux dire, fais-moi donc pas parler pour rien, répliqua Annette. François est un bon gars. Il cherche juste un moyen de la remercier.

Le vendredi après-midi, Jean revenait de sa terre à bois avec Bernard quand ils virent arriver François Riopel, portant un paquet sous le bras.

Le jeune veuf vint les rejoindre à l'écurie où ils venaient de faire entrer leur cheval après l'avoir dételé du traîneau.

— Comment va le bûchage ? demanda-t-il aux deux hommes.

— Pas mal, répondit Bernard. Il y a pas encore trop de neige dans le bois. L'ouvrage avance.

— La même chose pour moi, fit Bernard. Mais ça avance pas mal moins vite quand t'es tout seul.

— On va en faire le plus possible avant que les gros frettes arrivent, dit Jean, en plaçant une couverture sur le dos du cheval. On a le temps.

Puis changeant de sujet, Jean demanda :

— Tu dois avoir de la misère à chauffer ta maison si tu vas bûcher une bonne partie de la journée ?

— Ben, c'est sûr que le poêle finit par s'éteindre et que c'est pas ben gai quand je reviens à la noirceur. Mais je le rallume avant d'aller faire mon train et quand je reviens, la maison est pas mal chaude.

— Tant mieux. Bon, arrive. On a le temps d'aller boire quelque chose de chaud avant d'aller traire les vaches.

Les trois hommes traversèrent la cour et entrèrent dans la maison.

Ils trouvèrent Estelle et Isabelle en train de coudre, assise devant Aurore, étendue sur une couverture placée près du poêle.

Sitôt qu'il eut enlevé son manteau et ses bottes, François se pencha sur sa fille et la prit dans ses bras. Il saisit le paquet qu'il avait déposé par terre et le tendit à Isabelle.

— Bonne fête, Isabelle, dit-il en souriant.

Le jeune homme s'avança vers elle et l'embrassa sur les deux joues.

— Voyons, c'était pas nécessaire, dit Isabelle, rougissante, en serrant contre elle le paquet emballé maladroitement.

— Ben, ouvre-le, lui dit sa mère.

Isabelle défit l'emballage et trouva une boîte de chocolat et une petite trousse de couture.

Annette mit fin aux remerciements émus de sa fille en lui demandant de servir du thé aux hommes qui prirent place autour de la table. Elle sortit une tarte aux pommes et elle servit à chacun une large pointe qu'ils mangèrent avec appétit avant de se rhabiller pour aller traire les vaches.

****

Le lendemain, au presbytère, le curé Desmeules décida, à contrecœur, de parler à sa cuisinière. Contre toute logique, il avait retardé ce moment le plus possible, espérant vaguement qu'il se produise un événement qui lui aurait permis de la garder à son service. Quinze jours étaient passés depuis la visite de son évêque et il avait un sens trop aigu de l'obéissance pour ne pas faire ce qui lui avait été très fortement suggéré.

— Après votre vaisselle, Augustine, j'aimerais que vous veniez me voir à mon bureau, dit le prêtre en se levant de table.

Quelques minutes plus tard, Augustine Durand avait retiré son tablier et frappait à la porte du bureau. Le curé la pria de s'asseoir.

— Augustine, commença le curé, ça fait dix ans que vous travaillez au presbytère...

— Presque onze ans, Monsieur le curé.

— Oui, vous avez raison. Vous savez que même si je suis un vieux bougonneux, j'apprécie beaucoup tout ce que vous faites pour moi et l'abbé Surprenant. Votre ordinaire est pas piqué des vers.

La cuisinière regardait le curé en se demandant où il voulait en venir. Ce n'était pas du tout dans ses habitudes de lui lancer des fleurs.

— Bien, voilà, continua-t-il. À sa dernière visite, monseigneur m'a conseillé de vous remplacer par quelqu'un d'autre pour vous permettre de mieux vous occuper de votre mari. Pour lui, il est préférable que la servante du curé soit célibataire ou veuve, vous comprenez ?

— Ça a ben du bon sens, répondit la cuisinière sans manifester la moindre émotion. Quand voulez-vous que je laisse ma place à ma remplaçante ?

— Pas si vite, Augustine, fit le prêtre. Il faut d'abord que je trouve quelqu'un qui sache faire à manger aussi bien que vous. Avez-vous une personne à me suggérer ?

Augustine Durand chercha pendant quelques instants parmi ses connaissances, puis elle avoua :

— Je vois pas, Monsieur le curé. Je pense que le plus simple serait de l'annoncer en chaire. Il y a sûrement quelqu'un de la paroisse qui a une parente qui serait prête à venir s'installer au presbytère.

Le curé la remercia assez sèchement de sa suggestion et lui signifia qu'elle pouvait regagner sa cuisine. Quand elle eut quitté la pièce, il laissa libre cours à sa mauvaise humeur. Il s'était attendu à ce que sa servante manifeste de la peine à la pensée de le quitter après si longtemps. Mais non, elle avait presque paru soulagée d'être débarrassée de lui et pressée de retrouver sa maison et son mari.

Le lendemain matin, à la fin de la grand-messe, il annonça le départ prochain de sa cuisinière et demanda aux personnes intéressées à la remplacer de se faire connaître dans les prochains jours. Il parla ensuite de la guignolée, dont l'organisation était confiée, comme chaque année, à Antoine Girouard, le maire de Saint-Anselme. Il incita ses paroissiens à se montrer généreux en ces temps difficiles pour venir en aide à ceux que la chance avait moins favorisé. La tournée aurait lieu le 22 décembre et les paniers de nourriture seraient préparés par les dames de Sainte-Anne dans la sacristie.

Sur le parvis de l'église, beaucoup de paroissiens commentèrent le départ de la cuisinière à mi-voix. Malgré le froid intense et la neige fine qui s'était mise à tomber durant la messe, ils s'interrogeaient sur les véritables raisons de cette défection. Certains parlaient d'une maladie de la cuisinière, tandis que d'autres avançaient que Léo avait dû se fâcher et exiger que sa femme demeure à la maison pour prendre soin de lui. Olivette Beaudet, interrogée par des commères, admit connaître la véritable cause du départ d'Augustine, mais elle refusa de la dévoiler au nom de l'amitié qui la liait à cette dernière.

Le maire ne se mêla pas de tous ces cancans ; il avait des choses plus importantes à traiter. Il s'approcha du groupe où se trouvait Jean Bergeron et il attira ce dernier à l'écart.

— Comme t'es nouveau dans la paroisse, j'ai pensé à toi pour passer la guignolée dans les rangs Sainte-Anne, Saint-Louis et Sainte-Marie. Ça te permettrait de connaître plus de monde et ça rendrait service à la paroisse. Qu'est-ce que t'en penses ?

— Tu peux compter sur moi, accepta Jean, après un moment d'hésitation. Qu'est-ce que j'aurai à faire ?

— Avec ton garçon ou un de tes voisins, tu passeras de maison en maison pour quêter pour la guignolée. Aie pas peur. La plupart des gens de Saint-Anselme sont pas mal généreux. Tu vas avoir besoin de ta plate-forme ou de ta grosse sleigh pour charrier tout ce qu'ils vont te donner.

— O.K. Le 22 au matin, je vais faire la tournée.

Le maire le quitta après l'avoir remercié et il alla vers un autre groupe avant que les gens ne se dispersent pour rentrer chez eux. Il avait besoin de deux autres responsables pour couvrir toute la paroisse. Lui, il s'occuperait du village.

Le soir même, François Riopel vint souper chez les Bergeron et on parla de la guignolée autour de la table.

— P'pa, fit Bernard. Je pense que vous avez oublié que je pourrai pas passer avec vous le 22. C'est le jour où je dois aller chercher Colette. Ses vacances commencent ce jour-là, et je pense pas qu'elle soit intéressée à passer vingt-quatre heures de plus dans son école vide.

— Ah ben maudit ! Je l'avais complètement oublié ! s'exclama Jean.

— Si ça vous convient, Monsieur Bergeron, je suis ben prêt à passer avec vous, offrit le jeune voisin. À deux, la tournée sera moins longue et moins fatigante.

— C'est sûr que ça m'arrangerait, accepta Jean Bergeron.

****

Le lendemain avant-midi, Jean décida de faire une surprise à sa femme et à ses enfants. Il attela son traîneau et alla couper sur sa terre à bois un sapin aux branches bien fournies qu'il avait remarqué la semaine précédente. Quand il revint à la maison, Isabelle et sa mère s'émerveillèrent devant la beauté de l'arbre. Après avoir bien secoué ce dernier pour en faire tomber la neige qui collait aux branches, il entra le sapin dans la maison et Bernard le planta dans une chaudière remplie de terre qu'il arrosa abondamment pour conserver à l'arbre sa fraîcheur. Sur le conseil d'Annette, les deux hommes installèrent le sapin dans une encoignure entre la cuisine et le salon. Les deux femmes rivalisèrent d'imagination tout l'après-midi pour décorer l'arbre de banderoles et de bouts de ruban.

À l'heure du souper, la cuisine avait pris un air de fête et on s'amusa beaucoup des tentatives d'Aurore de saisir les décorations de l'arbre avec ses petites mains.

****

Deux jours plus tard, Bernard alla au village acheter quelques articles chez Beaudet et il revint porteur de deux lettres, dont l'une était adressée à sa mère et l'autre à son père. Il les laissa toutes les deux sur la table avant d'aller rejoindre son père dans le bois.

Annette, intriguée, se mit à la recherche de ses lunettes qu'elle ne portait que pour lire ou enfiler ses aiguilles. Quand elle les eut trouvées, elle les chaussa et s'approcha de la fenêtre pour profiter d'un meilleur éclairage. Durant une minute, elle scruta l'enveloppe en essayant de deviner qui pouvait bien lui écrire. Finalement, elle l'ouvrit et en tira deux feuillets couverts d'une fine écriture qu'elle se mit à lire.

Lorsqu'elle eut terminé sa lecture, Annette laissa tomber :

— C'est pas Dieu possible !

— Qu'est-ce qu'il y a, m'man ? demanda Isabelle, surprise par le ton de la voix de sa mère.

— Ma cousine Mance Parenteau arrive pour passer les Fêtes avec nous autres, répondit Annette, catastrophée. Attends que ton père apprenne ça ! Il va en faire une maladie. Ça fait dix ans qu'on l'a pas vue. Chaque fois qu'ils se sont trouvés ensemble, la chicane a poigné, ça pas été long.

— Comment ça se fait qu'elle vienne ici pareil ?

— Elle dit que son mari est mort il y a deux ans et qu'elle est retournée vivre chez son frère Adrien, à Sainte-Marie. Il paraît qu'Adrien a marié une femme qui leur en fait voir de toutes les couleurs, à elle et à lui. Elle a rencontré l'oncle de ton père à Saint-Éphrem et Hormidas lui a dit qu'on s'était établi sur une terre. Elle dit qu'elle s'est dépêchée de m'écrire parce qu'elle a besoin de changer d'air quelques jours et qu'elle a le goût de nous voir.

— C'est fin de sa part.

— Oh ! On voit que tu la connais pas, ma petite fille. Mance a un caractère de chien. Elle a douze ans de plus que moi et partout où elle va, elle sème le trouble. On a jamais su comment son pauvre Armand a pu l'endurer si longtemps. Sa mort a dû être une délivrance pour lui. Plus jeune, quand elle venait chez mon père, je m'arrangeais pour disparaître quand elle venait avec ses parents.

Quand Jean et Bernard rentrèrent après avoir bûché tout l'après-midi, Annette attendit que son mari se soit réchauffé et qu'il ait bu sa tasse de thé avant de lui tendre la lettre qui lui était destinée. Il ouvrit maladroitement l'enveloppe et releva la mèche de la lampe pour avoir un meilleur éclairage.

Annette le regarda lire lentement la lettre qu'il tenait. Finalement, il replia la feuille et dit à sa femme :

— C'est ma mère qui a écrit. Elle et mon père sont en bonne santé. Ils nous souhaitent de joyeuses Fêtes. Ils avaient pensé venir les passer avec nous autres, mais ils ont reçu pas mal de neige et ils ont peur que le voyage soit trop long et trop fatiguant pour des vieux de leur âge. C'est ben de valeur, mais on va encore passer les Fêtes tout seuls, dit Jean avec une pointe de regret.

— Peut-être pas aussi seuls que tu penses, mon mari. Tiens, lis cette lettre-là, fit Annette, en lui tendant la missive de sa cousine.

— Dis-moi donc plutôt ce qu'il y a dedans, suggéra Jean. Tu sais ben que j'ai de la misère à lire.

— Non, j'aime mieux que tu la lises toi-même.

Le quadragénaire approcha la lettre de la lampe et se mit à lire à voix basse. Quand il eut fini, il la lança sur la table.

— Ah ben, maudit ! Dis-moi pas qu'on va l'avoir sur les bras tout le temps des Fêtes, celle-là. Je pensais jamais la revoir. Il faut un maudit front de « beu » pour s'inviter chez nous comme ça. Je suis prêt à endurer n'importe qui, mais pas elle.

— Qu'est-ce que tu veux qu'on y fasse ? répliqua Annette. Ça servirait à rien de lui écrire pour lui dire de rester chez Adrien ; notre lettre arriverait pas à temps. Tu peux être certain que ça me fait pas plus plaisir qu'à toi de la voir arriver.

— En tout cas, dit Jean en serrant le poing, elle est mieux de pas me tomber sur les nerfs parce qu'elle va vite se retrouver dehors sur le banc de neige avec ses bagages.

— Voyons, p'pa ! dit Isabelle, inquiète de la colère de son père. Vous avez fait peur à la petite.

Comme pour lui donner raison, la petite Aurore se mit à pleurer.

Jean se leva, prit son manteau et dit à Bernard, qui n'avait pas soufflé mot durant toute la scène :

— T'avais ben affaire à nous rapporter cette lettre-là, toi. T'aurais pas pu la perdre en chemin, non ? Viens-t'en ! On va aller faire le train.

Quand Jean Bergeron rentra pour le souper, il avait eu le temps de se calmer.

****

Ce soir-là, le calme régna chez les Marcotte jusqu'au moment du dessert. Sans avoir l'air d'y toucher, Estelle parla du curé Desmeules qui serait bientôt privé de sa cuisinière.

— C'est ben triste pour lui, fit Eusèbe, mais il devait ben savoir qu'Augustine s'en irait un jour ou l'autre.

— Sais-tu à quoi j'ai pensé, Eusèbe ?

— Non, mais je sens que tu vas me le dire.

— J'ai pensé que Mariette est ben assez bonne en cuisine pour faire l'ordinaire du presbytère.

Mariette releva la tête et regarda son père, attendant sa réaction.

— Es-tu malade, toi ? T'imagines-tu que j'ai élevé mes filles pour qu'elles aillent torcher au presbytère ? éclata le gros homme. Il en est pas question, tu m'entends, Estelle Bellavance ? Il y a déjà ben assez qu'on en a une chez les sœurs. Quand mes filles sortiront de la maison, ce sera pour se marier.

— O.K., prends pas le mors aux dents, Eusèbe Marcotte, répondit Estelle. Je disais juste ça comme ça.

— Je veux plus en entendre parler, dit le gros homme d'une voix rageuse.

La sortie d'Eusèbe jeta un froid sur la fin du repas, mais Estelle se le tint pour dit et il n'en fut plus question.

Ce soir-là, Pauline, assise au salon avec Bernard, lui raconta tout bas la scène. Son cavalier, pour ne pas être en reste, décrivit à la jeune fille les réactions de ses parents en apprenant l'arrivée prochaine de la cousine Parenteau.

****

L'atmosphère était beaucoup plus calme dans l'école du rang Saint-Joseph où Colette achevait d'envelopper de petits cadeaux qu'elle remettrait à ses élèves durant l'avant-midi, avant de les quitter pour les quinze prochains jours.

À la lueur de la lampe à huile déposée sur son bureau, la jeune fille s'appliquait à écrire sur chaque paquet le nom du destinataire. Son regard tomba sur la boîte de copeaux de bois qu'elle avait déposée près de la porte après l'avoir entrée. Pour la quatrième ou cinquième fois en deux semaines, Ulric Gagné était venu lui couper des copeaux en cachette pour lui permettre d'allumer plus facilement la fournaise et le poêle de l'école. Elle aurait voulu le remercier, mais chaque fois, elle l'avait aperçu trop tard. Il était déjà sur la route après avoir laissé la boîte sur le perron de l'école.

Le lendemain avant-midi, le ciel s'était couvert et une neige fine s'était mise à tomber.

C'était la fête dans la classe décorée pour Noël. Toute discipline avait disparu. Colette, souriante, animait différents jeux pour amuser ses élèves bruyants et tapageurs. Vers 11 h, elle remit un cadeau à chacun et l'embrassa sur la joue avant de souhaiter à tous de belles vacances. Peu à peu, l'école se vida et le silence remplaça les rires et les cris.

L'institutrice remettait un peu d'ordre dans sa classe avant l'arrivée de son frère Bernard quand quelqu'un frappa à la porte. Elle alla ouvrir. Elle se retrouva face à Ulric et Philippe Gagné.

— Bonjour, Mademoiselle Bergeron, fit le jeune homme, intimidé. Je venais vous souhaiter de belles vacances.

— C'est vraiment gentil à vous de vous être dérangé, dit Colette. Ça fait longtemps que je veux vous remercier de venir me couper mon bois, mais chaque fois, je vous manque.

Ulric sembla reprendre un peu confiance en lui.

— Ça me fait plaisir de le faire, dit-il.

Puis, prenant son courage à deux mains, le jeune homme proposa :

— Je me demandais si je pourrais pas aller avec Philippe vous conduire chez vous avec vos bagages.

— Vous êtes vraiment de service, Ulric, mais mon frère Bernard s'en vient me chercher.

Devant l'air dépité du jeune homme, Colette comprit soudainement qu'il s'intéressait à elle et cherchait une occasion de lui parler.

— Mais vous savez où je reste dans le rang Sainte-Anne. Si jamais vous passez par là dans le temps des Fêtes, arrêtez me voir. Ça me fera plaisir.

— J'y manquerai pas, Mademoiselle, répondit-il, enthousiaste.

La joie qui illumina le visage d'Ulric lui apprit qu'elle ne s'était pas trompée et elle devina qu'elle n'attendrait pas longtemps avant de le voir arriver chez les Bergeron. Quand ils furent partis, elle termina son ménage et laissa s'éteindre le feu dans la fournaise. Elle descendait sa valise au moment où Bernard arrêtait la sleigh devant l'école.

****

Pendant ce temps, Jean Bergeron et François Riopel avaient commencé leur tournée de la guignolée. Ils avaient attelé le grand traîneau de François et ils étaient partis sur le coup de 9 h, chaudement habillés.

À chacune des maisons, on leur ouvrait la porte et on leur tendait de pots de confiture, des conserves, de la viande, des légumes ou même des couvertures et des vêtements. La plupart du temps, on insistait pour qu'ils entrent se réchauffer un peu et le maître de la maison leur offrait alors un petit verre de caribou.

Vers midi, les deux bénévoles commençaient à être passablement éméchés quand ils s'arrêtèrent chez Jean pour dîner. Annette les vit arriver et, à leur démarche incertaine, elle devina ce qui s'était passé. Elle leur ouvrit la porte. Elle dit à Bernard, qui était arrivé avec Colette quelques minutes plus tôt :

— Bernard, va donc dételer le cheval. J'ai l'impression que tous les deux ont un coup dans l'aile.

Bernard mit son manteau et sortit.

— Arrivez, vous deux, leur cria-t-elle. C'est-tu Dieu possible de se mettre dans un état pareil ! Des plans pour verser dans le fossé. C'est une vraie honte.

Les deux hommes entrèrent en titubant légèrement. Ils riaient et parlaient fort.

Colette et Isabelle, qui étaient en train de changer les langes d'Aurore à l'étage, descendirent pour assister à la scène. Elles n'avaient jamais vu leur père dans cet état.

— Vous avez l'air de deux beaux ivrognes.

— Voyons, Annette, choque-toi pas de même, bafouilla son mari en s'approchant d'elle pour l'embrasser. On est pas chauds. On a juste bu un verre ou deux pour se réchauffer et pour pas insulter celui qui nous l'offrait. Pas vrai, François ?

— Je sais pas, Monsieur Bergeron, dit son voisin. Je les ai pas comptés. Peut-être trois ou quatre... ou ben cinq ou six.

Les deux hommes s'esclaffèrent.

— Bon, ça va faire vous deux ! Allez vous passer le visage à l'eau frette pour reprendre vos sens et venez manger si vous voulez être capables de finir votre tournée, debout sur vos deux pieds.

Les deux hommes obéirent pendant qu'Annette et ses filles leur servaient à manger. La nourriture et deux tasses de thé très fort semblèrent leur faire le plus grand bien et dissipèrent en grande partie les effets de l'alcool.

Quand ils remirent leur manteau, Annette prévint son mari :

— Jean Bergeron, je t'avertis. Si tu reviens saoul comme un cochon, tu vas coucher à soir dans la grange. Un verre de caribou, ça se refuse, tu m'entends ? C'est tout un exemple que tu donnes aux enfants ! Si ça se trouve, toute la paroisse va te prendre pour un ivrogne.

— Inquiète-toi pas, la mère, on boira plus rien de la journée, promit Jean, repentant. Bon, arrive, François, dit-il à son jeune compagnon. Il nous reste un rang à faire.

Les deux hommes sortirent et Bernard, qui était allé quelques instants auparavant atteler le traîneau de François, tendit les rênes à son père.

Le froid rendit toute leur lucidité à Jean et François. Ils firent la tournée des maisons du rang Saint-Louis en refusant, systématiquement tout alcool.

À la fin de l'après-midi, ils s'arrêtèrent devant la porte de la sacristie, complètement gelés malgré leurs chauds vêtements. Pendant qu'ils se réchauffaient un peu à l'intérieur, plusieurs femmes occupées à confectionner des paniers de Noël cessèrent leur travail pour aller décharger le traîneau. Antoine Girouard était sur place et se frottait les mains de contentement.

— Vous êtes les derniers arrivés, dit-il aux deux hommes. Votre récolte a été bonne en maudit. En plus, vous avez pas l'air d'avoir bu. Vous auriez dû voir Onésime Préfontaine et Amédée Lavoie qui ramassaient dans les autres rangs. Ils étaient ronds comme des queues de pelle quand ils sont arrivés. Heureusement que leur cheval savait où se trouve l'église parce qu'ils pouvaient pas conduire ni l'un ni l'autre. Quand ils sont arrivés, ils sont tombés endormis sur une chaise et il a fallu les réveiller pour qu'ils retournent chez eux. Je sais même pas s'ils sont rentrés ou si on les retrouvera pas demain matin dans un fossé.

Jean regarda François avant de répondre sur un ton digne :

— Monsieur le maire, nous, dans le rang Sainte-Anne, on est pas des ivrognes. On est du monde sérieux.

— Je vois ben ça, dit le maire. En tout cas, je vous remercie pour votre aide.

Le maire les aida à finir de vider le traîneau. Quand ce dernier fut vidé, François et Jean se mirent en route pour rentrer chez eux.

— C'est vrai qu'on est pas des ivrognes, dit François quand ils furent rendus au bas de la côte, à la sortie du village. Mais sacrifice ! je pense que j'aurais ben bu un petit verre avant de rentrer. Il me semble que ça m'aurait plus réchauffé que les belles paroles d'Antoine.

— Moi aussi, se contenta de répondre son compagnon. En tout cas, on s'est payé une ben belle journée, pas vrai, mon François ?

— C'est sûr, Monsieur Bergeron. Si on nous demande la même chose l'année prochaine, on devrait accepter.

****

Le lendemain avant-midi, les hommes constatèrent qu'il n'était tombé que cinq ou six centimètres de neige durant la nuit précédente et ils décidèrent d'aller bûcher. Après leur départ, Annette avait embrigadé ses deux filles dans la préparation de la nourriture des Fêtes. Pendant qu'une grosse dinde cuisait dans le four, Isabelle préparait le ragoût de boulettes et Colette aidait sa mère à confectionner des tourtières. Une odeur appétissante régnait dans la cuisine surchauffée.

Tout à coup, elles entendirent le bruit d'un attelage qui arrivait dans la cour. Isabelle se pencha pour regarder par la fenêtre.

— M'man, on a de la visite qui arrive, dit-elle à sa mère.

Annette s'empressa d'aller voir à son tour.

— C'est pas vrai ! Pas déjà Mance ! Je pensais ben avoir au moins une autre journée de paix, fit-elle en s'essuyant les mains sur son tablier. Veux-tu ben me dire par qui elle s'est faite conduire ?

Le conducteur, engoncé dans un gros manteau de chat sauvage, s'extirpa de la voiture, sortit une grosse valise placée derrière son siège et il la transporta jusqu'au perron.

Sa passagère, une grande femme maigre et sèche vêtue d'un manteau de drap gris foncé, le suivit et frappa à la porte. Colette s'empressa d'aller lui ouvrir. L'homme porta la valise à l'intérieur et salua les trois femmes qui le regardaient.

— Bonjour, tout le monde, fit la visiteuse, en esquissant un mince sourire tout en écartant son conducteur.

Sa cousine et ses deux filles s'avancèrent et embrassèrent sans effusion Mance Parenteau. La quinquagénaire se tourna vers l'homme.

— Tenez, mon brave, dit-elle en lui tendant de l'argent. Je vous remercie de m'avoir conduite jusqu'ici.

Annette offrit à l'homme une tasse de thé pour se réchauffer, mais il déclina l'invitation et partit aussitôt.

Dans la cuisine, une certaine gêne s'était installée. Les deux cousines n'avaient jamais été proches l'une de l'autre et Annette ne savait comment aborder son aînée. Elle finit par dire à sa cousine :

— Enlève tes bottes et ton manteau et mets-toi à l'aise. Il y a du thé chaud sur le poêle. En veux-tu une tasse ?

— C'est pas de refus, dit la nouvelle arrivée, en tendant son manteau et son chapeau à Isabelle.

Mance Parenteau s'assit dans l'une des deux chaises berçantes placées près du poêle et attendit qu'on lui tende sa tasse de thé.

— Le chemin a été long sans bon sens entre Drummondville et ici. Tu sais que j'ai été ben surprise d'apprendre que vous étiez venus manger de la misère à la campagne. Je vous pensais encore à Montréal en train de faire la grosse vie.

— T'en fais pas pour nous autres, Mance, on fait pas de misère, la rassura Annette.

Elle surprit sa cousine en train de regarder partout autour d'elle, comme pour évaluer le degré de déchéance dans lequel étaient tombés les Bergeron.

Elle avait du mal à reconnaître celle qu'elle avait vue pour la dernière fois dix ans auparavant. Le maigre chignon poivre et sel allongeait sa figure ridée déjà longue et ses lunettes à monture de fer lui donnaient un air sévère. Mance Parenteau était encore plus maigre et plus grande que dans son souvenir. Ce qui n'avait pas changé, par contre, c'était son port de tête et sa petite voix de tête. La cousine Mance avait vraiment tout d'une vieille mère supérieure aigrie.

Par politesse, Annette finit par abandonner sa tâche à Colette et elle s'assit face à Mance Parenteau pour prendre de ses nouvelles.

— Je te dis, ma petite fille, dit cette dernière, que venir de Sainte-Marie jusqu'ici en gros chars, c'est long. Je pensais ben qu'un de tes garçons viendrait me chercher à la gare au moins, mais j'ai vu personne.

— Voyons, Mance, répliqua Annette, tu m'as pas écrit que t'arrivais par le train et, en plus, t'as oublié de dire quand t'arriverais.

— Ah ben ! j'ai dû oublier. Si tu savais quelle vie d'enfer je mène, tu me comprendrais.

Pendant une heure, Mance Parenteau parla de ses déboires chez son frère Adrien qui, selon elle, avait épousé une vraie folle. À l'entendre, sa belle-sœur jouait à la princesse et ne touchait à rien dans la maison. C'était elle, Mance, qui devait faire le ménage et la cuisine, sept jours sur sept.

— En plus, elle est pas parlable. Pas moyen de lui faire une remarque. Aussitôt que tu lui parles, elle monte sur ses grands chevaux. Ce pauvre Adrien est pas sorti du bois, je te le dis, moi, conclut la veuve.

Soudainement, ses récriminations furent interrompues par les pleurs d'Aurore qui venait de s'éveiller à l'étage. Isabelle alla chercher le bébé qui avait retrouvé le sourire dès qu'elle l'avait pris.

— Tiens, vous avez un bébé dans la maison, fit la visiteuse, surprise. Je savais pas qu'une de tes filles était mariée.

— Elles sont pas mariées ni une ni l'autre, Mance. C'est la petite de François Riopel, notre voisin. On la garde.

— Ah ! j'aime mieux ça, dit-elle d'un air pincé. Moi, les enfants, j'aime pas ben ben ça. Ça pleure à n'importe quelle heure, ça se salit et ça sent jamais ben bon.

Isabelle, qui allait lui tendre Aurore, retint son geste à temps et une flambée de colère passa dans ses yeux.

— Vous avez pas compris, Madame. On garde tout le temps Aurore. En plus, vous saurez que ce bébé-là est une vraie soie. Elle pleure presque jamais et elle sent toujours bon.

Sur cet éclat, la jeune fille installa Aurore sur une couverture, par terre.

Un instant interdite par l'éclat d'Isabelle, Mance reprit :

— Je disais pas ça pour insulter personne. Armand et moi, on a pas eu d'enfant.

Ensuite, la conversation bifurqua sur la parenté de la Beauce. Selon Mance, les parents de Jean avaient beaucoup vieilli depuis quelque temps et n'en menaient pas large. La veuve avait eu l'occasion de rencontrer par hasard Gisèle et Rolande, les deux sœurs d'Annette, à la fin de l'automne précédent. Selon elle, elles avaient grossi sans bon sens. Gisèle venait d'avoir son septième enfant alors que Rolande en avait déjà six.

— De vraies poules pondeuses ! conclut Mance, sur un ton de reproche.

Annette retint difficilement une remarque cinglante sur les femmes stériles envieuses.

Puis examinant Annette avec attention, la cousine poursuivit :

— Sais-tu, Annette, que tu fais pas trop pitié toi non plus. T'as ben dû prendre vingt-cinq livres depuis que je t'ai vue la dernière fois. Il va falloir te surveiller si tu veux garder ton mari.

— Inquiète-toi pas pour ça, Mance, répliqua aigrement Annette, insultée par la remarque. Mon mari aime les femmes ben en chair. Il trouve qu'une femme maigre, ça fait pauvre.

— On sait ben, fit Mance en se gourmant, les hommes sont tous pareils. Il y en a pas un pour racheter les autres.

Mais avec tout ça, je t'empêche de faire ton ouvrage. Donne-moi donc un tablier, je vais faire ma part, dit la quinquagénaire en quittant sa chaise berçante.

Annette se leva à son tour et s'empressa de lui tendre un tablier, heureuse de l'occuper et surtout, de changer de sujet de conversation.

Lorsque Jean et Bernard rentrèrent pour dîner, Mance Parenteau se contenta de leur tendre la joue. Jean se souvenait encore de leur dernière rencontre et de la querelle qui les avait opposés quand il avait voulu amener le défunt Armand faire une virée dans Montréal sans les femmes.

Armand Parenteau et sa chipie de femme étaient débarqués deux jours auparavant chez les Bergeron et Jean en avait eu très vite assez de voir Mance écraser le pauvre homme. Pour le soustraire quelques heures à sa femme, il avait eu l'idée de l'amener visiter le centre-ville, mais elle lui avait carrément refusé la permission de s'éloigner d'elle. Jean s'en était mêlé et il y avait eu une belle engueulade entre eux.

Durant le repas, la cousine, intarissable, raconta à la famille Bergeron comment son mari était décédé. Elle ne leur épargna aucun détail.

— Ce pauvre Armand, dit-elle avec un rien de mépris, c'était pas un homme ben solide. Il a attrapé une grippe au commencement de l'automne. À la fin du mois de novembre, le docteur a dit qu'elle avait tourné en pneumonie. Il est mort une semaine avant Noël.

— Ça dû être pas mal dur pour toi, fit Annette avec compassion.

— Oui, d'autant plus qu'il m'a presque rien laissé en partant. Une chance que mon frère Adrien m'a prise chez eux. Mais avoir su le genre de femme qu'il avait mariée, j'aurais jamais mis les pieds là.

Puis quittant le sujet, Mance se tourna vers Bernard qui n'avait presque pas ouvert la bouche depuis son arrivée.

— Et toi, mon garçon, fréquentes-tu une fille de Saint-Anselme ?

— Oui, Pauline Marcotte, la fille du voisin.

— Drôle de prénom, fit remarquer la cousine. J'espère que c'est une fille dépareillée qui sait tenir maison et faire à manger.

Bernard ne répondit rien à la chipie et Jean secoua la tête, se retenant de parler.

— Inquiète-toi pas pour ça, dit Annette. C'est une fille capable et, en plus, c'est une belle fille.

— La beauté, Annette, c'est pas ben ben important, rétorqua vivement sa cousine. Ça disparaît ben vite avec la jeunesse. Je sais que c'est tout ce qui intéresse les hommes, mais eux, il faut pas leur demander de se servir de leur tête quand ils sont devant un jupon.

Il y eut un long silence à table.

— Et toi, Colette, t'as pas de prétendant ?

— J'ai pas le temps de m'occuper de ça, dit la jeune fille prise à partie. Vous savez qu'une maîtresse d'école a pas le droit de recevoir dans son logement, à l'école. Je suis encore pas mal jeune. Je peux attendre.

— Attends pas trop quand même, ma fille. Si t'attends de coiffer le bonnet de Sainte-Catherine, tu vas te rendre compte que les hommes te tourneront pas autour ben longtemps. Ils préfèrent les petites jeunes.

Isabelle, occupée à nourrir Aurore, leva les yeux au ciel. Jean se leva de table pour mettre fin à ce monologue décousu et déplaisant et il demanda à Annette où Bernard devait porter la valise de sa cousine qui encombrait l'entrée.

— Porte-la dans la chambre de Louis, Bernard.

Mance Parenteau suivit le jeune homme dans l'escalier.

Jean, profitant de l'absence momentanée de la cousine, chuchota à sa femme :

— Ça fait juste deux heures qu'elle est dans la maison et elle essaie déjà de tout régenter. Si elle continue, je pense que je vais l'étouffer avant la fin de la journée. J'en ai déjà assez. Quand Bernard descendra, dis-lui de me rejoindre dans la remise.

— Pas si fort, fit Annette, elle peut nous entendre.

— Je m'en sacre ! dit-il les dents serrées.

Bernard descendit et alla rejoindre son père.

Quelques minutes plus tard, Annette et ses filles étaient à laver la vaisselle quand Mance descendit à son tour.

— Je te dis, ma petite fille, que ton gars doit avoir un bon dos pour dormir sur une paillasse aussi molle.

— Voyons, Mance, c'est un matelas de plumes. Il est ben confortable.

— En tout cas, j'ai laissé pas mal d'affaires dans ma valise parce que j'ai pas assez de place dans les tiroirs de la commode.

— C'est sûr qu'une femme, ça a pas mal plus de linge qu'un gars, rétorqua Annette avec agacement, mais j'ai pas d'autre bureau à te passer.

Ce soir-là, les Bergeron bénirent leur chance que la cousine soit montée se coucher tôt et ils profitèrent de l'occasion pour se reposer dans la cuisine. Bernard était allé passer une heure ou deux avec Pauline Marcotte. Malgré l'arrivée de l'invitée, Annette était contente d'être parvenue à préparer avec ses filles une bonne partie de la nourriture des Fêtes. Il ne leur restait plus qu'à confectionner des tartes et des gâteaux le lendemain, veille de Noël.

Brusquement, ils virent la lumière des phares d'une automobile éclairer l'une des deux fenêtres de la cuisine et ils entendirent en même temps le bruit d'un moteur.

— Veux-tu ben me dire qui arrive à une heure pareille ? demanda Jean, en essayant de voir par la fenêtre.

Il y eut dehors des bruits de voix puis le claquement d'une portière. La voiture démarra et reprit la route.

— Ah ben ! Mais c'est Louis ! s'exclama Annette, venue regarder aux côtés de son mari.

Dès qu'il entendit les pas de son fils sur la galerie, Jean alla ouvrir la porte. Louis entra et salua tout le monde en secouant la neige de ses bottes. Le jeune homme embrassa sa mère et ses sœurs et il serra la main de son père.

— D'où est-ce que tu sors à une heure pareille ? demanda son père pendant qu'il retirait son manteau.

— Roméo Couture, un des pensionnaires de Charles, a offert à Charles de venir le conduire chez son père. J'ai profité de l'occasion. J'espère que ça vous dérange pas trop si je viens passer les Fêtes avec vous autres ?

— Ça nous fait plaisir, Louis, dit Annette. C'est ta maison ici. As-tu soupé au moins ?

— Oui, on a mangé un morceau à Drummondville, en passant, mais si vous avez un morceau de tarte de trop, je le mangerais ben.

— T'es arrivé trop vite, mon garçon. C'est demain qu'on fait les tartes, mais il reste un peu de pudding au sirop d'érable du souper. En veux-tu ?

— Oui, ce serait bon.

Pendant que Louis dévorait avec un bel appétit, sa mère lui fit remarquer :

— Dis donc, t'as pas donné trop souvent de tes nouvelles depuis que t'es arrivé à Montréal.

— Vous savez ben, m'man, que je suis pas un gros écriveux.

— T'es-tu trouvé de l'ouvrage au moins ? demanda Jean.

— J'en ai trouvé, mais au bout de trois semaines, la compagnie a renvoyé la moitié des employés. Depuis ce temps-là, je fais des petites jobines ici et là quand j'en trouve, admit Louis.

— Es-tu ben installé chez le jeune Riendeau ? demanda Annette.

— C'est pas un château, m'man. On est quatre gars à vivre dans un trois appartements. On est pas mal serrés. Mais sur les quatre, il y en a toujours un qui a une job et ça aide les trois autres à vivre en attendant.

— Je te l'avais dit, fit Jean, sentencieux. L'ouvrage est aussi rare en ville que dans le temps qu'on restait là.

— Vous avez raison, p'pa, mais Camillien Houde a annoncé qu'il y aurait de gros travaux entrepris à Montréal. On parle même d'une sorte de grand jardin dans l'est de la ville. Il paraît que ça va donner de l'ouvrage à ben du monde.

Quand Louis eut terminé sa collation, il dit :

— Si ça vous fait rien, je vais aller porter mon barda dans ma chambre.

— Attends, Louis, fit sa mère. On a une invitée qu'on a installée dans ta chambre. On savait pas que t'allais venir pour les Fêtes. Installe-toi avec Bernard dans sa chambre. Il est à la veille de revenir de chez les Marcotte.

— Qui c'est qui est couché dans mon lit ?

— La cousine Mance.

— Ah non ! Pas la vieille haïssable ! s'exclama Louis.

— Chut ! fit sa mère. Pas si fort. Elle dort peut-être pas. Elle s'est invitée et on a pas pu dire non.

— Avec elle dans la maison, ça va être gai, conclut le jeune homme en prenant ses bagages.

Chapitre 20

Noël

La veille de Noël, le soleil se leva dans un ciel sans nuage. La neige scintillait sous ses rayons et elle arrivait déjà à mi-hauteur des poteaux de clôture. Fait étonnant à cette époque de l'année, il n'y avait eu encore qu'une véritable tempête de neige. L'accumulation était due aux petites chutes régulières et presque quotidiennes depuis le début du mois de novembre.

Le curé Desmeules regardait par la fenêtre de son presbytère son bedeau en train de sabler les marches du parvis. Il se frotta les mains de satisfaction. Il se sentait fin prêt pour célébrer dignement la naissance du Christ. Depuis quelques jours, tout marchait comme sur des roulettes. Augustine avait accepté en ronchonnant de rester jusqu'à la mi-janvier, si nécessaire. L'abbé Surprenant, malgré ses airs frondeurs, s'acquittait avec diligence de son ministère. Il y avait eu suffisamment de paniers de Noël pour en distribuer à toutes les familles pauvres de la paroisse qui en avaient fait la demande et enfin, il venait de régler le problème épineux du maître chantre.

Comme chaque année, une dispute avait éclaté entre Aurèle Martineau et Léon Lafrance pour déterminer lequel des deux entonnerait le « Minuit, chrétiens ». Ils s'accusaient l'un l'autre de fausser, et le directeur de la chorale, incapable d'imposer sa volonté, avait fait appel à lui. Le curé, mécontent, avait convoqué les deux choristes à son bureau. Il les avait sermonnés comme deux enfants. Finalement, prenant en compte que Martineau l'avait chanté l'année précédente, il avait décidé que Lafrance entonnerait le chant à la messe de minuit.

— Dorénavant, leur avait-il précisé, chaque année, on changera. L'année prochaine, ce sera au tour d'Aurèle. Je ne veux plus entendre parler de vos chamailleries.

Les deux hommes avaient quitté son bureau, la mine basse, un peu honteux de leur conduite, mais toujours persuadés de posséder une plus belle voix que l'autre.

Il y eut soudainement un claquement de porte à l'étage, claquement suivi d'une cavalcade dans l'escalier. Avant même que le curé Desmeules ait eu le temps de sortir de son bureau pour voir qui faisait tout ce tapage, la porte d'entrée se refermait sur l'abbé Surprenant.

« Veux-tu ben me dire où est-ce qu'il s'en va à un train d'enfer pareil ? » se demanda le prêtre.

Il écarta le rideau de la fenêtre qui donnait sur la rue Principale et il aperçut son vicaire, sans soutane, la tête nue et portant une paire de patins sur l'épaule. Édouard Desmeules le vit traverser la rue et emprunter le sentier que s'étaient tracé les jeunes entre la maison du docteur Tanguay et le magasin général et qui conduisait à la rivière.

« Il va tout de même pas patiner habillé comme ça ! ragea le curé. De quoi il a l'air ? Des plans que ça aille jusqu'aux oreilles de monseigneur. C'est assez pour qu'il me blâme de pas être capable de contrôler mon vicaire. »

Le pasteur songea un instant à mettre son manteau pour aller rappeler à l'ordre son subordonné. Puis, il craignit d'être ridicule en descendant le sentier et il décida d'attendre son retour. De plus, il n'allait tout de même pas enguirlander l'abbé devant les autres patineurs, s'il y en avait. Mais il ne perdait rien à attendre.

Quand l'abbé Surprenant rentra au presbytère deux heures plus tard, son curé l'attendait de pied ferme. Il avait laissé exprès la porte de son bureau ouverte pour l'intercepter lors de son retour.

— L'abbé ! tonna-t-il quand il l'entendit rentrer.

Eugène Surprenant, les oreilles et les joues rougies par le froid, passa sa tête ébouriffée dans l'ouverture de la porte.

— Oui, Monsieur le curé ?

— Entrez, l'abbé.

Le vicaire entra, tenant à la main sa paire de patins. Le curé Desmeules le dévisagea par-dessus ses petites lunettes rondes.

— D'où est-ce que vous venez, l'abbé ?

— Je suis allé patiner sur la rivière avec quelques jeunes de la paroisse, répondit l'abbé Surprenant.

— Patiner ? C'est bien la première fois que mon vicaire va faire le bouffon sur la glace.

— Voyons, Monsieur le curé, il n'y a pas de mal à prendre un peu d'exercice en plein air, fit l'abbé, surpris par le mécontentement manifesté par son supérieur.

— Je croyais vous avoir déjà dit qu'il n'était pas question ici de se promener sans soutane dans et hors le presbytère.

— Je sais, Monsieur le curé, mais avez-vous déjà patiné avec une robe ? C'est encombrant sans bon sens.

— Non, j'ai jamais patiné avec une « robe », comme vous dites. Je veux plus avoir à vous redire de porter en tout temps votre soutane, vous m'entendez, même si elle vous gêne. En plus, mettez-vous quelque chose sur la tête, l'abbé. Il faut protéger ce qui semble être la partie la plus fragile de votre personne.

— Bon, si vous y tenez tant que ça, je vais aller passer ma soutane, fit Eugène Surprenant, avec un soupir d'exaspération.

— Autre chose, l'abbé. Ce soir, je me charge de la messe de minuit, mais vous m'aiderez à distribuer la communion. L'église va être pleine à craquer. Après, nous réveillonnerons.

— C'est entendu, Monsieur le curé, mais j'ai bien peur de vous faire faux bond pour le réveillon. Je suis invité à réveillonner chez le docteur Tanguay.

— C'est pas grave ; je mangerai seul.

Le curé Desmeules se replongea dans le texte de l'homélie qu'il prononcerait le soir même, signifiant ainsi à l'abbé Surprenant qu'il pouvait partir. Ce dernier monta à sa chambre sans ajouter un mot.

La belle humeur du début de l'après-midi du curé s'était maintenant envolée. Non seulement son vicaire lui avait déplu en se montrant en public sans sa soutane, mais en plus, il s'était soucié comme de sa première chemise d'une règle non écrite qui voulait que les prêtres éloignés de leur famille réveillonnent ensemble après la messe de minuit. Lui-même avait refusé l'invitation du notaire pour ne pas laisser l'abbé seul cette nuit-là.

Il n'y avait pas à dire, le petit vicaire commençait à lui taper sérieusement sur les nerfs et il en était presque à regretter son vicaire précédent. S'il avait pu, il aurait fêté

Noël avec ses frères et ses sœurs qui habitaient tous Trois-Rivières... Il se reprendrait la semaine suivante, au jour de l'An.

— Je vais aller passer toute la journée avec eux et le petit abbé gardera le presbytère ce jour-là, se dit-il à mi-voix. Ça lui apprendra.

****

Chez les Marcotte, on avait fait le train de bonne heure pour souper tôt. Après le repas, chacun fit sa toilette et revêtit ses plus beaux habits. Toute la famille devait se rendre à Saint-Gérard, chez les Côté, pour célébrer les fiançailles de Henri avec leur fille Germaine.

La veille, Eusèbe avait dit à Jean Bergeron qu'il ne savait pas trop bien comment il allait parvenir à transporter neuf personnes à Saint-Gérard. Il lui aurait fallu un berlot pour transporter autant de personnes. En plus, la veille de Noël, tout le monde avait besoin de son traîneau et il lui était impossible d'en emprunter un.

— Je vais essayer de t'arranger ça, avait dit Jean. Dis donc, si vous allez à Saint-Gérard, les Côté vont ben vous garder à coucher. Veux-tu que je vienne faire ton train à ta place le matin de Noël.

— Merci de me l'offrir, mais je pense pas qu'on va rester à coucher, même si le réveillon finit aux petites heures du matin.

Jean était allé voir François Riopel. Il l'avait invité à réveillonner à la maison et lui avait demandé s'il pouvait amener sa famille à la messe de minuit. Le jeune veuf s'était empressé d'accepter. C'est ainsi que Bernard, invité chez les Côté à titre de cavalier de Pauline, put arriver chez les Marcotte avec un traîneau supplémentaire. Tout le monde s'entassa dans les deux véhicules au milieu de la soirée et on prit la route de Saint-Gérard.

Eusèbe, assis au fond du premier traîneau conduit par Henri, dit à Estelle :

— C'est triste pareil que Marie soit pas là pour les fiançailles de son frère. En plus, elle haïssait pas trop ça les tours en traîneau.

— C'est vrai, répliqua Estelle, en remontant l'épaisse couverture qui la couvrait jusqu'à la taille, mais elle est là où elle voulait être et elle ne gèle pas, elle.

****

Vers 22 h 30, François arriva chez les Bergeron. Comme la cousine Mance Parenteau avait décidé à la dernière minute d'assister à la messe de minuit, il avait bien fallu lui trouver une place dans le traîneau, qui ne pouvait contenir que cinq personnes en se tassant. Annette et Colette voulaient se sacrifier et rester à la maison, mais Louis, qui savait à quel point sa mère tenait à la messe de minuit, l'obligea à y aller.

— Allez-y m'man. J'irai à la messe de 8 h, demain matin, avec Colette. Ça me prive pas pantoute de pas entendre le jacassage de la cousine pendant une couple d'heures.

C'est ainsi qu'Annette se retrouva assise avec Mance à l'arrière pendant qu'Isabelle prenait place entre François et son père sur le siège avant.

Lorsque les Bergeron arrivèrent devant l'église, ils se trouvèrent pris dans un flot de véhicules de toutes sortes transportant les familles de la paroisse et leurs invités. Il y avait des traîneaux, des catherines, des berlots, des carrioles et même deux ou trois automobiles. Tous les endroits où on pouvait attacher les chevaux étaient déjà occupés.

— Faisons descendre les femmes ici, dit Jean à François. Après, on va aller chez Marcelin Delorme. Il a peut-être de la place pour notre traîneau. Entrez, les femmes, et retenez-nous une place, ajouta-t-il en se tournant vers Annette et Mance. On sera pas long.

À leur arrivée chez Delorme, ce dernier s'apprêtait à venir à pied à l'église. Il montra à François où mettre son cheval à l'abri et il leur servit un petit verre de gin pour se réchauffer avant d'aller avec eux à pied à l'église.

Il restait vingt minutes avant le début de la messe et pourtant l'église était comble. Avec cette foule, la chaleur devint vite étouffante, même si on avait laissé les portes entrouvertes. Pour leur part, les marguilliers, remplis de l'importance de leur rôle, se démenaient pour découvrir des places libres pour les nouveaux arrivants. Le jubé était déjà plein à craquer. Les fidèles les plus effrontés n'avaient pas hésité à s'accaparer les bancs réservés à une autre famille pour faire asseoir leurs invités. Il y avait des chuchotements et des invectives s'échangeaient à voix basse quand le locataire d'un siège tentait de rentrer en possession de son banc.

Finalement, lorsque le curé se présenta au pied de l'autel et que la chorale entonna son premier chant, le silence se fit progressivement. Faute de siège, une soixantaine de fidèles durent demeurer debout au fond de l'église. Certains hommes confortablement assis, dans un geste intéressé, se levèrent pour céder leur place à des femmes qui n'avaient pu trouver de siège. Cette générosité n'avait souvent pour but que de leur permettre de s'esquiver durant la messe pour aller fumer ou boire une rasade à l'extérieur.

Dès les premières minutes du service religieux, bon nombre de paroissiens déboutonnèrent leur manteau trop chaud pour être plus à l'aise. Ceux qui avaient commencé à arroser la fête en soirée sommeillaient déjà, engoncés dans leurs vêtements épais. Plus d'un sursauta quand le prêtre lut l'épître, puis l'évangile de sa voix tonitruante. Évidemment, l'officiant aussi souffrait de la chaleur dégagée par la foule et il prit le temps de s'essuyer le front avec un grand mouchoir avant de monter en chaire.

Comme par magie, la soixantaine de fidèles entassés à l'arrière de l'église ne fut plus qu'une poignée. Malgré le froid, plusieurs hommes s'étaient empressés de se glisser à l'extérieur, tout heureux d'échapper, pour une fois, à un sermon qui ne pouvait qu'être long. Ils formèrent un petit groupe compact devant les portes de l'église, groupe où on discutait fort en faisant circuler quelques bouteilles d'alcool dont certains avaient pris la précaution de se munir avant de quitter la maison. À une ou deux reprises, un marguillier dut passer la tête par la porte entrouverte pour leur demander de parler moins fort parce qu'on les entendait à l'intérieur.

Si certains fidèles coincés à l'intérieur souhaitaient que le curé ne prononce pas une homélie trop longue, ils furent déçus. Le prêtre invita longuement les fidèles à se recueillir et à faire preuve de modération durant les festivités qui suivraient la messe.

Enfin, après le « Minuit, chrétiens », la foule sortit rapidement de l'église. Il y eut des « Joyeux Noël » échangés entre les gens sur le parvis et, peu à peu, les gens montèrent dans leurs voitures ou partirent à pied pour rentrer chez eux. Pendant que Jean Bergeron et sa famille saluaient quelques connaissances, François retourna chez Marcelin Delorme et revint avec son traîneau.

— Mon Dieu, que ça sentait mauvais dans l'église ! s'exclama Mance Parenteau en s'assoyant au fond du traîneau. C'est à se demander si ces gens-là connaissent le savon.

— Mance, dit Annette, insultée par la remarque, c'est pas parce qu'on reste à la campagne qu'on se lave pas. Tu devrais le savoir. T'as vécu presque toute ta vie à la campagne.

Jean se contenta de donner un coup de coude à sa fille qui venait de prendre place entre lui et François. Ce dernier fouetta son cheval et le traîneau se mit en route.

— En tout cas, continua la cousine, il y en a ben dans la paroisse qui se souviendront même pas être allés à la messe de minuit. Juste à les voir cogner des clous durant la messe, on voyait ben qu'ils avaient pas mal bu.

Jean se tourna vers la cousine de sa femme et lui dit

— Moi, je m'en cache pas, j'ai dormi pendant presque tout le sermon et François aussi. Pourtant on a pas bu une goutte.

— Vous devriez pas vous en vanter tous les deux, fit Annette, sévère.

— Qu'est-ce que tu veux que je te dise ? Quand le sermon est plate, moi, ça m'endort.

— Jean Bergeron ! s'exclama la cousine. Tu devrais avoir honte de parler de même devant Isabelle. C'est pas des choses à dire devant une enfant.

— Une enfant ! grommela Isabelle. Elle, elle commence à me tomber sur les nerfs.

— Qu'est-ce que tu dis, Isabelle ? demanda Annette, qui n'avait entendu qu'un vague marmonnement.

— Rien, m'man. Je me parlais toute seule.

Jean, qui avait entendu, se retourna vers l'avant en ricanant. Isabelle serra le bras de son père pour lui signifier qu'elle comprenait très bien qu'il faisait exprès de scandaliser la vieille cousine.

Quand ils arrivèrent près de chez lui, François entra dans sa cour en disant à Jean :

— J'arrête un instant, Monsieur Bergeron, le temps de prendre un ou deux paquets sur la table.

Il descendit du traîneau après avoir confié les rênes à Jean, entra dans la maison et en ressortit presque immédiatement avec des paquets plein les bras. Il déposa le tout à ses pieds avant de reprendre la route.

Quelques instants plus tard, les deux hommes firent descendre les femmes devant la maison et menèrent le cheval à l'écurie. À leur retour, ils trouvèrent la table mise et une odeur appétissante se dégageait des chaudrons posés sur le poêle. Colette avait tout préparé durant leur absence.

— Avant de passer à table, dit Annette, nous pourrions donner les cadeaux. Je sais que la tradition veut qu'on donne les cadeaux au jour de l'An, dit-elle à l'adresse de Mance, mais dans notre famille, on a pris l'habitude de les donner après la messe de minuit.

En un instant, chacun alla chercher des petits paquets qu'il avait soigneusement cachés dans un coin de la maison et la distribution commença.

Colette offrit une nappe qu'elle avait brodée à ses parents. Isabelle leur remit des chaussettes qu'elle avait tricotées en cachette et Louis, deux tasses achetées pour l'occasion à Montréal. Annette donna à chacun de ses enfants et à son mari une paire de moufles. Elle présenta à sa cousine un petit chapelet qu'elle avait reçu en cadeau l'année précédente. Finalement, Isabelle tendit un paquet à François, en disant :

— Tiens, François. Ma mère et moi, on a cru que ça te serait utile.

Le jeune veuf défit l'emballage et trouva une tuque et des moufles épaisses qui le protégeraient du froid. Il remercia avec effusion les deux femmes.

— Monsieur Bergeron m'avait dit que vous attendiez pas le jour de l'An, ajouta François Riopel. Ben, je vous ai préparé des petites choses.

À son tour, il offrit une pipe à Jean et des coffrets à bijoux qu'il avait confectionnés à Annette, Isabelle et Colette. Il tendit le dernier paquet à Isabelle en lui disant :

— Celui-là, Isabelle, je te le laisse donner. C'est une poupée en bois que j'ai faite pour Aurore. Quand elle se réveillera, tu la lui donneras.

La jeune fille prit le paquet et le déposa au pied de l'arbre.

— On va t'attendre, François, dit-elle. Tu le lui donneras toi-même quand elle sera réveillée, demain.

— Bon, si on passait à table, dit Annette. Je pense que les tourtières sont assez chaudes.

— Je sais pas si je devrais manger à une heure pareille, dit la cousine, en espérant se faire prier. Je serais peut-être mieux de pas manger et d'aller me coucher.

— Tu es assez vieille, Mance, pour savoir ce qui te convient le mieux, rétorqua Jean, mais tu vas manquer quelque chose.

La quinquagénaire sembla hésiter quelques instants avant de s'approcher. Puis, voyant que chacun prenait place à table sans plus insister pour qu'elle reste, elle s'assit au bout du banc en disant :

— Je vais manger juste une bouchée pour vous accompagner.

Durant le réveillon, on parla de tout et de rien. Louis raconta ce qui se passait à Montréal. Colette parla de ses élèves. François évita de parler d'Élise pour ne pas assombrir la fête, mais il était évident que sa présence lui manquait. Pendant ce temps, la cousine Mance mangeait avec un bel appétit et on s'arrangeait pour lui laisser peu de chance de prendre la parole. Pour quelqu'un qui ne devait manger qu'une bouchée, elle avait été la première à vider son assiette et elle avait repris de la tourtière et de la dinde. Après le repas, Jean, Annette et la cousine se mirent même à évoquer les Noëls de leur enfance et les incidents cocasses qui avaient marqué quelques-uns d'entre eux autant pour le plaisir d'évoquer des souvenirs émouvants que pour amuser les jeunes.

Vers 4 h 30, François se leva et mit son manteau pour rentrer chez lui. Il remercia les Bergeron pour le réveillon.

— Je pense que je vais aller faire mon train avant de me coucher, dit-il à Jean avant de sortir. Ça va me débarrasser et ça va m'aider à digérer le gros repas que je viens de prendre.

— Je vais faire la même chose, dit son voisin. Qu'est-ce que t'en penses, Louis ?

— C'est une bonne idée, p'pa. J'y vais avec vous.

Pendant que les femmes rangeaient la nourriture, les trois hommes sortirent en même temps. À l'extérieur, la température était froide et la neige craquait sous les pas. Jean se dirigea vers l'étable et alluma un fanal à l'entrée tandis que Louis accompagnait François à l'écurie pour l'aider à atteler son cheval au traîneau.

Lorsque le père et le fils rentrèrent à la maison vers six heures, l'endroit était devenu silencieux. Tout le monde était allé se coucher. Sans faire de bruit, les deux hommes imitèrent le reste de la famille.

****

Peu après, les Marcotte rentrèrent à leur tour chez eux. La soirée et la nuit avaient été longues et épuisantes au point que plusieurs d'entre eux avaient sommeillé durant une bonne partie du trajet. Ils enviaient Henri qui était demeuré bien au chaud chez sa fiancée pour passer avec elle la journée de Noël. Blottis l'un contre l'autre, Bernard et Pauline n'avaient pas cessé de chuchoter durant tout le voyage.

En arrivant devant la maison, Maurice dit à son père :

— P'pa, Jocelyn et moi, on va aller faire le train pendant que vous allez faire une attisée pour réchauffer la maison.

— Vous êtes ben fins, les garçons, dit le gros homme, ensommeillé. Bernard, tu remercieras ton père pour le traîneau et tu souhaiteras un « Joyeux Noël » à toute ta famille de notre part.

Les Marcotte entrèrent dans leur maison et ils attendirent quelques minutes que le poêle ait réchauffé un peu les lieux avant d'aller se glisser sous leurs couvertures en grelottant. Les lits étaient froids, mais ils étaient si fatigués qu'ils s'endormirent en se couchant.

À la fin de l'avant-midi, Eusèbe et Estelle se réveillèrent presque au même moment. Quelqu'un dans la maison avait dû se lever peu avant et il avait pensé à alimenter le poêle parce que la cuisine était chaude et confortable.

— Je pense que je vais me contenter d'une tasse de thé, dit Eusèbe à sa femme. Après un réveillon pareil, j'ai un peu l'estomac à l'envers. Je mangerai plus tard.

— Moi aussi, dit Estelle, en plaçant la théière sur le poêle.

Elle se laissa tomber sur la chaise berçante en serrant frileusement contre elle les pans de son épaisse robe de chambre.

— En tout cas, fit Eusèbe, comme s'il pensait à haute voix, je pense que notre Henri est tombé sur une bonne famille avec les Côté. Ça m'a l'air du ben bon monde. La famille est pas grande, mais ils ont l'air à ben s'entendre.

— Si Germaine a pas de frères ni de sœurs, elle a au moins une trâlée de cousins et de cousines.

— Au fond, ça fait la chance d'Henri. En la mariant, il est sûr d'avoir le bien du père. Éloi a 60 ans ben sonnés. Il m'a dit hier que quand il se retirerait, il avait l'intention de se donner à sa fille.

— Oui, sa femme m'a dit la même chose, fit Estelle en versant le thé dans les tasses. Quand elle m'en a parlé, j'ai pas trop rien dit parce que je veux pas nuire à Henri, mais il me semble que c'est risqué.

— Batèche ! c'est sûr que c'est risqué. À Saint-Éphrem, j'ai connu des vieux qui ont fait la même chose et qui l'ont regretté. Au début, c'est tout beau, mais à la longue, les jeunes se tannent d'avoir les vieux dans les jambes et ils finissent par les maltraiter.

— Je pense pas que notre Henri fasse quelque chose comme ça. Si les Côté se donnent à leur fille, il va ben s'en occuper. En plus, sa Germaine est douce comme de la soie. Ça va lui faire une femme dépareillée et elle laissera jamais Henri faire des misères à son père et à sa mère.

— En tout cas, conclut Eusèbe, on sait au moins que les noces vont se faire en mai. Je vais perdre un bon homme.

— Qu'est-ce que tu veux, mon vieux, c'est normal. Les enfants finissent toujours par partir. Moi, je pense qu'on perd pas un gars. On gagne une fille et, dans pas grand temps, on sera peut-être devenus des grands-parents. Ça, ça va nous faire vieillir.

— Dis donc, chuchota Eusèbe, je regardais hier soir Pauline avec Bernard. Ça l'air à devenir sérieux entre ces deux-là. Ils se lâchaient pas d'une semelle.

— Oui, je pense que notre grande est en amour.

****

Le surlendemain de Noël, la température s'adoucit brusquement et le ciel se couvrit de lourds nuages noirs annonciateurs de neiges abondantes. Au milieu de l'après-midi, une neige fine se mit à tomber, puis le vent se leva et la neige tomba à plein ciel au point qu'à la tombée de la nuit, il était impossible de voir à quelques pas devant soi.

Lorsque les Bergeron sortirent de l'étable après avoir soigné les animaux ce soir-là, ils durent marcher pliés en deux, en se protégeant les yeux du mieux qu'ils pouvaient. Le vent soufflait en rafales et formait déjà des bancs de neige.

— Il va en tomber toute une, dit Jean à Annette, en secouant la neige qui le couvrait avant d'enlever son manteau et ses bottes. On voit plus ni ciel ni terre et ça a l'air parti pour la nuit. Écoute-moi le vent hurler. On dirait qu'il va arracher la couverture.

— Est-ce qu'il y a assez de bois dans le coffre pour chauffer le poêle toute la nuit, demanda Louis avant de se dévêtir.

— Inquiète-toi pas, lui répondit sa mère. Isabelle est allée en chercher en masse dans l'appentis avant que ça se mette à tomber.

Durant la soirée, le vent souffla avec une telle force que les vitres de la maison vibraient sous ses assauts. Jean avait beau se lever de temps à autre de sa chaise berçante pour regarder à l'extérieur, il ne voyait qu'un épais rideau blanc poussé presque à l'horizontale.

— Ça va être beau demain sur les chemins, dit-il.

— Il est l'heure de la prière, dit Mance Parenteau avec autorité, en se mettant à genoux au centre de la pièce.

S'il y avait quelque chose que Jean Bergeron détestait, c'était quand la cousine décidait quand dire la prière. Depuis qu'elle était arrivée, elle s'était arrogée ce droit et c'était elle qui la récitait. En plus, il aurait juré qu'elle l'étirait à plaisir chaque soir un peu plus dans le seul but de le faire enrager.

Chacun se mit à genoux et Mance se signa avant de commencer le chapelet qui serait suivi de plusieurs prières et invocations à différents saints et saintes. Peu à peu, Jean s'affaissa sur ses talons et appuya les coudes sur le siège de sa chaise berçante de sorte qu'il avait l'air presque couché. La cousine arrêta abruptement le chapelet et le rappela à l'ordre.

— Jean, tiens-toi donc droit et donne l'exemple à tes enfants.

Jean la fusilla du regard et eut une folle envie de l'envoyer au diable. Un regard d'Annette l'empêcha de donner libre cours à sa mauvaise humeur.

Et Mance, agenouillée droite comme un « I », reprit la récitation qui s'étira encore pendant de longues minutes. Chacun avait les genoux endoloris et manifestait par des soupirs et des rictus sa hâte qu'elle mette fin à cette prière interminable.

Ce soir-là, avant d'aller se coucher, Jean dit à sa femme :

— Si ta maudite cousine part pas le lendemain de la fête des Rois, je la sacre dehors. On la retrouvera au printemps quand les bancs de neige fondront.

— Sois patient, dit Annette, il ne reste plus que quelques jours à la supporter. Moi aussi, j'ai hâte qu'elle parte. Les filles en peuvent plus, elles aussi, de l'endurer. Elle est en train de se mettre tout le monde à dos dans la maison. Après le dîner, elle a dit à Colette de ne pas manger tant parce qu'elle était déjà pas mal grosse et qu'elle ne trouverait jamais un homme pour la marier.

— Qu'est-ce que Colette a répondu ?

— Elle lui a dit qu'elle aimait mieux être un peu grasse qu'être maigre comme un balai.

À l'aube, le lendemain matin, Jean et ses garçons eurent du mal à s'ouvrir un chemin jusqu'aux bâtiments pour soigner les animaux. La tempête était terminée, même si le ciel demeurait d'un gris ardoise inquiétant et qu'une fine neige continuait à tomber. Elle avait laissée une soixantaine de centimètres de neige que le vent avait balayé dans tous les sens au point de former d'énormes accumulations au pied du moindre obstacle.

Après le déjeuner, chacun s'arma d'une pelle pour dégager les portes et la galerie ainsi que pour ouvrir un chemin entre la maison, l'étable et l'appentis.

— Ça va prendre un méchant bout de temps avant que les routes soient ouvertes, prédit Jean. En tout cas, on va attendre après le jour de l'An pour retourner bûcher dans le bois.

Chapitre 21

Le jour de l'An

Le lendemain, à la fin de l'après-midi, Jean aperçut le traîneau des Marcotte qui avait l'air de revenir du village. Il en conclut que les chemins étaient maintenant dégagés. Antonius Côté était passé avec sa gratte durant l'avant-midi dans le rang Sainte-Anne, mais rien ne prouvait qu'il avait nettoyé les autres rangs.

Soudainement, il vit un autre traîneau apparaître sur la route. L'attelage entra dans la cour. Jean, qui se dirigeait vers l'étable, rebroussa chemin et se dirigea vers le conducteur.

— Bonjour, salua l'inconnu, en retenant son cheval. Est-ce que je suis chez monsieur Bergeron ?

— En plein ça, répondit Jean, intrigué.

— Bonjour, Monsieur. Je suis Ulric Gagné, du rang Saint-Joseph. J'arrête juste pour saluer votre fille Colette, si ça dérange pas, comme de raison.

— T'as ben beau, mon jeune, répondit Jean. T'as qu'à frapper à la porte, les femmes vont te répondre. Attache ton cheval à la rambarde de la galerie. Moi, j'ai mon train à faire.

Sur ces mots, Jean se dirigea vers l'étable.

Après avoir attaché son cheval, Ulric frappa à la porte. Colette vint ouvrir.

— Bonjour, Mademoiselle Bergeron, fit Ulric, intimidé.

— Bonjour, Ulric. Entre donc, sinon on va faire geler toute la maison.

Le jeune homme enleva sa tuque et entra. Il se retrouva devant Annette, Isabelle et Mance qui le dévisageaient.

— Je vous présente Ulric Gagné, du rang Saint-Joseph. C'est le frère d'un de mes élèves. Ses parents m'ont invitée à souper au mois de décembre et Ulric est venu plusieurs fois me rendre service à l'école.

Ulric, un peu gauche, salua les trois femmes.

— Enlève ton manteau et assois-toi, lui offrit Colette, contente d'avoir un visiteur.

— Fais-le passer au salon, lui suggéra sa mère. Vous serez plus à l'aise pour parler.

Ulric suivit Colette dans le salon. Les jeunes gens se racontèrent comment ils avaient passé la fête de Noël et ils échangèrent des nouvelles sur leur famille respective. Voyant que Colette s'était mise instinctivement à le tutoyer, le jeune homme avait fini par l'imiter.

Quand Jean et ses deux garçons revinrent de l'étable, Annette insista pour que leur invité reste à souper.

— Je vous remercie, Madame Bergeron, dit Ulric, mais je ne suis pas venu pour m'inviter à souper chez vous.

— Fais donc pas tant de manières, le coupa Jean. On va juste ajouter un peu d'eau dans la soupe. Assis-toi derrière la table et mange comme tout le monde. On t'empoisonnera pas, aie pas peur.

— Il faudrait peut-être que je m'occupe un peu de mon cheval, fit Ulric, un peu confus.

— Va avec mon garçon. Il va t'aider à le mener à l'écurie, fit Jean.

Quand les deux jeunes gens revinrent à la maison quelques minutes plus tard, ils prirent place à table. Annette vit à ce que l'invité s'assoie entre Louis et Colette et elle servit à Ulric une assiette de dinde et de ragoût.

— Je te préviens qu'à soir, on a juste des restes, dit-elle au jeune homme.

— Des restes comme ça, dit Ulric en regardant le contenu de son assiette, j'en mangerais ben tous les jours, Madame Bergeron.

Annette s'aperçut alors que sa cousine mourait d'envie de questionner Ulric, mais elle s'arrangea pour accaparer la conversation. À la fin du repas, elle dit à Colette :

— On est ben assez nombreuses pour s'occuper de la vaisselle, tu peux retourner dans le salon avec Ulric.

— Je peux aider à essuyer la vaisselle, proposa Ulric.

— Aïe toi ! fit Jean, pince-sans-rire, tu commenceras pas à donner ce pli-là aux femmes de la maison.

Deux heures plus tard, le jeune Gagné quitta les Bergeron avec la permission de venir chercher Colette au jour de l'An pour l'amener fêter dans sa famille.

Sitôt la porte refermée, Mance ne perdit pas de temps.

— On dirait, dit-elle d'un air pincé, que tu vas finir par te caser, ma fille.

— Va pas trop vite, Mance, rétorqua Jean. C'est pas parce qu'Ulric Gagné est venu voir Colette que tout ça va finir au pied de l'autel.

— C'est sûr, p'pa, intervint Colette. Ulric est ben fin et ben serviable, mais c'est pas encore mon cavalier.

— Il est pas laid, dit Annette, et en plus, il m'a l'air ben élevé. Tu pourrais tomber plus mal.

— En tout cas, Colette, si t'en veux pas, je suis ben prête à prendre ta place, moi, dit Isabelle, avec un sourire moqueur. Ce gars-là a les plus beaux yeux noirs que j'ai vus. Je cracherais pas sur lui, moi.

— Regarde-moi la petite dévergondée, dit sa mère, ironique.

— Ben, m'man. J'ai des yeux pour voir.

— Oui, ben regarde, mais touche pas, dit sa sœur. Après tout, c'est moi qu'il est venu voir.

— C'est vrai qu'il savait pas encore que t'avais une aussi belle sœur...

— Commencez pas, vous deux, ordonna Annette.

— En tout cas, il doit pas trop t'haïr pour avoir fait tout ce chemin-là pour venir te voir, conclut Jean Bergeron, en faisant un clin d'œil à sa femme.

Ce soir-là, Colette rêva à Ulric et se promit de se faire belle pour le jour de l'An.

****

Le matin du jour de l'An, Annette trouva son mari assis seul près du poêle et l'humeur sombre. Elle devina immédiatement ce qui l'attristait. Elle s'approcha de lui et l'embrassa sur la joue en lui souhaitant une bonne et heureuse année.

— Je sais que t'aurais aimé ça aller à Saint-Éphrem aujourd'hui pour être avec ton père, ta mère et toute ta famille. Moi aussi, j'aurais aimé ça.

— Si j'avais un peu d'argent, on aurait pris les gros chars et on y serait allés, comme on l'a fait presque tout le temps avant la crise. Ça aurait été facile. La tempête est passée et les chemins doivent pas être si mauvais que ça.

— C'est pas grave, dit Annette. On pourra se reprendre à un moment donné durant le printemps. On trouvera ben le moyen de faire ce petit voyage-là.

— En attendant, cette année, j'aurai pas la bénédiction paternelle, fit Jean, peiné d'être privé de cette tradition à laquelle il tenait.

Puis Jean fit un effort pour chasser ces idées noires. Le moment n'était pas aux regrets et à la tristesse. Il fallait accueillir la nouvelle année avec optimisme en se souhaitant qu'elle réserve de belles surprises et que Dieu nous conserve la santé.

****

Au presbytère, le curé Desmeules était particulièrement guilleret. Après la messe, il partirait avec l'un de ses neveux venu le chercher en automobile pour le conduire à Trois-Rivières. Dans quelques heures, il rejoindrait toute sa famille réunie chez l'un de ses frères. Il avait prévenu l'abbé Surprenant la veille qu'il lui laissait la responsabilité de la paroisse jusqu'au lendemain après-midi. Il ignorait si le vicaire avait fait d'autres projets. Il n'avait rien dit. Il passerait la première journée de l'année tout à fait seul puisqu'Augustine serait chez de la parenté avec son mari. Pour manger, il devrait se débrouiller. Mais ça, ce n'était pas le problème de son curé.

Les paroissiens constatèrent avec plaisir que le sermon du curé Desmeules était bref ce matin-là et ils sortirent de la grand-messe beaucoup plus tôt que d'habitude. Sur le parvis, on s'échangea des vœux de bonne année et des invitations avec une belle humeur qui faisait plaisir à voir.

****

De retour à la maison, les Bergeron retrouvèrent Bernard et Isabelle qui étaient allés à la basse-messe. Dès que Jean eut retiré son manteau et ses bottes, Bernard fit signe à son frère et à ses sœurs de ne pas s'éloigner. Il s'approcha de son père pour lui demander la bénédiction paternelle.

Les quatre enfants se mirent à genoux dans le salon et Jean, très ému, étendit les mains au-dessus de la tête de ses enfants. Il fit une courte prière pour attirer sur eux la bienveillance de Dieu. Annette et Mance, pensant probablement à leurs parents décédés, avaient les larmes aux yeux en regardant la scène, debout dans l'entrée du salon. Elles se rappelaient toutes les bénédictions paternelles qu'elles avaient reçues les années passées.

Lorsque Jean eut terminé, chaque enfant s'approcha de son père soit pour l'embrasser soit pour lui serrer la main.

Le dîner préparé par Annette et ses filles fut particulièrement joyeux. Sitôt la vaisselle lavée, Colette et Bernard allèrent se préparer. Par la fenêtre givrée, Annette vit passer plusieurs traîneaux qui s'en allaient probablement chez les Marcotte qui recevaient toute leur parenté des environs.

Quelques minutes plus tard, Bernard partit à pied rejoindre Pauline chez les voisins et Ulric Gagné fit son apparition en compagnie de son jeune frère Philippe. Après avoir adressé ses souhaits à chacun, il fit monter la jeune fille dans sa carriole.

— Les Gagné sont du monde comme il faut, fit la cousine Mance avec satisfaction, en faisant allusion à la présence du chaperon dans le véhicule. Ils savent qu'une fille se promène pas toute seule avec un garçon.

Pour sa part, Bernard trouva la maison des Marcotte pleine de gens. Eusèbe avait invité à venir célébrer le jour de l'An chez lui les Côté - pour les remercier de leur réveillon de Noël - ainsi que toute sa parenté et celle d'Estelle.

Bernard suivit Pauline dans la chambre de ses parents où tous les manteaux des invités étaient empilés sur le lit. Le jeune homme lui souhaita une bonne année et il aurait bien aimé lui donner un premier baiser, mais une cousine était présente dans la pièce. Cette dernière était parvenue à libérer un coin du lit pour changer les langes souillées de son petit dont les pleurs assourdissants prouvaient assez qu'il n'appréciait pas du tout ce que lui faisait sa mère.

La grande cuisine était méconnaissable. On avait poussé la table contre l'un des murs et on avait disposé des chaises et des bancs le long des cloisons. Estelle et ses filles avaient placé sur la table des plats de sucre à la crème, de « bonbons aux patates » et de sucre d'orge. Les hommes occupaient l'une des extrémités de la pièce et parlaient de politique. Les femmes s'étaient regroupées à l'autre bout de la cuisine et discutaient de couture, de tricot et surtout, de leurs enfants.

Les jeunes gens, pour leur part, s'étaient réfugiés dans le salon. Ceux qui étaient venus avec un ami ou une amie de cœur surveillaient de près ceux et celles qui étaient dépourvus de cavalier ou de cavalière. Henri et Germaine Côté, à titre de nouveaux fiancés, étaient en vedette. On se racontait ses bons coups et on prenait des nouvelles des absents.

Les enfants les plus jeunes étaient des nomades malaimés qui refluaient d'une pièce à l'autre selon l'humeur des premiers occupants. Tantôt, ils occupaient le centre de la cuisine jusqu'au moment où leurs jeux trop bruyants ou leurs galopades obligeaient les adultes à les calmer. Tantôt, ils se glissaient dans le salon d'où les jeunes gens les chassaient sans ménagement. En désespoir de cause, quelques-uns s'étaient installés provisoirement sur les marches de l'escalier qui menait à l'étage, forçant ainsi leur mère à les surveiller de loin.

Pauline présenta d'abord Bernard Bergeron aux parents qui ne le connaissaient pas et il y eut des échanges de vœux accompagnés de poignées de main et baisers sur les joues. Ensuite, elle le conduisit au salon où ils trouvèrent difficilement une place libre où s'asseoir.

— Qu'est-ce que tes parents font aujourd'hui ? demanda la jeune fille.

— Pas grand'chose. On a pas de parenté près de Saint-Anselme. Il y a juste Colette qui est partie passer la journée chez les Gagné du rang Saint-Joseph.

— Ils vont pas passer la journée tout seuls au moins ?

— Non. Je pense que François va aller faire un tour cet après-midi.

— Attends, je reviens, dit la jeune fille en se levant.

Pauline alla voir sa mère dans la cuisine et lui chuchota quelques mots à l'oreille.

— Va me le chercher, dit Estelle.

Pauline revint quelques instants plus tard, accompagnée de Bernard.

— Bernard, tu vas retourner chez vous et dire à tes parents que je les attends avec la cousine, ton frère, ta sœur et le bébé, ordonna Estelle. Dis-leur d'amener aussi François Riopel. J'accepterai pas de défaite. Il y a de la place en masse ici et on va danser tout à l'heure. Dis-leur de se grouiller, je les attends.

Pauline retourna dans la chambre de ses parents chercher le manteau de son cavalier et ce dernier retourna à la maison.

— Ça a presque pas d'allure, dit Annette, tentée par l'invitation. Leur maison doit déjà être pleine de monde.

— S'ils nous invitent, c'est qu'ils veulent nous voir, fit Jean, tout ragaillardi à l'idée de ne pas passer le jour de l'An tout seul. On y va.

— Pendant que vous vous préparez, dit Bernard, je vais aller avertir François. Je vais revenir chez les Marcotte avec lui.

Vingt minutes plus tard, les Bergeron firent leur entrée chez leurs voisins, suivis de près par François et Bernard. Maurice et Jocelyn trouvèrent dans la cuisine d'été des sièges supplémentaires pour les nouveaux arrivés et la fête continua.

De temps à autre, Eusèbe allait chercher un cruchon de caribou pour en offrir aux hommes, tandis qu'Estelle ou l'une de ses filles distribuait des verres de vin de cerises aux femmes. Il y avait de la boisson gazeuse pour les plus jeunes.

Du côté des hommes, on mettait en boîte Aurèle Lacoste, un organisateur du Parti conservateur et un cousin d'Eusèbe. On lui reprochait d'avoir travaillé à l'élection de Bennett, l'année précédente.

— Vous saurez, clama-t-il en se rengorgeant, que Bennett est un maudit bon homme. Il est aussi bon que Roosevelt aux États-Unis. Il y a personne qui pourrait faire mieux que lui.

— Je comprends, dit, sarcastique, Trefflé Marcotte, le frère aîné d'Eusèbe. Depuis qu'il est là, le chômage a doublé et les prix ont pas arrêté de tomber. C'était pas facile à faire.

— Voyons donc, Trefflé, tu sais aussi ben que moi qu'il y a pas un maudit libéral qui aurait donné autant d'argent que Bennett pour aider le monde à traverser la crise.

— Où est-ce qu'il est, cet argent-là ? fit Isidore Bellavance, le frère d'Estelle. Torrieu, j'ai jamais été aussi pauvre ! Cette année, j'ai eu ma meilleure récolte depuis 20 ans ; ça m'a presque rien rapporté. Je vais avoir de la misère à payer mes semences le printemps prochain.

Il y eut des exclamations prouvant que cette opinion était largement partagée dans l'auditoire.

— Mon avis est que les conservateurs, c'est juste un parti bon pour la conscription. À part ça, quand ils ont la chance d'avoir le pouvoir, tout ce qui les intéresse, c'est de s'engraisser sur notre dos.

— Je pense que vous connaissez rien à la politique, dit Lacoste, fâché. Vous devriez lire les journaux un peu. Bennett a augmenté les douanes pour nous protéger des Américains. Il a donné de l'argent aux cultivateurs de l'Ouest qui crevaient de faim. Il fournit de l'argent pour aider les chômeurs. En plus, il va aider Taschereau - même si c'est un libéral - à organiser un programme de colonisation. Il se pourrait même que dès cette année, il organise des camps de travail pour donner de l'ouvrage aux chômeurs. On m'a dit que l'histoire de cette nouvelle route à travers le Canada, c'était sérieux. Trouvez-moi donc un premier ministre libéral qui en a fait autant. C'est tout de même pas de sa faute s'il y a une crise économique.

Le ton montait dangereusement. Eusèbe, pour faire diversion, parla d'électricité.

— En tout cas, moi, j'attends l'électricité.

— Le docteur Philippe Hamel, dit Elphège Marcotte, un oncle d'Eusèbe, est en train de faire une bonne job. J'ai été l'écouter l'automne passé à Saint-Hyacinthe. Il gueule contre les trusts et il a raison parce que c'est à cause d'eux que les cultivateurs ont pas encore l'électricité dans les campagnes.

— Pour une fois, on a un libéral intelligent, laissa tomber Aurèle Lacoste.

— Peut-être pas libéral pour longtemps encore, ajouta un frère d'Estelle. Il paraît que Gouin est tanné de voir Taschereau rien faire. Il y en a qui disent qu'il va créer un autre parti avec Hamel et quelques autres députés.

— En tout cas, dit Eusèbe, j'ai hâte en sacrifice de voir arriver l'électricité chez nous. Y avez-vous pensé, vous autres ? La vie va être ben plus facile. Plus de lampe à huile, plus de fanal... On va toujours pouvoir voir comme en plein jour.

Cette dernière remarque d'Eusèbe suscita des murmures d'approbation.

— Dis donc, Gustave, fit Eusèbe en se tournant vers son frère cadet, t'aurais pas apporté ton violon par hasard ? On pourrait peut-être danser un peu. Qu'est-ce que vous en pensez, vous autres ? demanda-t-il aux gens autour de lui.

— Ça se pourrait, répondit l'interpellé, mais un petit coup de remontant pourrait m'aider à retrouver plus vite mon violon.

Les hommes éclatèrent de rire et Eusèbe s'empressa de lui tendre le cruchon qu'il tenait à la main. Après une rasade, son frère passa au salon chercher Maurice, qui était assez bon accordéoniste. Tous les deux montèrent à l'étage chercher leur instrument qu'ils avaient mis hors de portée des enfants.

Pendant ce temps, Estelle était parvenue à s'asseoir quelques instants auprès d'Annette. Elle lui demanda à voix basse :

— Comment tu te débrouilles avec ta cousine ? J'espère qu'elle te fait pas trop étriver.

— J'aimerais autant que tu m'en parles pas, fit Annette dont l'humeur changea en entendant évoquer la présence de Mance Parenteau. Moi, je suis encore capable de l'endurer, mais je pense que les filles commencent à la trouver pas mal haïssable. Elle arrête pas de leur faire des remarques déplaisantes... Une chance que je les ai ben élevées, mais je sens que ça va finir par éclater. Ce sera pas long.

— C'est vrai qu'elle est pas piquée des vers, ta cousine, chuchota Estelle en riant. Je l'ai entendue dire à ma sœur, tout à l'heure, qu'elle trouvait qu'elle portait une robe pas mal courte pour une mère de famille. Si les yeux de ma sœur avaient été des fusils, ta cousine serait morte.

— Elle est vraiment pas sortable, reprit Annette. Une chance qu'elle va disparaître le lendemain des Rois. Je te dis qu'il sera pas tard ce matin-là quand Jean va aller la reconduire aux gros chars.

— Sais-tu, j'ai pensé à quelque chose, poursuivit Estelle sur un ton plus sérieux. Ça me regarde pas, mais as-tu pensé qu'elle pourrait faire l'affaire comme cuisinière du curé. Jamais je croirai qu'une femme de cet âge-là peut pas faire la cuisine.

— Tu peux lui en parler si ça te tente, répliqua Annette qui n'y croyait pas trop. J'aime autant pas m'en mêler.

Les deux musiciens descendirent l'escalier avec leur instrument et ils prirent place dans la cuisine. Arthur Tremblay, un cousin d'Estelle, se leva pour « caller un set carré ».

Alors, des femmes obligèrent leur mari à venir danser et les jeunes, impatients de bouger, s'empressèrent de sortir du salon dès les premiers sons émis par l'accordéon de Maurice. Pendant un bon bout de temps, toute la maison vibra au son de la musique entraînante. Des adultes durent entraîner les enfants hors de la piste improvisée à plusieurs reprises. Malgré tout, certains d'entre eux s'entêtaient à vouloir tourner avec leurs parents au risque de se faire piétiner.

Dès que les danseurs s'essoufflaient, quelqu'un s'avançait pour danser une gigue ou pour chanter une chanson à répondre. Il y avait alors des appels. On demandait à une personne de chanter et, le plus souvent, cette personne se faisait un peu prier pour la forme avant de se lever et d'y aller de sa contribution à la fête. Puis, la danse reprenait et les danseurs se précipitaient au centre de la pièce.

La chaleur était devenue étouffante au point qu'Eusèbe avait dû presque laisser mourir le feu dans le poêle.

À la fin de l'après-midi, quelques jeunes quittèrent la maison une heure ou deux pour aller s'occuper des animaux pendant que la fête battait son plein. Il y eut une pause qui permit aux musiciens de se reposer un peu.

Les femmes sortirent alors des plateaux de sandwiches, des gâteaux et des tartes qu'elles distribuèrent à la ronde. On entrouvrit une porte pour renouveler l'air de la maison. L'obscurité était tombée à l'extérieur, mais personne ne parlait de partir, pour le plus grand plaisir d'Eusèbe et d'Estelle.

La fête continua ainsi jusqu'au milieu de la soirée. À plusieurs occasions, François, oubliant quelques instants son deuil, invita Isabelle à danser.

Finalement, lorsque les enfants se mirent à pleurer et à geindre de fatigue, les mères commencèrent à les habiller. Ce fut le signal. Peu à peu, les parents de jeunes enfants remercièrent leurs hôtes et partirent. Ils furent très vite suivis par les gens âgés. Certains invités aidèrent les Marcotte à remettre un peu d'ordre dans la maison. Pendant que les femmes ramassaient la vaisselle qui traînaient un peu partout, les hommes replaçaient les meubles et allaient porter les chaises et les bancs aux endroits indiqués par Eusèbe.

Quand la porte se referma sur le dernier invité, Estelle dit à ses filles :

— Laissez faire la vaisselle, les filles. On est trop fatigué. On la fera demain matin.

Mariette et Pauline ne se firent pas prier. Elles s'empressèrent de monter à leur chambre et de se mettre au lit. Les garçons les imitèrent.

Demeurés seuls, Eusèbe et Estelle décidèrent de s'asseoir quelques instants pour se détendre un peu avant d'aller se coucher.

— C'était une maudite belle fête ! dit Eusèbe. C'est de valeur que Marie ait pas été là. Elle aurait aimé ça.

— Oui, c'était ben réussi. Les gens ont ben mangé et se sont ben amusés, ajouta Estelle en afffichant un air satisfait. On va en entendre parler longtemps. En partant, ton frère Gustave et sa femme m'ont dit que c'est eux autres qui allaient en organiser une l'année prochaine.

Eusèbe se leva un instant pour jeter une bûche dans le poêle.

— En tout cas, dit-il, notre future bru a pas eu l'air trop mal à l'aise avec la famille. Son père et sa mère ont pas eu l'air de s'ennuyer, eux autres non plus.

— Non, et en plus, elle nous a donné un bon coup de main. Je pense que notre Henri a choisi la fille qu'il lui fallait. À propos, tu devineras jamais. J'ai parlé à la cousine de nos voisins que le curé cherchait une ménagère. Elle a eu l'air intéressée. Elle m'a même dit qu'elle irait voir le curé Desmeules cette semaine.

— Je sais pas trop si ça va plaire à Jean de la voir s'installer aussi près si ça marche, dit Eusèbe, songeur.

— C'est vrai qu'elle serait pas mal proche, convint Estelle, mais c'est tout de même mieux que de l'avoir à la maison. Si c'est vrai qu'il peut pas la voir en peinture, je pense qu'il va aimer mieux la savoir au village que dans sa cuisine.

Chapitre 22

Mance Parenteau

Le lendemain du jour de l'An, chacun retourna à ses occupations. Pour la plupart, la période des Fêtes était presque finie. Il ne restait que la fête des Rois.

Le jour suivant, au milieu de l'avant-midi, Jean partit avec Bernard et Louis bûcher malgré un froid assez vif. À leur retour, les trois hommes virent François Riopel s'arrêter dans la cour. Jean invita son jeune voisin à entrer.

À leur arrivée, Annette et Mance cuisinaient pendant que Colette tricotait près de la fenêtre et qu'Isabelle s'amusait avec la petite Aurore.

François salua tout le monde, enleva son manteau et prit sa petite fille qu'Isabelle lui tendait.

— Je suis arrêté, Monsieur Bergeron, pour vous proposer quelque chose, dit François. Je suis allé tout à l'heure à la fromagerie. Jos Dupras m'a demandé si ça m'intéressait de le fournir en glace jusqu'à la fin de l'hiver. L'ouvrage m'intéresse parce c'est assez payant, mais il faut être deux pour le faire. Si ça vous le dit, on se mettrait ensemble et on partagerait les gages.

— T'as déjà fait cette job-là ?

— Oui, il y a deux ans avec Riendeau. C'est pas facile, mais c'est faisable. Tout ce qu'on a à faire, c'est de découper des blocs de glace sur la rivière et de les apporter à la fromagerie. Dupras en a besoin pour conserver la crème et je sais pas trop quoi.

— C'est pas trop dangereux, cette affaire-là ? demanda Annette, alarmée.

— Ben non, Madame Bergeron. On fait attention.

— C'est correct, dit Jean. Bernard est capable de se débrouiller tout seul pour bûcher et un peu d'argent fera pas de tort.

— O.K. Demain, je dirai à Dupras qu'on va s'occuper de sa glace.

— Si ça vous fait rien, p'pa, dit Bernard, j'irai avec vous autres le premier jour pour voir comment on coupe la glace. On sait jamais, ça pourra toujours me servir.

— T'as ben beau de venir si ça te tente, répondit Jean.

Avant le dîner, Mance Parenteau demanda à Louis s'il pouvait la conduire au village au début de l'après-midi. Pendant un moment, Jean espéra qu'elle les quittait pour rentrer chez elle, mais il fut déçu quand il entendit la quinquagénaire ajouter, en s'adressant à Annette :

— Sais-tu, je pense que je vais aller voir monsieur le curé pour voir si je ferais pas son affaire comme cuisinière. Ta voisine m'a dit qu'il en cherchait une. S'il est pas trop malcommode, j'haïrais pas ça faire à manger pour des prêtres.

Jean jeta un coup d'œil à sa femme et ne dit pas un mot.

Après le repas, Mance mit sa plus belle robe et partit avec Louis, tout heureux d'échapper au travail dans le bois.

Cet après-midi-là, quand Mance Parenteau se présenta au presbytère, Augustine Durand la fit passer dans la salle d'attente.

— Je vais aller prévenir monsieur le curé, dit-elle sèchement à la visiteuse.

Quand le curé Desmeules fit passer cette dernière dans son bureau, il trouva qu'elle ressemblait étrangement à Augustine : même taille, à peu près le même âge et la même tenue rigide. Pendant que le prêtre prenait place derrière son bureau, les yeux de Mance examinaient derrière ses petites lunettes rondes la pièce où elle se trouvait.

— Que puis-je faire pour vous, Madame ?

— Je suis une parente des Bergeron du rang Sainte-Anne, Monsieur le curé, et j'ai appris que vous cherchiez une ménagère. Comme je suis veuve et sans enfants, j'ai pensé que je pourrais peut-être faire l'affaire, si je vous conviens, bien sûr.

Le curé la scruta durant quelques instants avant de la questionner. Satisfait des réponses obtenues, il finit par lui dire :

— Bon, si vous savez faire un bon ordinaire, je pense que ça devrait aller, Mance, et...

— Excusez-moi, Monsieur le curé, l'interrompit Mance Parenteau, l'air pincé, mais je préfère que vous m'appeliez madame Parenteau.

— D'accord, Madame Parenteau. Allez voir Augustine. Elle va vous mettre au courant de ce que vous aurez à faire et elle vous montrera votre chambre. Si ce n'est pas trop vous demander, j'aimerais que vous commenciez dès demain. Cela fait longtemps qu'Augustine attend pour retourner chez elle s'occuper de son mari. Voyez ça avec elle.

— Très bien, Monsieur le curé, dit Mance en se levant.

Le curé lui montra où se trouvait la cuisine et il la présenta à Augustine avant de se retirer dans son bureau.

La ménagère du curé ressentit tout de suite une certaine antipathie envers celle qui venait la remplacer.

Dès les premiers instants, cette dernière fit montre d'un tel aplomb et d'une telle confiance en elle qu'Augustine se limita à lui expliquer où se trouvaient les choses et l'horaire du curé et de son vicaire. Elle lui fit faire une visite éclair des principales pièces du presbytère et lui parla des menus préférés des deux ecclésiastiques, sans mentionner ses recettes personnelles.

Au bout d'une heure, Augustine Durand n'avait plus rien à lui apprendre. Elle reconduisit sa remplaçante à la porte. Avant de quitter, Mance, prise d'une soudaine inquiétude, lui demanda :

— J'espère que monsieur le curé et son vicaire sont pas trop difficiles à endurer ?

— Vous en faites pas avec ça, répondit l'autre. Ce sont deux hommes. Il suffit de les mettre à votre main et de pas leur passer tous leurs caprices.

Un peu rassurée, Mance sortit du presbytère et alla retrouver Louis qui l'attendait, tel que promis, au magasin général. Olivette Beaudet, qui l'avait vue sortir du presbytère, se demandait bien ce que cette étrangère était venue faire là. Puis elle se dit qu'elle l'apprendrait par son amie Augustine quand elle la verrait.

Lorsque Annette apprit à Jean que la cousine Mance deviendrait la nouvelle ménagère du curé Desmeules dès le lendemain matin, il ne sut pas s'il devait se réjouir de la nouvelle. Il lui semblait qu'elle allait demeurer un peu trop près de la maison. Il aurait mille fois préféré qu'elle retourne à Sainte-Marie, chez son frère.

— En tout cas, lui chuchota-t-il, je suis prêt à attendre un autre dix ans pour lui revoir la face.

La cousine occupa une partie de la soirée à écrire à son frère de lui envoyer ses affaires le plus tôt possible au presbytère de Saint-Anselme. Pendant qu'elle cachetait sa lettre, elle ne put s'empêcher de dire à Jean, occupé à mettre une bûche dans le poêle :

— Ce pauvre Adrien, il va trouver ça ben dur que je sois plus là pour lui faire à manger et tenir sa maison. Je sais vraiment pas comment il va faire. Il va falloir que sa femme se grouille un peu et fasse quelque chose dans la maison.

— Inquiète-toi pas, Mance, il va s'en sortir. Il y a personne d'irremplaçable, répondit Jean, sarcastique. En plus, au presbytère, tu vas être ben placée pour prier pour lui.

La cousine leva la tête pour voir s'il ne se moquait pas d'elle alors que Isabelle réprimait difficilement un sourire moqueur.

Le lendemain avant-midi, Mance Parenteau partit avec sa valise sans un mot de remerciement pour ses hôtes qui l'avaient hébergée presque deux semaines. Elle les quitta sur la promesse de revenir les voir souvent.

Lorsque la porte se referma sur elle, Isabelle se jeta à genoux au milieu de la cuisine sous les yeux étonnés de Bernard et de ses parents.

— Seigneur ! faites que le curé Desmeules l'empêche de sortir du presbytère. Ayez pitié de nous !

Jean et Bernard éclatèrent de rire, mais Annette, sévère, dit à sa cadette :

— Isabelle, arrête tes singeries et viens m'aider. C'est pas parce que Mance a un caractère un peu difficile qu'il faut oublier que c'est une parente. Qu'est-ce que tu fais de la charité chrétienne ?

— Je pensais que charité ben ordonnée commençait par soi, répliqua la jeune fille.

— Fais pas l'effrontée et arrive.

Aussi étonnant que cela puisse paraître, la transition entre Augustine Durand et Mance Parenteau se fit sans heurt au presbytère. La nouvelle ménagère n'avait peut-être pas bon caractère, mais elle était aussi bonne cuisinière que celle qui l'avait précédée et le ménage était aussi bien fait. Dès les premiers jours, le curé Desmeules et son vicaire apprirent très vite à trouver des prétextes pour échapper au récit sans fin de ses malheurs passés et à la féliciter après chacun des repas. De plus, si les deux prêtres ne laissaient rien traîner et respectaient la propreté des parquets, la paix ne pouvait que régner dans le presbytère.

****

La veille du jour des Rois, François Riopel vint chercher Jean et Bernard pour aller couper de la glace sur la rivière. Les hommes partirent avec deux traîneaux sur lesquels ils avaient déposé des scies, des pelles, deux leviers, un vilebrequin et des crochets. Ils descendirent sur la rivière au bout de la terre de François.

Ce dernier repéra un endroit situé près de la rive que le vent avait balayé.

— C'est ici qu'on a pris notre glace il y a deux ans. C'est une bonne place.

Il y avait peu de neige à pelleter avant d'arriver à la glace. Après avoir dégagé un espace d'environ cinq mètres carrés, François se servit du long vilebrequin pour percer la glace qui avait un peu plus de trente centimètres d'épaisseur. Avec les leviers, les hommes agrandirent le trou afin de pouvoir y engager la lame d'une scie.

Scier des blocs de glace d'une longueur d'environ un mètre se révéla beaucoup plus éreintant que de scier du bois. Hisser ces blocs sur la glace de la rivière avec les crochets et les tirer jusqu'aux traîneaux n'étaient pas une mince affaire non plus. De plus, les travailleurs devaient supporter la morsure d'un vent glacial qui soufflait sur la rivière sans qu'aucun obstacle le ralentisse.

Lorsque les trois hommes rentrèrent chez eux après avoir laissé les blocs de glace à la fromagerie, ils étaient épuisés et gelés jusqu'aux os.

— C'est parce qu'on a pas l'habitude, décréta Jean. Dans un jour ou deux, on aura pris le pli et ce sera pas plus difficile qu'autre chose.

Bernard ne dit pas un mot, mais il en doutait.

****

Le jour des Rois, il n'y eut pas de grande fête chez les Bergeron et chez les Marcotte. Dans les deux foyers, les femmes préparèrent tout de même un gâteau spécial dans lequel furent dissimulés une fève et un pois. On tenait à perpétuer cette tradition.

Le dimanche précédent, Pauline avait invité Bernard à souper pour l'occasion et Colette, poussée par sa mère, en avait fait autant avec Ulric Gagné quand le jeune homme était venu saluer les deux femmes après la messe.

Ce soir-là, Annette et Estelle aidèrent un peu le hasard sans se consulter. Pauline et Bernard découvrirent le pois et la fève dans leur portion de gâteau et ils furent élus roi et reine, élection scellée par l'échange d'un baiser devant tous les convives, à la plus grande confusion de Bernard. Autour de la table, les moqueries de Jocelyn, de Maurice et de Henri ne firent rien pour mettre le jeune homme timide à l'aise.

Le même scénario se produisit chez les Bergeron. François découvrit le pois dans son morceau de gâteau, mais il n'en souffla pas mot jusqu'à ce qu'une exclamation d'Isabelle lui apprit qu'elle venait de trouver la fève dans le sien. Elle rougit lorsque le jeune veuf se pencha vers elle pour l'embrasser sur la joue, comme le voulait la tradition.

Le lendemain après-midi, Ulric Gagné revint dans le rang Sainte-Anne avec son jeune frère Philippe. La veille, avant son départ, Colette lui avait confié la clé de l'école lorsqu'il lui avait proposé d'aller allumer la fournaise durant l'avant-midi, avant son arrivée. Maintenant, il venait la chercher pour la ramener à l'école.

Sans se l'avouer, la jeune fille était de plus en plus sensible aux attentions délicates de son chevalier servant qui allait au devant du moindre de ses désirs.

Avant de les quitter, elle embrassa son père et sa mère.

— À vendredi prochain, dit-elle à son père, au moment de monter dans le traîneau d'Ulric.

— Si ça vous dérange pas et si ça dérange pas votre fille, Monsieur Bergeron, je viendrai la conduire aussitôt qu'elle sera prête, proposa le jeune homme.

— Si vous êtes chaperonnés, il y a pas de problème, répondit Jean avec un sourire malicieux.

Quand il rentra dans la maison, Jean dit à sa femme :

— On dirait que notre Colette s'est trouvée un cavalier sérieux.

— Pourquoi tu dis ça ?

— C'est lui maintenant qui va s'occuper de la transporter de l'école à la maison.

— Pourvu qu'elle reste une fille sérieuse, laissa tomber la mère, c'est ça qui est important. J'espère qu'elle se souvient qu'il est pas question qu'elle reçoive un garçon dans l'école.

— Casse-toi pas la tête avec ça. Tu connais Colette. C'est pas elle qui va oublier le règlement, même pas pour les beaux yeux d'un gars.

— Bon. Qu'est-ce que tu dirais de me débarrasser tout de suite du sapin ? On a enlevé toutes les décorations. Il est tellement sec qu'il perd toutes ses aiguilles et on passe notre temps à balayer la cuisine pour les ramasser. Sors-le avec la chaudière de terre ; je veux pas de dégât sur mon plancher.

Jean sortit l'arbre de la maison. Ce geste signifiait que la période des Fêtes était bel et bien terminée.

****

Colette était heureuse de retrouver son école. Dès son arrivée, elle s'aperçut qu'Ulric avait non seulement chauffé l'école, mais il avait aussi pelleté la neige et dégagé un chemin jusqu'à la porte. Elle le remercia avec effusion après qu'il eut déposé sa valise et sa boîte de nourriture sur son pupitre. Au moment de prendre congé, il lui donna rendez-vous le vendredi après-midi suivant.

Ce soir-là, au moment où Colette, impatiente de revoir ses élèves, se plongeait dans la préparation de ses classes, Louis revenait à la maison après avoir passé quelques heures avec des jeunes du village au magasin général.

— Je vous dis que ça jase au magasin, dit-il à sa mère.

— Ah oui ! On parle de quoi ?

— Du bedeau. Marcelin Delorme dit que le bedeau a le taquet ben bas. Ça fait juste quelques jours que sa femme reste à la maison toute la journée et il paraît qu'elle le fait courir en pas pour rire. Marcelin dit que le curé lui a envoyé tout un boss.

— Voyons donc ! fit Annette, ça peut pas être aussi pire que ça.

— Moi, je vous le dis, m'man, je pense que le bedeau va finir par vous en vouloir à mort d'avoir envoyé la cousine Mance prendre la place de sa femme au presbytère. Quand sa femme était là, Marcelin dit que Léo Durand trouvait toujours une minute pour souffler, mais maintenant, elle lui trouve de l'ouvrage du matin au soir.

— Ça lui apprendra à se marier, fit Jean pour taquiner sa femme. Quand on se marie, mon garçon, c'est souvent ce qui arrive. C'est la fin de la liberté d'un homme.

— Oui, t'es ben placé pour te plaindre, toi, rétorqua Annette. On a qu'à te regarder, les pieds sur la bavette du poêle, en train de fumer ta pipe, pour se rendre compte que t'es un esclave qui a pas une minute pour souffler.

— Parlant d'ouvrage, dit Louis, je retourne demain matin à Montréal avec Riendeau. C'est pas en restant ici que je vais m'en trouver.

Ses parents, qui s'attendaient plus ou moins à son départ prochain, ne firent aucun commentaire.

Quand il partit le lendemain, ils lui souhaitèrent bonne chance et l'invitèrent à revenir s'il ne trouvait pas d'emploi.

****

Quelques jours plus tard, tel qu'il était entendu depuis l'automne précédent, Maurice Marcotte partit pour Drummondville s'installer chez son cousin Alfred Lemire. Le jeune homme avait hâte de commencer son travail d'apprenti mécanicien et aussi, de connaître un peu la vie en ville, même si Drummondville était loin de ressembler à Montréal. En quittant ses parents, il leur avait promis de revenir vers la mi-février.

Si Estelle n'aimait pas tellement voir son fils aller s'installer en ville quelques semaines ; pour sa part, Eusèbe ne s'inquiétait pas trop. Il lui restait deux fils à la maison pour l'aider à couper du bois. D'ailleurs, sa provision de bois de chauffage était telle que les trois hommes n'iraient dans le bois que lorsque la température ne serait pas trop rigoureuse.

Chapitre 23

L'incendie

En ce début de l'année 1932, le temps clément ne dura que quelques jours, au début de janvier. Très vite, le mercure oscilla entre moins 20 et moins 30 degrés. Le moindre redoux était marqué par des chutes de neige abondantes, qui eurent tôt fait de faire disparaître les poteaux de clôture. Les bancs de neige furent bientôt si hauts que des maisons, on ne pouvait plus voir la route.

Les Bergeron et François Riopel s'étaient entendus. Ils consacraient trois jours par semaine à découper de la glace pour la fromagerie et trois jours à abattre des arbres et scier du bois. Quand il tombait une bordée de neige, ils rageaient de perdre autant de temps à pelleter. La neige compliquait tout et rendait leur labeur plus difficile autant dans la forêt que sur la rivière.

Évidemment, il fallait surchauffer la maison. Par prudence, on laissait éteindre le poêle toutes les trois ou quatre semaines pour nettoyer les tuyaux. Annette avait une peur bleue d'un feu de cheminée et elle n'était rassurée que lorsque les tuyaux étaient bien propres.

Une nuit, à la fin de janvier, les Bergeron furent réveillés en sursaut. Quelqu'un martelait leur porte de grands coups de poing et poussait des cris. Jean enfila son pantalon, alluma une lampe et alla ouvrir pieds nus. Il se retrouva devant un François Riopel à bout de souffle.

— Vite ! Monsieur Bergeron, il y a le feu chez les Riendeau.

— J'arrive, dit Jean.

— Je vais aller demander à Eusèbe Marcotte d'avertir quelqu'un du village par téléphone et je vous rejoins là-bas.

Avant même que Jean ait pu répliquer quoi que ce soit, François avait sauté dans son traîneau et fouettait son cheval.

— Veux-tu ben me dire ce qui arrive ? demanda Annette qui sortait de la chambre, mal réveillée. Il est trois heures du matin, dit-elle en jetant un coup d'œil à l'horloge.

— Ça brûle chez les Riendeau, répondit Jean, en s'habillant. Va réveiller Bernard. Je vais aller atteler. Ça va être plus vite que d'y aller à pied, même si c'est juste chez le deuxième voisin.

Cinq minutes plus tard, Jean se mettait en route aux côtés de Bernard. Il gelait à pierres fendre et les deux hommes voyaient de loin les flammes chez leur deuxième voisin.

À leur arrivée sur les lieux, il y avait déjà une dizaine de personnes qui couraient en tous sens autour de l'étable en flammes et d'autres arrivaient. Le feu crépitait et les meuglements des vaches étaient assourdissants. Les flammes étaient déjà hautes et léchaient la toiture.

Quelqu'un agrippa un Vincent Riendeau hors de lui qui voulait à tout prix aller libérer ses vaches prisonnières du brasier.

— Non, Riendeau, n'y va pas, tentait de le raisonner le fromager, l'un des premiers arrivés sur les lieux. Tu vas y laisser ta peau. La couverture est en feu et elle va te tomber sur la tête. Tes bêtes sont perdues. Pense plutôt à sauver ta maison.

François, qui venait d'arriver, se glissa près de Jean et lui montra Agathe Riendeau, debout dans la neige à mi-jambes, entourée de quelques-uns de ses 13 enfants.

— Je vais lui dire de s'en aller chez nous avec les plus jeunes, dit-il, au cas où la maison y passerait. Si elle reste dehors avec eux, ils vont tous crever de froid.

Jean le vit discuter un moment avec la voisine. Au bout d'un moment, cette dernière rentra dans la maison et en ressortit quelques instants plus tard avec ses six plus jeunes enfants qui s'entassèrent dans le traîneau de François Riopel. La femme prit les rênes et s'en alla. Les autres enfants du couple restèrent pour aider à combattre l'incendie avec leur père et les voisins.

Les bénévoles continuaient à arriver. Un nommé Lambert du rang voisin chercha à mettre fin à la pagaille. D'une voix forte, il cria aux hommes d'oublier les bêtes et de former une chaîne jusqu'au puits. Lui-même et Maurice Marcotte, arrivé sur les lieux avec son frère et son père, se placèrent à l'extrémité de la chaîne et se mirent à jeter sur le brasier les chaudières remplies d'eau qu'on leur passait.

Quand les pompiers volontaires furent assez nombreux, on forma une seconde chaîne dans l'espoir de contenir l'incendie et de l'empêcher de se communiquer à la grange et à la maison. Même si l'étable était à bonne distance de cette dernière, on craignait que les étincelles qui se détachaient du brasier mettent le feu à la toiture.

La cour et une bonne partie de la route étaient maintenant encombrées de traîneaux, et les nouveaux arrivants, faute d'endroit où entraver leur cheval, les attachaient au traîneau précédent.

À un moment donné, Eusèbe se retrouva près de Jean et lui dit :

— Je pense que presque tout le village est rendu ici. Avant de partir, j'ai appelé les Dugas qui ont fait passer le message à d'autres qui avaient le téléphone. Pour une fois que ce maudit appareil sert à quelque chose d'utile.

Une heure et demie plus tard, il y eut un grondement sourd et l'étable s'écroula dans une pluie d'étincelles et de tisons. Les hommes reculèrent vivement pour ne pas être atteints. Depuis un bon moment, on n'entendait plus les vaches meugler. Les flammes diminuèrent d'intensité, mais elles demeuraient menaçantes. Si les bénévoles qui se tenaient près du brasier avaient du mal à en supporter la chaleur ; par contre, les autres étaient couverts de glace et leurs moufles et leurs vêtements mouillés les faisaient grelotter.

Quand les premières lueurs de l'aube apparurent, l'incendie était presque éteint. Il n'y avait plus que quelques flammes qui léchaient encore les restes des poutres calcinées de l'étable. Le spectacle était désolant, mais on avait sauvé l'essentiel : la maison.

On arrêta de faire la chaîne, et Agathe Riendeau, qui avait dû surveiller l'incendie de chez François Riopel, revint chez elle avec ses enfants.

Peu à peu, les bénévoles quittèrent les lieux après avoir dit quelques mots d'encouragement à Vincent Riendeau. Bientôt, il ne resta plus que les plus proches voisins de la famille éprouvée. Agathe sortit et les invita à venir se réchauffer à l'intérieur. La plupart acceptèrent, plus pour réconforter les Riendeau que pour trouver un peu de chaleur.

Les hommes s'entassèrent dans la cuisine après avoir placé près du poêle leurs manteaux et leurs moufles mouillés.

— Comment c'est arrivé ? demanda Eusèbe à Vincent Riendeau.

— Je le sais pas. Peut-être une étincelle quand j'ai allumé mon fanal hier soir pour faire mon train. Elle est peut-être tombée sur du foin, va donc savoir. Le feu a dû couver toute la soirée. Je me suis rendu compte de rien. C'est François qui est venu m'avertir.

François se rapprocha des deux hommes en entendant prononcer son prénom.

— Je me suis levé vers deux heures et demie pour mettre une bûche dans le poêle, dit-il à Eusèbe Marcotte. En regardant par la fenêtre, j'ai aperçu une lueur rouge au-dessus de son étable. Pas nécessaire de vous dire que je me suis habillé vite pour venir l'avertir. Après ça, je me suis dépêché pour aller prévenir les voisins.

— Mes vaches ! dit Riendeau, désespéré.

— T'en auras d'autres, dit Eusèbe. Tu le sais comme moi qu'il y avait rien à faire pour les sauver. L'important, c'est que ta maison et ta grange sont encore debout.

— C'est vrai, mais sans vaches, ça va être difficile en maudit de nourrir les enfants. Je sais pas pantoute comment on va arriver. On va recommencer à zéro.

— Énerve-toi pas avec ça. Tu vas t'en sortir, répliqua François. Au printemps, on fera une corvée et t'auras une étable neuve.

Quelques minutes plus tard, chacun rentra chez soi.

Lors de la grand-messe du dimanche suivant, le curé Desmeules félicita ses paroissiens pour leur sens de l'entraide et il les remercia au nom de la famille Riendeau. Après l'office religieux, Jos Dupras, le fromager, fit le tour des habitants du rang Sainte-Anne qui étaient sur le parvis.

— J'ai pensé à une affaire, leur dit-il. Qu'est-ce que vous penseriez de laisser la run de ramassage de lait à Riendeau jusqu'à la fin du printemps ? En échange, on pourrait lui donner tout le lait et tout le fromage dont il a besoin pour sa famille. Il a plus de train à faire, il aurait le temps.

Tout le monde fut d'accord et Vincent Riendeau accepta l'offre avec reconnaissance. Il était fier et il n'aurait pas voulu vivre de la charité de ses voisins.

Chapitre 24

Problèmes et maladies

La vague de froid se poursuivit au début février. L'hiver ne semblait pas vouloir lâcher son emprise et rendait tout travail extérieur très pénible. Malgré toute leur bonne volonté, les Bergeron, comme les Marcotte, ne pouvaient bûcher que quelques heures par jour tant le froid était intense.

Au presbytère, le curé Desmeules ne décolérait pas depuis quelques jours. Il avait reçu une remontrance officielle de monseigneur Fortier l'invitant à faire la paix avec les membres de la fabrique. Cela ne signifiait qu'une chose, pensait-il avec rancune, Omer Lagacé, le président, avait osé aller se plaindre de lui à l'évêché.

C'était le point culminant d'une lutte sourde que se livrait les deux hommes depuis un an.

L'année précédente, le curé avait fait remarquer, lors d'une réunion des marguilliers, que le chemin de croix qui ornait les murs de l'église était en fort mauvais état.

On avait alors envisagé de payer un artiste pour repeindre les stations les plus abîmées. Le prix demandé par ce dernier se révéla si élevé qu'on renonça au projet. Quelques semaines plus tard, le curé revint à la charge. Il voulait que la fabrique achète un nouveau chemin de croix. On s'informa et la plupart des marguilliers rejetèrent l'idée, malgré la vive résistance d'Édouard Desmeules. Avec le temps, le curé en fit une affaire de prestige personnel. Il ne désarma pas. Il essaya de forcer la main des membres de la fabrique en lançant des appels aux paroissiens du haut de la chaire et en tentant de diviser les opposants au conseil de fabrique.

Omer Lagacé considérait cet achat comme une lubie du curé et il s'opposa par tous les moyens à cette dépense qu'il jugeait somptuaire à une époque où la plupart des paroissiens de Saint-Anselme avaient du mal à joindre les deux bouts. À la fin de l'automne, ulcéré par l'entêtement du curé qui ne reculait devant rien pour obtenir satisfaction, il rédigea une lettre à l'adresse de l'évêque, lettre que signèrent presque tous les marguilliers.

De toute évidence, monseigneur Fortier avait pris le temps de réfléchir longuement au problème. Sans le dire ouvertement, il blâmait son subordonné pour son entêtement. Il le prévenait même que toute explication supplémentaire de sa part était inutile. La loi était claire : la gestion des finances paroissiales revenait aux marguilliers et ils étaient les seuls à pouvoir décider dans ce domaine.

Lors de la réception de la lettre, le curé avait été si furieux qu'il n'avait pu s'empêcher d'en parler à son vicaire. Or, ce dernier donna raison aux marguilliers et conseilla même à son curé de céder. Non seulement le vicaire n'appuyait pas son curé ; pire, il se permettait de lui donner des conseils. Le curé Desmeules n'en fut que plus enragé.

Durant plusieurs jours, le pasteur de Saint-Anselme ne quitta pratiquement pas son bureau où il tourna en rond comme un ours en cage. Finalement, il fit convoquer par le bedeau le président de la fabrique.

Quand ce dernier se présenta au bureau du curé, le prêtre l'invita sèchement à s'asseoir. Omer Lagacé ne semblait pas du tout impressionné par le mécontentement évident du curé Desmeules. Depuis des semaines, il attendait avec impatience une réaction de l'évêché.

— Monsieur Lagacé – le temps où le curé l'appelait familièrement Omer était bien passé - j'ai reçu une lettre de monseigneur qui laisse entendre que vous vous êtes plaint de moi.

— Oui, Monsieur le curé.

— Est-ce que je peux vous demander à quel sujet ? fit le curé, menaçant.

— Seulement au sujet de votre idée d'acheter un nouveau chemin de croix. Je pense que la position de la fabrique est claire sur le sujet. Sept marguilliers sur huit ont voté contre.

— Je continue à croire que les paroissiens sont capables de s'imposer le sacrifice d'acheter un nouveau chemin de croix pour leur église.

— Vous avez le droit de le croire, Monsieur le curé, répliqua le président du conseil de fabrique, mais à moins de trouver des donateurs, il y aura pas de nouveau chemin de croix. Nos finances le permettent pas.

— Bon, ça va faire, dit le curé d'une voix tonnante. On n'en reparle plus. Mais je tiens cependant à vous dire que je considère la lettre que vous avez envoyée à mon évêque comme un coup de poignard dans le dos et une belle preuve d'hypocrisie.

— Vous êtes libre de la considérer comme vous le voulez, dit le président de la fabrique en se levant. Moi, je continue à penser que c'était le seul moyen de vous faire entendre raison.

Sur ces mots, le premier des marguilliers quitta le presbytère en claquant la porte assez fort pour que Mance Parenteau sorte de la cuisine pour connaître la cause de tout ce tapage.

****

Chez les Bergeron, la routine s'installait. Isabelle et sa mère cousaient et tricotaient. Bernard et Jean bûchaient trois jours par semaine et Jean allait couper de la glace avec François Riopel les trois autres jours. François profitait de son travail avec Jean pour s'arrêter de plus en plus souvent chez ses voisins sous le prétexte de voir sa fille. Mais Annette voyait bien l'attention croissante que le jeune veuf portait à sa cadette.

Colette, elle, revenait tous les vendredis après-midi pour passer la fin de semaine avec ses parents. Ulric Gagné, accompagné de l'un de ses frères, l'amenait à la maison et la ramenait fidèlement à son école le dimanche après-midi. D'ailleurs, il était devenu le cavalier officiel de Colette et il ne manquait jamais de venir veiller avec elle chaque samedi soir.

Annette et Jean avaient plus de raisons de s'inquiéter de Louis. Il ne leur avait écrit qu'une lettre brève en plus d'un mois, lettre dans laquelle il leur disait avoir trouvé un emploi temporaire dans une épicerie de la rue Notre-Dame.

****

Chez les Marcotte, la nouvelle année avait commencé sans problème. Henri faisait des projets avec sa Germaine, surtout occupée à compléter son trousseau. Pauline filait le parfait amour avec Bernard. Maurice était emballé par la mécanique et lors de ses visites hebdomadaires à la ferme paternelle, il ne parlait que de moteur, de transmission, de valves et de soupapes.

Mais tout changea à la fin de janvier. Estelle fut victime d'un refroidissement et dut s'aliter. Elle, qui n'avait jamais été malade de sa vie, faisait des poussées de fièvres qui la laissaient affaiblie et sans énergie. Pauline et Mariette durent faire preuve d'autorité pour la forcer à garder le lit et elles prirent la maison en main. Eusèbe, inquiet, fit venir le docteur Tanguay.

— C'est rien, décréta le praticien bourru après avoir examiné la malade. Juste une bonne grippe. Qu'elle boive un peu de gin chaud avec une cuillerée de miel et qu'elle garde le lit quelques jours. Je vous laisse une bouteille de fortifiant, ça va la renforcir. Dans une semaine, elle va être d'aplomb sur ses deux pieds.

Fortes de ce diagnostic, les filles d'Estelle obligèrent leur mère à garder le lit et elles l'entourèrent de petites attentions durant quelques jours.

— Sais-tu, lui dit un soir son mari, je pense que je vais avoir une petite grippe moi aussi. Il me semble que ça me ferait du bien de me faire gâter.

— Ça me fait rien, intervint Pauline, mais pour les hommes, c'est pas le même traitement. Pour eux autres, c'est le lavement et les mouches de moutarde pour faire sortir le mauvais.

— T'es ben fine avec ton vieux père, ma grande, fit Eusèbe avec une grimace.

Eusèbe n'insista pas.

À la mi-février, alors qu'Estelle avait définitivement repris en main sa maisonnée, un appel téléphonique vint perturber le dîner. La supérieure du noviciat des sœurs de l'Assomption de Nicolet était au bout du fil et demandait à parler à monsieur ou à madame Marcotte. Estelle vint prendre la communication après s'être essuyée les mains sur son tablier.

— Bonjour, Madame Marcotte, je suis mère Saint-Paul, la supérieure du couvent des sœurs de l'Assomption de Nicolet.

— Bonjour, Mère, fit Estelle soudainement inquiète.

Le silence se fit autour de la table et Eusèbe se rapprocha de sa femme, comme s'il pouvait ainsi mieux entendre ce que la religieuse disait.

— Est-il arrivé quelque chose à Marie ? demanda Estelle.

— Nous n'avons que des éloges à faire à son sujet, Madame, fit la supérieure, onctueuse. C'est une de nos novices les plus prometteuses. Malheureusement, elle a attrapé froid quelques jours avant Noël et le mal s'est jeté sur ses poumons. Depuis la fin décembre, elle est soignée à l'infirmerie du noviciat. Ne vous inquiétez pas. Selon le médecin, le pire est passé. Cependant, comme je l'ai expliqué à votre mari quand elle a fait son entrée dans notre communauté, nous ne pouvons la garder si elle est malade.

— Je comprends, dit Estelle, morte d'inquiétude.

— Croyez-vous que vous pourriez venir la chercher avec ses effets ces jours-ci ?

— Dès aujourd'hui, ma Mère, répondit Estelle. Elle peut supporter le voyage en traîneau ?

— Je pense que oui.

— Bon, nous serons là avant la fin de l'après-midi.

— Je vous attends, dit la religieuse, avant de raccrocher.

Tout le monde attendit en silence qu'Estelle leur explique ce qui se passait.

— Marie est malade au couvent depuis un mois et demi.

— Et c'est juste aujourd'hui que les sœurs nous préviennent ? demanda Eusèbe, en colère.

— Oui, il paraît que c'était d'abord juste un coup de froid, mais le mal lui est tombé sur les poumons et les sœurs ne veulent plus la garder.

— Baptême ! jura Eusèbe. On leur envoie une fille en pleine santé et elles trouvent le moyen de la rendre malade.

— Voyons, Eusèbe, c'est tout de même pas de leur faute...

— Laisse faire, fit le gros homme, hors de lui. Je vais aller la chercher tout de suite et je te jure qu'elle est pas près de remettre les pieds dans son maudit noviciat.

— Laisse Henri y aller à ta place si tu penses que tu seras pas capable de te contrôler, dit Estelle.

— Non, c'est à moi d'y aller.

— J'y vais avec vous, p'pa, fit Mariette. Marie va avoir besoin de quelqu'un pour s'occuper d'elle durant le voyage.

— Viens si tu veux, mais perds pas de temps. Je veux revenir avant la noirceur.

Dix minutes plus tard, le père et la fille prenaient la route en direction de Nicolet avec une pile de couvertures chaudes et deux oreillers pour que la malade soient confortablement installée durant le trajet de retour.

Vers 15 h, Eusèbe, engoncé dans son gros manteau de chat sauvage, sonna à la porte du couvent. La même sœur tourière qui l'avait accueilli l'automne précédent vint lui ouvrir. La vieille religieuse le fit passer avec Marie au parloir où la supérieure ne tarda pas à se présenter.

— Monsieur Marcotte, dit la religieuse, je suis désolée d'avoir à renvoyer votre fille. Nous avons vraiment tout fait pour qu'elle guérisse le plus vite possible. Elle est maintenant guérie, mais d'après le docteur, sa convalescence risque d'être un peu longue. Nous pensons qu'elle recouvrera sa santé plus rapidement si elle est avec les siens, dans sa famille.

Eusèbe ravala tout ce qu'il s'était promis de dire à la religieuse et il se contenta de faire un bref signe de tête, mais son air renfrogné disait assez son mécontentement.

— Dès qu'elle sera en parfaite santé, Monsieur, nous serons contentes de la voir revenir parmi nous.

— On verra ça à ce moment-là, laissa tomber Eusèbe. Est-ce qu'elle est prête ?

— Elle s'en vient, Monsieur Marcotte, dit la supérieure, en le quittant pour s'avancer dans le couloir où Marie venait d'apparaître.

Eusèbe sentit les larmes lui monter aux yeux quand il vit sa fille entrer dans le parloir. Elle était méconnaissable. Émaciée, les yeux cernés et le teint cireux, Marie adressa à son père un pauvre sourire qui lui fit ouvrir les bras. Il la serra contre lui un instant avant de lui demander :

— As-tu ton linge d'hiver ?

— La sœur tourière est partie le chercher.

Mariette s'avança vers sa sœur et l'embrassa à son tour.

— Bon, pendant que Mariette t'aide à mettre ton manteau, je vais placer ton coffre dans le traîneau. Je reviens.

Quelques minutes plus tard, Eusèbe revint dans le parloir. La supérieure embrassa Marie sur les deux joues avant de lui dire :

— N'oublie pas, ma fille, ce que je t'ai dit ce matin. Tu seras toujours la bienvenue parmi nous.

Eusèbe entraîna ses deux filles vers la sortie. Il soutint sa cadette pour l'aider à descendre l'escalier et il l'installa confortablement au fond du traîneau sous un amoncellement de couvertures. Il reprit la route vers Saint-Anselme. Durant plusieurs minutes, Eusèbe se blâma de ne pas avoir pensé de prévenir Maurice au garage de son cousin à Drummondville. Il aurait peut-être pu venir chercher sa sœur en automobile. Le déplacement aurait été plus rapide et plus confortable.

En attendant, Mariette s'était glissée sous les couvertures et réchauffait sa sœur du mieux qu'elle pouvait.

Pour sa part, Estelle avait placé sa chaise berçante près de la fenêtre de manière à voir arriver sa fille. Durant une bonne partie de l'après-midi, elle ne cessa de lever la tête de son tricot pour épier la route.

Quand elle aperçut le traîneau entrant dans la cour et s'arrêtant près de la maison, elle se précipita vers la porte. Henri et Jocelyn mirent aussitôt leur manteau pour aller au-devant de leur sœur. L'un s'empara de son coffre qu'il rentra dans la maison, tandis que l'autre prit les rênes des mains de son père pour dételer et conduire le cheval à l'écurie.

Le cœur d'Estelle eut un raté en voyant dans quel état sa fille lui revenait. La figure pâle mangée par des yeux fiévreux la bouleversa, et elle eut du mal à se contrôler pour ne pas pleurer. Elle prit sa fille dans ses bras et l'embrassa avant de l'aider à retirer son manteau.

Pendant qu'Eusèbe et Mariette rapportaient les couvertures, elle fit asseoir la malade près du poêle.

— On dirait que la cuisine de ta mère t'a manqué, ma fille, dit Estelle en s'efforçant à mettre une joyeuse animation dans sa voix. T'as pas l'air ben vaillante, mais on va te remettre sur le piton le temps de dire.

— Ça va, m'man, fit Marie, épuisée par le voyage. J'ai juste de la misère à passer à travers une grippe.

— Oui, c'est ce que la mère supérieure nous a dit au téléphone, mais demain, on va faire venir le docteur Tanguay pour qu'il nous dise ce qu'il en pense.

— T'es rendue toute maigrichonne, ajouta sa sœur Pauline. Si tu continues, tu vas ressembler à un épouvantail à moineaux.

— En tout cas, on soupe dans dix minutes, reprit sa mère. Tu vas manger et après, tu montes te coucher pour reprendre des forces. On va s'occuper de toi, nous autres.

Durant la soirée, les parents, inquiets, levaient la tête chaque fois qu'ils entendaient une quinte de toux de Marie, couchée dans sa chambre, à l'étage.

— Ça a pas d'allure, dit Estelle. Elle tousse comme une déchaînée. C'est à se demander si les sœurs l'ont soignée. Elle est tellement changée qu'on a de la misère à la reconnaître.

— Il sera pas tard que le docteur va être ici-dedans, demain matin, promit Eusèbe, aussi inquiet que sa femme.

— En attendant, je vais lui faire prendre une bonne dose de sirop et voir à ce qu'elle ait assez de couvertes pour avoir ben chaud cette nuit.

Le lendemain avant-midi, le docteur Tanguay passa à la maison et s'enferma dans la chambre de Marie durant de longues minutes. Quand il en sortit, il affichait son air bourru habituel.

— Bon, fit-il, c'est pas pour rien que les bonnes sœurs vous l'ont renvoyée. Votre fille fait une pleurésie, mais elle est jeune, elle va remonter la côte. Faites-lui prendre ces remèdes trois fois par jour, dit-il en tirant de sa sacoche deux bouteilles de médicament, et qu'elle garde le lit. Je repasserai dans une semaine pour voir si son état s'améliore.

Durant la semaine suivante, Mariette se découvrit une vocation d'infirmière. Chaque matin, elle entrait dans la chambre de sa sœur et elle la faisait lever, le temps de faire son lit ; puis elle lui administrait son médicament avant de lui apporter son déjeuner. Si Estelle ou un autre membre de la famille montait distraire la malade, elle lui rappelait de ne pas être trop longtemps avec elle pour qu'elle ne se fatigue pas.

Annette Bergeron, prévenue par Bernard du retour de Marie, vint prendre des nouvelles de la jeune fille et réconforter Estelle à deux ou trois reprises durant cette semaine-là.

Finalement, le docteur Tanguay revint, comme il l'avait promis, visiter sa malade. Il se déclara satisfait de son état et il lui permit de quitter le lit en lui recommandant toutefois d'éviter les courants d'air et de ne pas se fatiguer.

Ce soir-là, quand Eusèbe aperçut sa cadette assise près du poêle, enveloppée dans une épaisse couverture, il eut un soupir de soulagement.

— Elle m'a l'air tirée d'affaire, même si elle est pas ben forte, dit-il à sa femme au moment de se mettre au lit.

— Inquiète-toi pas, l'appétit lui revient. Je vais te la remplumer, ça prendra pas une éternité.

****

Le lundi matin de la dernière semaine de février, Jean Bergeron se leva avec un mal de dent terrible. Sans en parler à personne, il alla faire le train avec Bernard. À son retour de l'étable, il s'assit au bout de la table, mais il refusa d'avaler autre chose qu'une tasse de thé chaud. La grimace qu'il fit à la première gorgée alerta Isabelle, assise à sa droite et occupée à faire manger Aurore.

— Qu'est-ce qu'il y a, p'pa ? demanda la jeune fille.

Annette, occupée à faire cuire les crêpes de sarrasin sur le poêle, se tourna vers son mari. Elle n'avait pas encore remarqué qu'il n'avait rien mangé.

— J'ai un maudit mal de dent qui veut pas partir.

— Bon, v'là autre chose, fit Annette. T'es rendu comme Aurore qui perce ses dents.

— Non, les miennes arrivent pas, elles s'en vont, essaya-t-il de plaisanter.

— Essaye du clou de girofle, dit sa femme, en lui tendant la petite bouteille qu'elle venait de prendre dans l'armoire. Si ça marche pas, tu vas être obligé d'aller voir le docteur Tanguay.

— Si tu penses que je vais aller le voir, tu te trompes. J'en ai entendu parler. Il est raide en maudit ! Il paraît qu'il te gèle pas. Il t'arrache la dent avec une paire de pinces et des fois, il se trompe de dent.

— Qu'est-ce que tu vas faire ?

— Je vais attendre que le dentiste passe au village.

— Il vient juste tous les quinze jours. T'es pas pour endurer ça durant deux semaines.

— On va ben voir ! dit Jean d'un air décidé.

Ce jour-là, Bernard prit la place de son père et alla découper de la glace avec François. Jean s'installa dans sa chaise berçante, près du poêle, et il se mit, en grimaçant, à essayer d'ébranler l'incisive qui le faisait souffrir. De temps à autre, Annette le regardait faire sans dire un mot. Elle le connaissait assez pour savoir qu'il était inutile d'essayer de le persuader d'aller chez le docteur Tanguay s'il s'était mis en tête de ne pas y aller. Quand le mal deviendrait insupportable, il irait de lui-même.

Le quadragénaire fut incapable de dîner tant il avait mal. Il demeura assis près du poêle. Isabelle, Bernard et Annette dînèrent en lui jetant des regards compatissants.

Finalement, excédée par ses airs de martyr, Annette lui dit :

— Arrête donc de jouer avec ta dent. Tu souffres pour rien. Va chez le docteur et ça va être fini une fois pour toutes.

— Mêle-toi pas de ça, lui dit sèchement son mari. Je t'ai dit que Tanguay m'arrachera rien pantoute.

Estelle leva les épaules en signe de reddition et son mari continua son manège, le visage blême et la sueur au front.

Vers la fin de l'après-midi, il demanda à sa femme de lui prêter une bobine de fil. Elle fouilla dans ses articles de couture et la lui tendit sans émettre le moindre commentaire.

Isabelle, occupée à piquer une courtepointe à la table de la cuisine, osait à peine jeter un coup d'œil de temps à autre à son père tant il semblait souffrir.

Jean prit une bonne longueur de fil et il plaça une chaise de cuisine près de la trappe logée dans le plancher, trappe qui permettait d'accéder au caveau où étaient entreposés les légumes. Il la souleva et attacha un bout du fil à l'anneau scellé dans le plancher. Il fit un nœud coulant à l'autre extrémité du fil et il le glissa avec mille précautions autour de sa dent malade. Quand il eut fini cette opération, il s'accorda un répit de quelques minutes, le fil pendant hors de sa bouche. Puis, Annette le vit reculer sa chaise jusqu'à tendre au maximum le fil qui reliait sa dent à l'anneau de la trappe. Sans avertissement, Jean flanqua un grand coup de pied à la trappe qui se referma dans un bruit sec. Il poussa un cri de douleur.

— Je l'ai eue, la maudite ! dit-il, en se tenant la bouche pleine de sang.

Sans perdre un instant, il arracha le fil au bout duquel était la dent cariée et il jeta le tout dans le poêle pendant qu'Annette lui préparait un verre d'eau salée pour se rincer la bouche.

— Si ça a du bon sens avoir peur du docteur comme ça !

— En tout cas, je viens de ménager une visite chez le docteur et j'ai plus mal aux dents, conclut Jean, en tâtant du bout de la langue la cavité laissée par la dent arrachée.

****

Chez les Bergeron, le mois de février n'allait pas se terminer sur le mal de dent de Jean. Le sort leur réservait une bien plus grande surprise, du moins à Jean, Bernard et Colette.

Le dernier dimanche de février, François Riopel vint souper à la maison comme tous les dimanches depuis le début de son veuvage. Jean remarqua que, contrairement à son habitude, le jeune homme semblait mal à l'aise depuis son arrivée. Après le repas, il s'amusa avec la petite Aurore jusqu'au moment où Isabelle lui dit que le moment était venu de la mettre au lit.

La cadette des Bergeron monta à l'étage avec le bébé de six mois. Jean, Annette et François se retrouvèrent seuls dans la cuisine. Colette était retournée à son école depuis le milieu de l'après-midi et Bernard était parti veiller avec Pauline chez les Marcotte.

Il y eut un long moment de silence, brisé seulement par la voix d'Isabelle qui parlait au bébé à l'étage en le préparant pour la nuit.

François se racla la gorge avant de dire à mi-voix à ses hôtes.

— Je suis tellement souvent ici que j'ai l'impression de faire partie de votre famille.

— C'est un peu ça, fit Annette avec un sourire.

— Vous m'avez tellement aidé que ça en est gênant.

— Voyons donc, répliqua Jean, ça nous fait plaisir, on te l'a déjà dit.

François se tut et passa ses doigts dans son épaisse tignasse bouclée avant de poursuivre sur le même ton.

— J'aurais encore quelque chose à vous demander, mais gênez-vous pas pour refuser. Je veux pas être effronté.

Jean, de plus en plus intrigué, se contenta de le dévisager, attendant la demande de son jeune voisin.

— Ben, voilà ! Ça me gêne sans bon sens de vous demander ça.

— Accouche, François, finit par dire Jean, impatient et curieux.

— Je regarde Isabelle s'occuper de mon Aurore depuis qu'elle est au monde et depuis un bout de temps, je me dis qu'elle me ferait une bonne femme et une bonne mère pour la petite.

Jean, estomaqué, regarda sa femme qui ne broncha pas.

— Ben sûr, je lui en ai pas parlé. Je pense qu'il était important que je vous en parle d'abord. C'est votre fille et elle a juste 18 ans. J'ai 26 ans.

Je me suis dit que vous trouveriez peut-être que la différence d'âge était trop grande entre nous deux. En plus, je suis veuf seulement depuis six mois…

François Riopel se tut soudainement, comme s'il s'attendait à ce que ses hôtes manifestent tout de suite leur désaccord. Comme ils gardaient le silence, il reprit d'une voix encore moins assurée :

— Je voulais vous demander la permission de fréquenter Isabelle, si elle est d'accord, ben sûr.

Jean prit le temps d'allumer sa pipe et de consulter sa femme.

— Qu'est-ce que t'en penses, Annette ?

— Je pense que la différence d'âge est pas ben importante. Isabelle est jeune, mais à son âge, j'étais déjà mariée. On devrait peut-être la laisser décider elle-même.

— Ça a du bon sens, fit Jean.

Le visage de François se détendit en entendant ce verdict.

Quand Isabelle descendit, trois paires d'yeux la suivirent.

— Est-ce que j'ai fait quelque chose de travers pour que vous me regardiez comme ça ? demanda-t-elle, intriguée.

— Non, lui répondit sa mère. Assois-toi. Je pense que François a quelque chose de spécial à te demander.

François, gêné par la solennité du moment, se racla la gorge avant de dire à Isabelle :

— Isabelle, je viens de demander à tes parents la permission de te fréquenter, de devenir ton cavalier. Ils acceptent si t'es d'accord.

Pendant un instant, la jeune fille ne prononça pas un mot. Puis un léger sourire illumina sa figure.

— Je te trouve pas mal vieux, François Riopel, laissa-t-elle tomber. Tu pourrais presque être mon père...

— Isabelle ! fit Annette, d'une voix pleine de reproches.

Le visage de François sembla se décomposer en entendant la réponse de la jeune fille.

— Mais j'aime tellement Aurore que je pense que je vais te donner une chance, fit Isabelle, en éclatant de rire... Mais t'es mieux d'être ben fin avec moi.

L'atmosphère se détendit brusquement dans la pièce. François, soulagé d'un grand poids, retrouva son entrain habituel.

— François, fit Isabelle, profites-en à soir. C'est la dernière fois que tu veilles avec mes parents dans la cuisine. À partir de la prochaine fois, tu seras avec moi dans le salon et t'es mieux d'avoir des choses intéressantes à me conter parce que tu vas veiller tout seul, je t'avertis.

— Correct, Isabelle, répondit son prétendant en entrant dans son jeu, mais oublie pas qu'il faut nourrir son cavalier avec du bon sucre à la crème ; sinon il va chercher une autre fille qui, elle, sait faire la cuisine.

— En tout cas, ça me donne un bon bout de temps avant d'apprendre à en faire, rétorqua la jeune fille, parce que le carême commence la semaine prochaine. Tu veux tout de même pas manger des sucreries pendant le carême.

Ce soir-là, avant de s'endormir, Jean dit à sa femme :

— Une chance que Bernard va veiller chez Pauline. Avec Colette qui reçoit son Ulric et maintenant, Isabelle qui va recevoir François, je trouve qu'il commence à y avoir pas mal de monde dans notre salon. Ils vont passer à travers notre set de salon dans le temps de le dire.

— Je m'occupe pas du set de salon, répliqua Annette. Je me demande si ça va marcher entre Isabelle et François.

— Pourquoi ça marcherait pas ?

— Je sais pas. On a beau dire que la différence d'âge a pas d'importance, je trouve que notre Isabelle est pas mal jeune de caractère... en tout cas, pour un veuf qui a déjà à charge une petite.

— Les noces sont pas pour demain, conclut Jean avec philosophie. Ils vont avoir le temps de se connaître. On verra ben dans une couple de mois s'ils s'entendent.

Chapitre 25

Le printemps

Le début de mars fut marqué par un léger adoucissement de la température qui annonçait des jours meilleurs. Les gens, fatigués de l'hiver interminable qu'ils venaient de traverser, se mirent à espérer sa fin prochaine.

Au presbytère, l'humeur morose du curé Desmeules s'accordait assez bien avec le carême qui débuterait dans quelques jours, le mercredi des Cendres. Si sa lutte avec le conseil de la fabrique était officiellement terminée, il en gardait tout de même une rancune sourde contre ses membres. Il ne parvenait pas à oublier qu'on avait osé contester son autorité et tout lui devenait sujet de mécontentement.

Ainsi, ce matin-là, le jeune Perron, son servant de messe, avait glissé et était tombé avec le livre saint du haut de la première marche qui conduisait à l'autel. Il y avait eu un « Oh ! » de stupeur dans la maigre assistance.

Le prêtre s'était à peine retourné. Quand l'adolescent, piteux, avait déposé le livre saint au bout de l'autel, il s'était contenté de lui murmurer un sec : « Maudit sans dessein, fais donc attention à ce que tu fais ! ». Au dîner, l'abbé Surprenant, responsable de la formation des servants de messe, lui dit :

— On a perdu les services du petit Perron comme servant de messe, Monsieur le curé.

— Comment ça ?

— Sa mère est venue me voir dans l'avant-midi pour me dire qu'il voulait plus servir la messe.

— Une bonne chrétienne comme elle accepte ça ?

— Elle m'a dit qu'il était tombé ce matin en servant votre messe et elle a pas aimé du tout ce que vous lui avez dit.

— Bon, c'est pas grave ; il y en a d'autres.

— Pas tant que ça, Monsieur le curé, rétorqua le vicaire sur un ton réprobateur.

Le curé Desmeules continua à manger et, à la fin du repas, il demanda à son vicaire :

— Allez-vous avoir fini la tournée des écoles pour mercredi après-midi ? J'ai besoin de vous pour donner les cendres à l'église.

— Oui, mais ça va me faire une semaine pas mal chargée. J'ai une réunion des dames de Sainte-Anne ce soir et je rencontre les enfants de Marie demain soir.

— C'est parfait comme ça. Oubliez pas, dans votre homélie de la messe de dimanche prochain, de mettre en garde nos paroissiens contre les débordements du Mardi gras. Chaque année, c'est la même histoire. Il y en a qui dépassent les bornes.

— J'y avais pensé, Monsieur le curé.

Sur ces mots, les deux prêtres se levèrent de table et remercièrent Mance Parenteau qui venait de sortir de sa cuisine pour desservir.

****

Deux jours plus tard, l'abbé Surprenant frappa à la porte du bureau d'Édouard Desmeules, une heure après le souper.

— Qu'est-ce qu'il y a ? demanda le prêtre d'une voix rogue en venant lui ouvrir.

— Il y a une urgence au couvent, Monsieur le curé. La supérieure demande si vous pourriez pas y passer.

— Qu'est-ce qu'elle veut encore ? ronchonna-t-il. Il y a pas moyen d'avoir la paix. Ça pouvait pas attendre demain ?

— Ça n'a pas l'air, répondit le vicaire avant de disparaître.

Le prêtre retourna s'asseoir pour finir de lire sa page de bréviaire. Ensuite, il se leva pesamment et passa dans le vestibule pour mettre son manteau. Le jour de son 53e anniversaire de naissance s'achevait comme une journée ordinaire. Personne n'avait songé à lui adresser des vœux, sauf l'un de ses frères de Trois-Rivières qui lui avait écrit un mot la semaine précédente.

Le curé parcourut la courte distance le séparant du couvent en serrant frileusement contre lui les pans de son manteau. Il sonna. Lorsqu'il franchit la porte du couvent, il entendit des bruits de voix venant du réfectoire situé à sa droite.

— Qu'est-ce qui se passe ? demanda-t-il à la religieuse qui venait de lui ouvrir.

— Je ne sais pas trop, Monsieur le curé. C'est dans le réfectoire.

Le prêtre enleva son manteau et le lui tendit avant de se diriger d'un pas décidé vers le réfectoire dont il ouvrit la porte. Stupéfait, il se retrouva face à un Omer Lagacé de bonne humeur qui lui souriait. Regardant à gauche et à droite, il vit son vicaire, la supérieure, les religieuses, tous ses marguilliers, le bedeau, Mance Parenteau, le docteur Tanguay, le notaire et une douzaine de paroissiens du village.

— Voulez-vous ben me dire ce que cela signifie ? demanda-t-il.

— Bonne fête, Monsieur le curé, répondirent en chœur les personnes présentes.

Sous le coup de l'émotion, le curé Desmeules demeura sans voix et sentit ses jambes faiblir. Ainsi, on s'était rappelé la date de son anniversaire. On ne l'avait pas oublié. La bonne humeur qui l'avait fui depuis des semaines revint instantanément. S'adressant à son vicaire, il lui dit :

— Dites donc, l'abbé, vous volez ! Je viens à peine de vous voir dans mon bureau. Comment avez-vous fait pour être ici avant moi ?

— Je suis jeune, moi, Monsieur le curé, répondit l'abbé Surprenant, moqueur.

— Tournez pas le fer dans la plaie, l'abbé. C'est déjà assez dur de vieillir sans ça.

— Vous en faites pas, Monsieur le curé, dit Omer Lagacé, en lui indiquant une chaise au bout de la table, on a le même âge et vous savez comme moi que ce qu'on perd en jeunesse, on le gagne en sagesse.

— Oui, tu peux parler de sagesse, mon Omer, dit le curé en s'assoyant. Si t'étais si sage que ça, on aurait un beau chemin de croix neuf pour Pâques.

— On finira ben par l'avoir, rétorqua le président de la fabrique... dans un an ou deux, quand la crise sera passée.

Ce soir-là, la hache de guerre fut définitivement enterrée entre le curé Desmeules et ses marguilliers. Deux religieuses distribuèrent de larges portions du gâteau d'anniversaire confectionné par Mance Parenteau.

— Je sais que vous devez pas avoir ben ben faim après le gros souper que vous venez de prendre, dit Mance Parenteau à son curé, mais essayez pareil d'en manger un peu.

— Il n'y a pas de crainte, répliqua le curé, j'ai encore de la place. Vous saurez, Madame Parenteau, que les émotions, ça creuse.

La petite fête organisée en secret par le vicaire eut d'heureux effets. L'humeur d'Édouard Desmeules revint au beau fixe.

Le dimanche suivant, il annonça l'imposition des cendres et le début du carême. Il fit preuve d'une modération peu coutumière quand, du haut de la chaire, il parla du carême. Il se contenta d'insister sur la nécessité de faire pénitence et de prendre de bonnes résolutions durant cette période. À la plus grande surprise de ses paroissiens, il ne s'étendit pas sur les excès du Mardi gras qu'on avait l'habitude de fêter la veille du mercredi des Cendres.

****

Chez les Marcotte, Eusèbe promit à Dieu de ne pas boire une goutte de caribou du carême pour hâter la convalescence de Marie. Estelle et ses filles, comme chaque année, se priveraient de dessert et de friandises durant quarante jours. C'est pourquoi le soir du Mardi gras, Bernard, venu veiller avec Pauline, se vit offrir quelques tournées de caribou et put manger autant de sucre à la crème qu'il désirait.

— Profites-en, le jeune, fit Eusèbe, un peu éméché. À partir de demain, on va trouver le temps long en pas pour rire. Je te dis que cette année, on va avoir hâte que Pâques arrive.

— Ce sera au moins un signe que le printemps sera arrivé, fit Bernard.

— Oh ! il faut pas s'énerver. Le printemps est pas pour demain. Tu vas voir qu'on va avoir encore pas mal de neige avant que le soleil se réchauffe pour de bon.

— Un peu de temps chaud ferait pas de tort à Marie, dit Estelle en regardant sa fille, qui tricotait près du poêle, engoncée dans un épais chandail de laine.

Durant les dernières semaines, la jeune fille avait repris des couleurs et un peu de poids, mais elle semblait encore très fragile.

Comme pour donner raison à Eusèbe, la seconde semaine de mars fut marquée par deux bonnes tempêtes qui laissèrent derrière elles plusieurs dizaines de centimètres de neige. À cette période de l'année, les femmes, enfermées dans les maisons depuis la fin de l'automne, avaient beaucoup de mal à supporter toute cette neige.

****

— On en finira jamais, dit Annette, en regardant par la fenêtre de la cuisine, à la fin de la seconde tempête. Si ça a du bon sens ! On voit même plus la route ! Si ça continue, ce sera même pas fondu à la fin juin.

— Vous en faites pas, Madame Bergeron, dit François Riopel, venu porter une bouteille de sirop pour enfants à Aurore qui soignait un petit rhume. C'est toujours pareil à la fin de l'hiver. Dans quinze jours, tout ça va se mettre à fondre et on entaillera les érables.

— T'as l'intention de faire du sirop d'érable ? demanda Jean, intéressé.

— Comme à chaque année, Monsieur Bergeron. Sitôt que les arbres vont être cernés, je vais commencer à planter mes chalumeaux.

— T'es ben chanceux d'être outillé et d'avoir une cabane à sucre. Moi aussi, j'ai pas mal d'érables et l'automne prochain, je vais essayer de me construire une cabane sur ma terre à bois.

— Écoutez, Monsieur Bergeron, fit le jeune veuf. J'avais pas l'intention d'entailler tous mes érables cette année. Il me reste une soixantaine de chaudières et des chalumeaux de trop. Si ça vous intéresse, on pourrait faire les sucres ensemble ce printemps.

— Comment ça ?

— Ben, nos terres à bois sont une à côté de l'autre. On percerait une soixantaine de vos érables et on pourrait faire bouillir votre eau avec la mienne. Ce sera moins ennuyant pour moi et on partagera le sirop à parts égales à la fin de la saison. Qu'est-ce que vous en pensez ?

— Je pense que c'est une sacrifice de bonne idée. Mais c'est pas normal. Tu te trouverais à fournir tout l'équipement et la cabane.

— Voyons donc, Monsieur Bergeron. Je vis tout seul. Vous imaginez-vous que je peux manger tout le sirop que les arbres vont me donner.

— Je suis ton homme d'abord. Aussitôt que tu seras prêt à nettoyer les chaudières et à percer, tu me feras signe. Bernard et moi, on va aller travailler avec toi.

****

Annette n'était pas seule à trouver que l'hiver n'en finissait plus. Colette commençait à trouver le temps long dans son école du rang Saint-Joseph. Après plus de six mois, elle connaissait maintenant très bien ses élèves. L'inspecteur lui avait fait une seconde visite à la fin février et son rapport avait été plus qu'élogieux. Durant l'hiver, le président de la commission scolaire était venu à deux reprises et il était reparti sans émettre aucun commentaire. La seule touche de fantaisie était apportée par l'abbé Surprenant qui venait superviser périodiquement l'apprentissage du catéchisme et le degré de préparation des élèves à leur première communion. Sa bonne humeur et ses plaisanteries amusaient les élèves et il parvenait toujours à leur raconter des histoires qui les faisaient rire.

La jeune institutrice souffrait de son isolement, particulièrement le soir, quand l'école était déserte. La correction des devoirs et la préparation de ses classes ne lui prenaient qu'une heure ou deux et il lui restait toute la longue soirée à occuper. Elle aimait lire, mais elle se fatiguait vite de lire à la lueur de la lampe à huile. Ses seules distractions demeuraient l'invitation à souper hebdomadaire chez les Gagné et son retour à la maison le vendredi après-midi.

Si elle n'avait pas enseigné, elle aurait pu inviter Ulric à veiller, mais elle n'en avait pas le droit, et les Gagné n'auraient jamais accepté qu'elle le fasse. En pensant au jeune homme, elle savait qu'elle s'était beaucoup attachée à lui. Il était plein de projets d'avenir où, peu à peu, il lui faisait une place de choix. Elle aimait ce grand garçon dégingandé au visage rude. Son sérieux et son enthousiasme lui plaisaient. Il lui arrivait de plus en plus souvent d'essayer d'imaginer à quoi il était occupé le soir quand elle regardait la maison des Gagné de la fenêtre de sa chambre.

****

Peu à peu, insensiblement, l'hiver desserra son étreinte. Au cours des derniers jours du mois de mars, le soleil se fit un peu plus chaud et la neige se mit à fondre lentement. Les nuits demeuraient froides, mais les journées allongeaient et on vit réapparaître la tête des piquets de clôture.

François Riopel et les Bergeron cessèrent d'aller découper de la glace sur la Nicolet parce que le travail devenait trop dangereux. À certains endroits de la rivière, la glace se recouvrait d'eau durant le jour.

Un matin, après avoir soigné ses animaux, François vint chercher les Bergeron pour aller faire le ménage de la cabane à sucre et entailler les érables. À son arrivée, Isabelle se leva et mit son manteau.

— Où est-ce que tu t'en vas, toi ? demanda Annette, surprise.

— Aujourd'hui, m'man, je vous laisse Aurore. J'ai besoin de prendre un peu d'air. Si ça vous dérange pas, je vais aller travailler avec les hommes. Pendant qu'ils vont entailler, je vais faire le ménage de la cabane.

Annette regarda François qui ne disait pas un mot.

— Ça m'a tout l'air d'un coup préparé entre vous deux, dit-elle d'un air sévère.

— Ben sûr, si ça vous fait rien, Madame Bergeron, dit François. J'ai pensé que vous diriez rien parce que son père et son frère seraient là pour nous surveiller.

— C'est correct. Vas-y, Isabelle, dit Annette en se tournant vers sa fille. Mais toi, François Riopel, viens pas te plaindre que le ménage de ta cabane a été mal fait. Je connais ma fille ; elle est capable de tourner les coins pas mal rond. Le ménage d'habitude, c'est pas son fort.

— Ouais ! Je commence à me demander si c'est une ben bonne idée de l'amener si elle est comme ça, fit le jeune veuf en prenant un air dubitatif.

— François Riopel, fit Isabelle, offusquée, tu sauras que je suis aussi capable que n'importe qui de nettoyer. Si ça fait pas ton affaire, j'ôte mon manteau et tu te débrouilleras tout seul.

— Non, non, fais pas ça. Je disais ça juste pour te faire enrager. Madame Bergeron, dit le jeune homme à Annette, votre fille est pas mal soupe au lait. Je vous dis qu'il faut pas lui dire grand'chose pour qu'elle éclate.

— Mon pauvre François, si tu la connaissais comme sa mère la connaît, tu saurais qu'elle a ben d'autres gros défauts.

— Je vous crois. J'en ai trouvé deux trois autres pas piqués des vers.

— Ça va faire vous deux de rire de moi, dit Isabelle. Ma mère dit ça pour me garder dans ses jupes. Quand je suis pas dans la maison, je lui manque.

— En attendant, Isabelle, tu vas enlever ton manteau et m'aider à vous préparer un dîner que vous réchaufferez sur le poêle de la cabane. Vous avez de l'ouvrage pour la journée là-bas et vous êtes pas pour travailler le ventre vide.

Le trajet en traîneau jusqu'au boisé se fit sans trop de mal parce que le chemin avait passablement été durci par les va-et-vient quotidiens des Bergeron. Depuis le début de l'hiver, ils l'utilisaient pour aller bûcher. Quand ils arrivèrent à proximité de la cabane à sucre de François, les hommes dégagèrent avec leurs pelles la porte et le devant de l'appentis où du bois était cordé.

Dès son entrée dans la cabane, François alluma un feu dans le poêle. Pendant que Jean et Bernard apportaient la nourriture à l'intérieur et remisaient du fourrage pour les chevaux près de l'appentis, Isabelle alla chercher de la neige qu'elle mit à fondre sur le poêle. Quand l'eau fut chaude, elle aida à nettoyer les chaudières dans lesquelles l'eau d'érable serait recueillie. On empila ces dernières sur l'un des traîneaux avec des chalumeaux, deux marteaux et deux vilebrequins.

— Je pense qu'on a le temps d'en entailler quelques-uns avant de dîner, fit Jean.

— On peut toujours commencer par les arbres les plus proches de la cabane, acquiesça François.

Ce dernier et Bernard se mirent à aller d'un érable à l'autre, de la neige à mi-jambes, et à percer des trous avec leur vilebrequin. Jean les suivait. Il plantait un chalumeau dans chaque trou, y accrochait une chaudière et plaçait sur chacune d'elle un couvercle en tôle pour éviter que de la neige ou de l'eau de pluie n'y tombe.

Laissée seule dans la cabane, Isabelle ne perdait pas de temps. Elle fit disparaître les toiles d'araignée, nettoya les carreaux de l'unique fenêtre de la cabane, balaya soigneusement et lava la cuve dans laquelle l'eau d'érable serait mise à bouillir. Elle eut même le temps de transporter à l'intérieur une quantité impressionnante de bûches, bûches qu'elle corda contre le mur, à faible distance du poêle.

Lorsque les hommes rentrèrent, ils trouvèrent une cabane propre et une appétissante odeur de fèves au lard qui mijotaient sur le poêle.

— Vous pouvez vous asseoir, fit Isabelle. Il me reste juste à vous faire cuire une bonne omelette qu'on va manger avec les beans.

— Il va juste nous manquer du bon sirop d'érable pour le dessert, dit Bernard.

— Tu vas en avoir aussi, lui dit sa sœur. François en a apporté.

Après le repas, les hommes prirent le temps de fumer une pipe avant de retourner au travail.

Isabelle se dépêcha de laver la vaisselle et de ranger la nourriture avant d'aller retrouver les hommes. Elle mit des raquettes et suivit les traces du traîneau. Quand elle les aperçut, elle se rendit compte à quel point leur travail était exténuant. Ils laissaient le traîneau dans le sentier et ils se rendaient à pied jusqu'à chaque érable, en enfonçant le plus souvent jusqu'à mi-cuisse dans la neige molle, pour entailler et installer les chalumeaux et les chaudières.

À la fin de l'après-midi, le travail était terminé et on rentra à la maison. Avant de quitter les Bergeron pour aller faire son train, François dit à Jean :

— Comme vous avez pu le voir, ça a déjà commencé à couler. Si la nuit est assez frette et que le soleil se montre le bout du nez demain avant-midi, on pourra ramasser assez d'eau pour faire bouillir.

— Ça, c'est la partie plaisante des sucres. Pour le ramassage, on aura pas de problème, fit Jean. Bernard a trouvé dans la grange un baril ben propre et étanche. On va l'installer sur le traîneau après notre train. Comme ça, on sera paré pour demain matin.

— Parfait, Monsieur Bergeron.

François se tourna ensuite vers Isabelle dont les pommettes rouges faisaient plaisir à voir.

— Merci, Isabelle, pour ton aide. Tu pourras dire à ta mère que ton boss est ben satisfait de toi et que s'il le pouvait, il t'amènerait tous les jours à sa cabane à sucre.

— Pour me faire travailler comme une esclave ? Tu peux oublier ça, François Riopel. La prochaine fois que je vais y aller, je serai une invitée à qui tu feras goûter ton nouveau sirop et à qui tu prépareras de la tire sur la neige.

— Promis, dit-il dans un éclat de rire.

Le lendemain, le soleil était au rendez-vous, mais les Bergeron ne purent aller à la cabane à sucre avant le début de l'après-midi parce qu'ils avaient dû aider l'une de leurs vaches à vêler. François les avait assistés. Ils ne quittèrent l'étable que lorsqu'ils se furent assurés que le veau nouveau-né était en bonne santé.

Dès leur arrivée dans le bois, Bernard et Jean partirent faire la tournée pour vider les chaudières dans le baril fixé sur leur traîneau pendant que François allumait un bon feu dans le poêle et s'activait à transporter dans une grande chaudière l'eau des érables situés près de la cabane.

Il commença à faire bouillir avant que les Bergeron soient revenus avec un baril quasiment plein qu'on transvida dans les cuves déposées sur le poêle.

— Si on veut du sirop, fit François, il va falloir faire bouillir un bon bout de temps. Vous connaissez ça aussi ben sinon mieux que moi, Monsieur Bergeron. Qu'est-ce que vous diriez de rester à faire bouillir pendant que j'irai faire votre train et le mien ? Bernard pourrait rester avec vous pour apprendre. Comme ça, on perdrait pas de temps. Il y aurait toujours quelqu'un pour faire du sirop quand ça serait nécessaire.

— Ça a ben du bon sens. Demain, ce sera mon tour d'aller faire le train.

Pendant les quinze jours suivants, François, Bernard et Jean s'occupèrent de faire bouillir jusque tard dans la soirée. Souvent, l'un ou l'autre couchait à la cabane à sucre parce qu'une cuvée était prête trop tard.

Les récoltes d'eau d'érable étaient inégales. Quand une journée ensoleillée suivait une nuit de gel, les chaudières étaient presque pleines. Si la journée suivante était nuageuse ou très froide, l'eau n'avait presque pas coulé et la collecte était pauvre. Cependant, l'un dans l'autre, les trois hommes parvinrent à produire une quarantaine de gallons de sirop d'excellente qualité.

À la fin du mois, quand la montée de la sève ne produisit plus qu'une eau amère, on décida de concert que la fin de la saison était arrivée. Pour célébrer l'événement, Annette décida d'organiser le repas du samedi suivant à la cabane et elle suggéra à Colette et à Bernard d'inviter Ulric et Pauline.

Le samedi matin, tout le monde s'entassa dans les traîneaux de Jean, de François et d'Ulric et on prit la direction de la cabane. La veille, les hommes avaient enlevé et nettoyé les chaudières et les chalumeaux et rangé le tout dans un coin. En quelques minutes, le poêle fut allumé et les quatre femmes suggérèrent aux hommes d'aller fumer dehors et de leur laisser de la place pour préparer le repas. On installa la petite Aurore sur des couvertures sans lui enlever ses vêtements d'extérieur. Isabelle attendait que la pièce soit plus chaude.

Les hommes sortirent donc à l'extérieur pour fumer une pipe.

— Il faudrait ben qu'on s'occupe du bois qu'on va donner à Riendeau pour rebâtir, dit François. Si on attend trop longtemps, on va avoir de la misère à le sortir du bois.

— On pourrait peut-être faire ça au début de la semaine prochaine, proposa Bernard.

— Oui, accepta Jean. Il faut faire ça au plus sacrant parce que la neige fond vite et on pourra bientôt plus passer dans les champs. J'irai en parler à Eusèbe. Il serait peut-être intéressé à se mettre avec nous autres.

— Je pense qu'on va en arracher un peu, conclut François. L'eau commence à déborder dans des coulées, au bout de ma terre.

Quinze jours auparavant, plusieurs cultivateurs de Saint-Anselme s'étaient rassemblés quelques minutes sur le parvis de l'église, après la grand-messe, pour discuter de la corvée qu'ils feraient pour construire une nouvelle étable chez les Riendeau. Le printemps était arrivé et le cultivateur avait besoin d'une étable pour remplacer celle que le feu avait détruite. Le maire avait fait remarquer que Vincent Riendeau était loin d'avoir le bois nécessaire. Alors, plusieurs avaient proposé des arbres sains qu'ils avaient abattus durant l'hiver. Il n'y avait qu'à les transporter au moulin à bois du rang Saint-Édouard où Joseph Biron les transformerait en madriers et en planches. Biron, un quadragénaire au cœur d'or, s'était même engagé à exécuter le travail gratuitement.

Ce samedi midi-là, tout le monde fit honneur à la nourriture qui avait été déposée dans de grands plats au milieu de la table. Au moment du dessert, François alla chercher de la neige propre qu'il étendit à l'extérieur sur un madrier. Annette sortit avec un chaudron à demi rempli de sirop chaud qu'elle répandit sur cette neige pour en faire de la tire que chacun s'empressa de manger, sauf Pauline.

— Tu goûtes pas à la tire ? lui demanda Isabelle.

— Non. J'ai promis de pas manger de sucré durant tout le carême, répondit Pauline avec un air de regret.

Isabelle prit un air songeur avant de dire :

— C'est peut-être ça que j'aurais dû promettre moi aussi. Ça aurait peut-être été moins dur que d'essayer d'améliorer le caractère de François.

— Ah ben, t'as du front tout le tour de la tête, Isabelle Bergeron, fit François en faisant semblant de se fâcher.

Tu sauras qu'il y a pas un homme dans Saint-Anselme qui a un meilleur caractère que moi.

— Ça, c'est toi qui le dis, conclut Isabelle en lui lançant un regard provocateur.

L'échange suscita divers commentaires chez les autres invités pendant que la jeune fille, leur tournant le dos, s'amusait à faire sucer un morceau de tire à Aurore. Quelques minutes plus tard, l'enfant pleura à fendre l'âme quand Isabelle lui enleva ce qui lui restait de tire.

****

Le lundi matin, François et les Bergeron arrivèrent chez les Marcotte avec deux chevaux et des chaînes. Eusèbe avait accepté la proposition de son voisin et il avait suggéré qu'on sorte les troncs d'arbres du bois en utilisant uniquement les chevaux, comme dans les chantiers. On laisserait son large traîneau auquel seraient attelés les chevaux de Jean à la lisière du bois. Il croyait que l'attelage serait en mesure de traîner à la fois deux troncs d'un diamètre respectable. Il fallait tenir compte du poids important des billes à transporter. Finalement, on laisserait ces dernières dans sa cour.

Quand les six troncs donnés par Eusèbe eurent été tirés avec beaucoup de peine près des bâtiments des Marcotte, on alla chercher ceux offerts par Jean et par

François. D'autres voisins avaient déjà exécuté le même genre de travail quelques jours plus tôt.

Le lendemain matin, d'un commun accord, on décida de tenter de transporter tout le bois à la scierie, malgré le fait que la route était devenue boueuse et détrempée par la fonte des neiges. Pour la première fois de la saison, on sortit les charrettes avec lesquelles on transportait habituellement le foin. On confectionna une rampe grossière avec des madriers et, avec force jurons, on parvint à faire rouler les troncs dans les charrettes en s'aidant de barre d'acier.

Finalement, le chargement fut terminé à la fin de l'avant-midi et les trois charrettes lourdement chargées prirent la route de la scierie. Les conducteurs étaient prudents et tentaient d'éviter les ornières. En passant devant chez les Riendeau, Vincent sortit de la maison avec trois de ses fils et ils montèrent à bord pour aider au déchargement au moulin.

La petite caravane dut s'arrêter à la sortie du rang Sainte-Anne. Le rang Saint-Édouard qui longeait la rivière Nicolet et permettait d'accéder aux autres rangs de la paroisse semblait inondé sur une vingtaine de mètres, au bas de la côte. L'eau de fonte avait débordé des fossés, dévalé la pente et envahi la route.

Le choix était évident. Il fallait tourner à gauche jusqu'à la ferme des Lagacé pour faire demi-tour et revenir à la maison avec le chargement ou on essayait de passer, au risque de s'embourber et de rester pris au bas de la côte.

— Je vais descendre à pied, dit Bernard, et voir à quelle profondeur l'eau est montée sur la route.

— Vérifie s'il y a pas des blocs de glace sous l'eau, conseilla Eusèbe, assis sur son siège de conducteur. On est pas pour risquer de casser une patte à un de nos chevaux là-dedans.

— D'autant plus, ajouta Jean, inquiet, qu'on est même pas sûr que les chevaux vont être capables de remonter la côte de l'autre côté avec leur charge.

Bernard descendit la côte boueuse avec mille précautions en tenant en main une longue barre d'acier et, rendu près de la mare, il se mit à sonder devant lui. Au centre, il avait de l'eau jusqu'à mi-bottes. Il remonta péniblement la côte.

— Il y a à peu près un pied et demi d'eau au milieu et la glace est restée sur le bord du chemin, dit-il, un peu essoufflé.

— On va essayer de passer, décida Eusèbe, qui conduisait le premier chargement. Attendez que je sois de l'autre côté avant de descendre.

Il fouetta ses chevaux et sa charrette se mit à rouler doucement.

Les bêtes bronchèrent un peu en s'engageant dans l'eau, mais la voiture passa et remonta sans trop de mal l'autre versant. Les autres le suivirent quelques instants plus tard.

Au moulin à bois, Joseph Biron et son employé indiquèrent aux hommes où laisser les troncs. Ils promirent à Vincent Riendeau que les madriers et les planches destinés à son étable seraient prêts pour la mi-avril.

Chapitre 26

La réconciliation

Le début d'avril amena, cette année-là, l'une des pires inondations que connut Saint-Anselme. Aux dires des anciens, l'eau de la Nicolet n'était jamais montée aussi haut et aussi vite. La température douce qui prévalait depuis une dizaine de jours avait causé une fonte trop rapide des neiges qui avaient été particulièrement abondantes durant l'hiver.

Une bonne partie de cette eau s'était tracée un chemin sous la neige jusqu'aux fossés et elle avait débordé sur la route à plusieurs endroits. Les ruisseaux qui se jetaient dans la rivière s'élargissaient à vue d'œil. En quelques heures, les glaces cédèrent sur la Nicolet et elles formèrent un embâcle spectaculaire à la hauteur chutes, en face du village. Derrière l'embâcle, l'eau monta dangereusement, menaçant d'emporter avec elle le petit pont qui permettait d'accéder au rang Saint-Édouard et aux autres rangs de la municipalité.

Il n'y avait pas à s'inquiéter pour les maisons du village et pour celles du rang Saint-Édouard, toutes érigées sur les hauteurs, mais cinq ou six hangars construits sur la berge furent emportés et fracassés par les glaces. Le pire, évidemment, c'était qu'une large section de la route, au bas de la côte qui menait au village, était disparue sous près d'un mètre d'eau et de glace, isolant ainsi les gens qui habitaient dans les rangs. Le pont situé au centre de cette section était la partie la plus fragile. Si les glaces arrachaient un seul de ses piliers, les gens devraient faire un détour de près de 15 km pour trouver un autre pont qui traversait la Nicolet.

Pendant plusieurs jours, les villageois se rassemblèrent au haut de la côte, à l'extrémité du village, pour voir si le niveau de l'eau descendait et pour évaluer l'importance de l'embâcle et la comparer aux pires qu'ils avaient connus dans le passé.

Lorenzo Camirand, plus souvent devant l'embâcle que dans sa boucherie, répétait à qui voulait l'entendre que, s'il avait été maire, il aurait fait dynamiter l'amoncellement de glace dès sa formation au lieu d'attendre comme le faisait Antoine Girouard.

Pour sa part, le curé Desmeules n'était pas le dernier à faire plusieurs allers et retours quotidiens au haut de la côte. Il priait pour que l'embâcle cède et que la rivière retrouve son lit. À trois jours de Pâques, il craignait que les deux tiers de ses paroissiens soient privés des cérémonies de la semaine sainte. Si la route ne se dégageait pas, un bon nombre d'entre eux ne pourraient même pas faire leurs Pâques.

— Il va nous manquer pas mal de monde au chemin de la croix cet après-midi, lui dit l'abbé Surprenant, venu le rejoindre en haut de la côte.

— J'en ai bien peur. Mais on ne changera rien à l'horaire, l'abbé. On confessera une heure avant la cérémonie et on priera aussi pour que l'embâcle lâche.

Un peu plus loin, chez Beaudet, Louis Bergeron était au téléphone. Il appelait chez les Marcotte pour leur demander de prévenir ses parents qu'il était au village et qu'il ne pouvait se rendre à la maison à cause de la route coupée. Marcelin Delorme, qui discutait avec quelques vieux du village, quitta le groupe et s'approcha du jeune homme.

— On dirait que t'as mal choisi ton temps pour venir à la campagne, le jeune.

— Je comprends, dit Louis en raccrochant. Je pensais jamais que l'eau monterait comme ça. Connaissez-vous un moyen d'aller de l'autre bord ?

— Il y en a pas, à moins que tu veuilles marcher 10 milles sans être certain que le pont de Sainte-Monique soit pas aussi en-dessous de l'eau comme le nôtre. Pour moi, le mieux que tu peux faire, c'est d'attendre comme tout le monde ou de retourner en ville.

— Je peux pas. Je suis monté avec un gars de Nicolet qui est reparti depuis longtemps.

— Bon, ben, viens-t'en à la maison. Je te laisserai pas coucher dehors, offrit Marcelin.

****

Ce soir-là, son frère Bernard alla passer la soirée avec Pauline. Comme d'habitude, cette dernière le laissa parler quelques minutes avec ses parents et ses frères avant de l'inviter à passer au salon. Eusèbe, assis dans sa chaise berçante, avait beau tendre l'oreille, il n'entendait que les chuchotements des deux amoureux.

— J'y ai ben pensé, Pauline, dit tout bas Bernard, mais ce sera pas possible cette année.

— Comment ça ?

— J'ai pas d'argent, avoua Bernard. Où est-ce que tu veux qu'on aille vivre ? Je peux tout de même pas demander à ton père de rester ici, avec vous autres. Même avec Henri marié, il reste tes deux frères et tes deux sœurs. Chez nous, c'est pareil. On va être ben trop tassés.

— Oui, mais tu m'avais dit que tu trouverais un moyen, dit Pauline, de mauvaise humeur.

— J'en ai cherché des moyens. Le seul que j'ai trouvé, c'est de retourner en ville pour me trouver une job pour ramasser de l'argent. Mais ce sera pas facile de trouver de l'ouvrage.

— Tout ce que je sais, c'est que tu m'avais promis de me demander en mariage à Pâques, Bernard Bergeron.

— Mais je veux toujours te demander en mariage... Mais quand ton père va me demander comment je vais te faire vivre, qu'est-ce que tu veux que je lui réponde ?

— Si tu m'aimais vraiment, t'aurais trouvé un moyen. Ça sert à rien que tu viennes veiller avec moi dans ce cas-là. J'aime autant que tu restes chez vous tant qu'à perdre mon temps, dit Pauline, dépitée et en colère. Je connais des gars sérieux qui demandent pas mieux que de venir prendre ta place.

— Louis-Georges Proulx, par exemple ? demanda Bernard, jaloux du précédent prétendant de Pauline.

— Par exemple ! Lui, au moins, il a les moyens de se marier.

Bernard se leva, humilié.

— Bon, si c'est comme ça que tu le prends, je pense que je vais retourner chez nous.

Trop fière pour s'excuser, Pauline accompagna Bernard jusqu'à la porte. Ce dernier salua Eusèbe et Estelle et partit.

La jeune fille monta sans perdre un instant dans sa chambre et claqua la porte.

— Tiens ! constata Estelle, la première chicane entre nos deux amoureux.

— Qu'est-ce qui va de travers entre ces deux-là à soir ? demanda Eusèbe. Il y a dix minutes, ils avaient l'air de ben s'entendre pourtant.

— Tu connais notre Pauline, dit Estelle, philosophe. Bernard a dû lui faire une remarque et elle est montée sur ses grands chevaux. Inquiète-toi pas, demain, elle va être calmée.

Bernard retourna chez lui le cœur gros. Quand il rentra, Annette, surprise de le voir de retour si tôt, lui demanda :

— Qu'est-ce qui va pas ?

— J'ai mal à la tête, m'man. Je vais aller me coucher.

Il monta à sa chambre.

— J'ai l'impression que c'est plus qu'un mal de tête qu'il a, dit-elle à son mari. Pour lui faire lâcher sa Pauline au milieu de la soirée, ça doit être quelque chose de plus grave que ça.

Durant la nuit, une forte pluie se mit à tomber et elle se poursuivit durant près de quarante-huit heures. Les gens du village, terrés dans leur maison, se disaient qu'une pareille pluie pourraient bien faire céder l'embâcle qui n'avait pas bougé depuis plusieurs jours.

Le vendredi matin, Estelle attendit d'être seule avec son aînée pour essayer de connaître la raison du départ précipité de Bernard la veille.

— On s'est chicanés, m'man, dit Pauline, réticente.

— Pourquoi ?

— Pour une niaiserie. C'est pas important. Ça va s'arranger.

****

Ce matin-là, Annette et Jean ne cherchèrent pas à tirer les vers du nez de leur fils. Ils le connaissaient assez pour savoir qu'il ne parlerait que lorsqu'il le désirerait.

Bernard, la mine sombre, plus silencieux que de coutume, reprit son travail.

À la fin de l'après-midi, Jean Bergeron, qui sortait de l'étable, vit arriver Louis dans la voiture de Vincent Riendeau. Le jeune homme était trempé et couvert de boue.

— Je te ramène ton garçon, dit Riendeau. Je l'ai aperçu en train de marcher dans le rang Saint-Édouard sous la pluie battante. Je revenais du moulin.

— Je vois ça. Entre donc boire quelque chose pour te réchauffer.

— Ce sera pour une autre fois. Ma femme m'attend.

Louis remercia le voisin et entra dans la maison.

— Si ça a du bon sens ! s'exclama Annette en le voyant entrer. Cherches-tu à attraper ton coup de mort ? Comment t'as fait pour traverser ?

— Vous le savez pas ? L'embâcle a lâché sur l'heure du midi. Deux heures après, j'ai pu descendre la côte et traverser à pied.

— Pourquoi t'as pas appelé chez les Marcotte pour qu'on aille te chercher au village ? demanda Jean qui venait d'entrer derrière lui.

— Ben, j'étais pas certain que vous pourriez traverser avec la voiture. Il y a épais de bouette dans le bas de la côte.

— On aurait pu au moins aller t'attendre de ce côté-ci.

— C'est pas grave. J'ai pas marché plus qu'une demi-heure. Riendeau m'a fait monter dans sa voiture.

— Où est-ce que t'as couché hier soir ? Pas au magasin général, je suppose ?

— Non. Marcelin Delorme m'a invité à coucher. On s'est fait à manger hier soir et après, on a jasé un bon bout de temps avant d'aller se coucher.

Au fil de la conversation, les Bergeron apprirent que la situation de Louis ne s'était guère améliorée depuis le début janvier. Son emploi dans une épicerie n'avait duré que quelques semaines. Il avait été suivi par une longue période de chômage. Le plus souvent, il n'avait trouvé du travail que pour une journée ou deux avant d'être obligé de courir Montréal en tous sens pour découvrir un autre emploi.

— J'en ai assez, conclut Louis, découragé. Si ça vous dérange pas, je resterais ben avec vous autres.

— C'est pas l'ouvrage qui manque, fit son père, heureux de son retour. Au moins ici, tu crèveras pas de faim. On est pas riches, mais on mange à notre faim tous les jours.

— Je sais ça, p'pa.

****

Cette semaine-là, les Marcotte vivaient la situation inverse, au grand déplaisir d'Eusèbe.

Maurice avait pris goût à la vie de Drummondville et surtout, à la mécanique automobile. Il avait promis à ses parents qu'il ne resterait que le mois de janvier chez son cousin Lemire. Puis, au fil des semaines, il n'avait plus parlé de revenir. Eusèbe était persuadé que son fils reviendrait avec le printemps pour les gros travaux. C'était d'autant plus important que Henri se marierait dans un mois et qu'il irait vivre avec Germaine chez les Côté.

Quand Maurice arriva à la maison le samedi après-midi, Eusèbe décida d'en avoir le cœur net.

Quelques minutes après que le jeune homme soit descendu de sa chambre où il était allé porter ses affaires, son père le prit à part pour lui parler.

— Dis donc, Maurice, es-tu à la veille de revenir nous donner un coup de main ?

— Justement, p'pa, je voulais vous en parler.

— Me parler de quoi ?

— Ben, j'ai ben réfléchi et je pense que j'aimerais ben m'installer pour de bon à Drummondville. Alfred dit que je suis devenu un bon mécanicien et qu'il aurait en masse de l'ouvrage pour moi.

— T'es pas sérieux ! s'exclama Eusèbe. T'aimes mieux travailler dans la boucane et dans le bruit que sur la terre ?

— C'est pas ça, p'pa. J'aime les chars et j'aime trouver les troubles qu'ils ont et les réparer.

— Baptême ! jura Eusèbe, hors de lui. Est-ce que ça veut dire que je me suis tué à l'ouvrage pendant des années pour rien ? Si toi et ton frère, vous vous en allez, qui va me remplacer quand je serai trop vieux ? Qui va prendre soin de moi et de ta mère ?

— Ben, il reste Jocelyn. Lui, il aime ça, la terre. En plus, il est capable.

— Oui, il est surtout ben jeune. Qui est-ce qui dit que dans deux ou trois ans, il fera pas comme toi et qu'il sacrera pas son camp, lui aussi ?

— Voyons, p'pa, fit Maurice, peiné de voir son père dans cet état. Je serai pas au bout du monde. Drummondville est pas loin. Si vous avez absolument besoin d'aide à un moment donné, je vais revenir vous donner un coup de main.

Estelle, qui avait tout entendu, se garda bien d'intervenir dans la discussion entre le père et le fils. Quand Maurice partit rejoindre ses frères à l'étable, elle tenta de raisonner son mari, assommé par la nouvelle.

— Eusèbe, tous les deux, on est assez vieux pour savoir qu'un jeune, ça peut changer cent fois d'idée dans une année. Laisse-le essayer de vivre là-bas un bout de temps. Dans moins d'un an, je gage qu'il va être revenu avec nous autres, prêt à prendre la relève.

— Ouais ! fit Eusèbe, peu convaincu.

— Je pense qu'on est mieux de pas le bouder et qu'il se sente bienvenu à la maison quand il vient nous voir. Maurice est pas fou. Il va finir par se rendre compte qu'il est ben mieux avec nous autres qu'en ville.

— De toute façon, on a pas le choix de le laisser faire à sa tête, conclut Eusèbe avec une note de découragement dans la voix.

En disant cela, les yeux d'Eusèbe se posèrent sur Marie, occupée à cuisiner aux côtés de sa mère. « Au moins, celle-là, elle est réchappée », pensa-t-il.

En deux mois, sa fille avait repris le poids perdu et sa santé s'était rétablie grâce, en partie, aux bons soins de sa sœur Mariette qui avait veillé sur elle depuis son retour.

****

Le soleil bouda le dimanche de Pâques. La pluie avait cessé durant la nuit, mais le ciel demeurait chargé de gros nuages menaçants et la température était très fraîche pour la saison.

Malgré tout, comme beaucoup de paroissiens ce matin-là, Jean se leva avant l'aube. Après avoir mis une bûche dans le poêle, il s'habilla, prit une cruche vide et sortit. Il marcha péniblement jusqu'à la rivière et il remplit sa cruche d'eau de Pâques. Il croyait en cette tradition qui voulait que cette eau vive prise avant le lever du soleil ait toutes sortes de vertus curatives.

Au presbytère, l'abbé Surprenant se préparait à aller célébrer la basse-messe. Le curé Desmeules, assis dans le salon, leva le nez de son bréviaire pour lui dire :

— L'abbé, je vais confesser durant votre messe et vous ferez la même chose durant la grand-messe. Je sais qu'on a jamais fait ça, mais avec la route coupée durant une bonne partie de la semaine sainte, il y a beaucoup de paroissiens qui ont pas pu venir faire leurs pâques. Voulez-vous l'annoncer au début de votre messe ?

— Bien sûr, Monsieur le curé. Je trouve que c'est une bonne idée. En plus, ça donnera peut-être l'idée à ceux qui ont l'habitude de faire des pâques de renard d'être à temps, comme tout bon catholique.

Quelques instants plus tard, le curé mit son manteau et se rendit à l'église déjà à demi remplie de fidèles. Il laissa son manteau dans la sacristie, mit son surplis et son étole et se glissa dans le confessionnal. Il laissa la porte entrouverte pour indiquer qu'un prêtre était prêt à écouter les confessions.

****

Pour la première fois depuis plusieurs mois, Bernard ne passa pas prendre Pauline chez elle pour la basse-messe. Isabelle, assise à ses côtés dans la voiture, ne put s'empêcher de lui dire :

— Moi, je peux pas aller à la messe avec François parce qu'on veut pas que les mauvaises langues de la paroisse disent partout que son veuvage a pas duré ben longtemps, mais en voyant Pauline toute seule, le monde de la paroisse va savoir que vous vous êtes chicanés.

— Ça me dérange pas, laissa tomber Bernard.

— T'as pas peur que ça donne des idées à des gars qui cherchent une blonde ?

— Non.

Isabelle se rendit compte que le sujet lui était pénible et elle changea de sujet de conversation.

— Penses-tu qu'on va avoir de la misère à passer dans le bas de la côte ?

— Ça, on va le savoir dans dix minutes, dit son frère qui venait d'engager l'attelage dans le rang Saint-Édouard.

La pluie tombée durant les derniers jours avait considérablement détrempé la route, mais Bernard parvint à franchir le bas de la côte sans trop de difficulté. Quelques minutes plus tard, sa sœur et lui pénétrèrent dans l'église et prirent place dans le banc familial. Du coin de l'œil, Bernard vit Pauline entrer, suivie par Jocelyn et Maurice. La jeune fille passa à côté de lui sans tourner la tête.

À la fin de la messe, Bernard ne traîna pas et son attelage fut le premier à s'engager dans la descente du village.

— Pourquoi tu te presses comme ça ? demanda Isabelle. Il y a pas le feu. As-tu peur que ta Pauline te saute dessus ?

— Laisse faire, se contenta-t-il de répondre.

Lorsqu'ils arrivèrent à la maison, Isabelle s'empressa d'entrer. Annette et Jean achevaient de se préparer pour aller à la grand-messe.

Colette, déjà prête, surveillait Aurore qui se traînait par terre et essayait de se relever en se tenant à une chaise. En voyant Isabelle, l'enfant lâcha la chaise et se laissa tomber lourdement sur son derrière. Isabelle se précipita vers elle et la prit dans ses bras avant même d'enlever son manteau. Aurore enfouit son nez dans son cou en émettant toutes sortes de bruits.

— Mais sa couche est toute trempe, constata Isabelle d'un ton réprobateur. Pourquoi tu l'as pas changée, Colette ?

— Aïe ! Je passe pas mon temps à aller vérifier si elle a fait pipi dans sa couche.

— Tu fais toute une gardienne, toi.

— Ça va faire, Isabelle, fit sa mère qui achevait de coiffer son chapeau. Arrête de jouer à la mère et change-la, la petite, si elle a besoin d'être changée. Aurore en mourra pas. Pendant la messe, surveille ben le jambon que j'ai mis au four. C'est notre dernier.

— C'est correct, je vais m'en occuper, dit Isabelle en jetant un regard mécontent à sa sœur.

Puis, elle s'approcha de sa mère, la petite toujours dans les bras. Bernard était monté à sa chambre.

— Ça pas l'air de s'arranger avec Pauline, lui chuchota-t-elle. Il est pas allé la chercher et, à l'église, ils se sont même pas regardés.

— Mêle-toi pas de ça, lui répondit Annette. C'est pas de tes affaires.

Sur ces mots, elle cria à Louis de se dépêcher à descendre, et elle sortit avec Colette pour rejoindre Jean qui attendait dans la voiture, les rênes à la main.

— As-tu vu la voiture crottée qu'on a ? lui dit ce dernier lorsqu'elle monta. Il y a de la bouette partout. On a l'air propre un jour de Pâques.

— C'est pas grave, fit sa femme. Tous ceux qui viennent des rangs vont être aussi sales que nous autres.

Le curé Desmeules remarqua que la plupart de ses paroissiennes n'arboraient pas de chapeau neuf en ce dimanche de Pâques, probablement par crainte de le voir abîmé par la pluie qui menaçait. Au début de la messe, il annonça que l'abbé Surprenant était disponible pour confesser ceux et celles qui n'avaient pu le faire la semaine précédente et il en profita pour rappeler que la corvée chez les Riendeau débuterait au milieu de la semaine suivante. Tout au long du service religieux, le prêtre trouva particulièrement agaçant le va-et-vient continuel de ses paroissiens entre le confessionnal et leur place, mais il le savait nécessaire en la circonstance. C'est avec un réel soulagement qu'il prononça le « Ite missa est » signifiant la fin de la grand-messe.

Quand les servants de messe eurent quitté la sacristie après avoir rangé leur surplis, le curé se tourna vers l'abbé Surprenant.

— Il y a bien des femmes qui ne devaient pas être de bonne humeur ce matin.

— Pourquoi ? Monsieur le curé.

— Elles pouvaient pas étrenner le chapeau qu'elles avaient préparé pour Pâques, à cause de la température. Apprenez, l'abbé, fit le curé d'un air suffisant, que pour beaucoup de femmes, montrer un beau chapeau le jour de Pâques, c'est presque aussi important que la messe.

Sur le parvis de l'église, Annette avait tiré Estelle à l'écart pour lui parler loin des oreilles de Mariette et de Marie.

— On dirait qu'on est pris avec une chicane entre nos deux amoureux.

— Je le sais, dit Estelle. Depuis trois jours, Pauline est pas parlable. Elle boude dans son coin et elle a l'air bête. Je sais pas ce qui s'est passé entre les deux.

— En tout cas, c'est pas moi qui peux te le dire. Tu connais Bernard. Il est muet comme une tombe.

— Si tu veux dire comme moi, on va les laisser s'arranger tout seuls. Ils finiront ben par se raccommoder.

Sur ces mots, les deux femmes se turent parce que Jean et Eusèbe, qui venaient de s'entendre pour aller donner trois jours de travail chez Riendeau la semaine suivante, s'approchaient d'elles. On se souhaita de joyeuses Pâques avant de se quitter. Avant de monter en voiture, Annette invita à dîner Ulric Gagné et François Riopel, qui parlaient avec Colette. Louis monta avec sa sœur dans la voiture d'Ulric et les deux voitures prirent la route en même temps.

De retour à la maison, Estelle profita de ce que tous étaient allés changer de vêtements pour demander à Pauline, qui était à dresser le couvert :

— Est-ce que t'as invité Bernard à dîner ?

— Non, m'man.

— Si je comprends ben, vous boudez chacun de votre côté.

— C'est de sa faute, dit Pauline, d'un ton convaincu.

— Que ce soit de sa faute ou de la tienne, c'est pas important. Il va ben falloir que l'un de vous deux pile sur son orgueil et fasse le premier pas. Attention, ma fille, tu vas finir vieille fille si tu continues à avoir aussi mauvais caractère.

— Ben sûr, c'est encore de ma faute. C'est toujours de ma faute. J'ai jamais raison, dit la jeune fille en colère.

Pauline claqua la porte de l'armoire et s'enfuit dans sa chambre.

****

Chez leurs voisins, Isabelle montrait avec orgueil à François et à Ulric les progrès d'Aurore qui pouvait maintenant aller où elle le voulait en se traînant sur le parquet. La jeune fille n'aurait pas été plus fière si Aurore avait été sa propre fille.

Avant de passer à table, François tendit à la jeune fille un paquet mal ficelé.

— C'est pas grand'chose, mais c'est de bon cœur, lui dit-il avec le sourire.

Intriguée, Isabelle cassa la ficelle et déballa un magnifique sac en cuir orné de deux roses découpées dans un cuir plus clair. Rose de plaisir, elle le montra à tout le monde.

— Où est-ce que t'as acheté ça ? demanda Jean.

— Je l'ai pas acheté ; je l'ai fait.

— C'est toi qui as fait ce sac-là ? demanda Isabelle, incrédule.

— C'est pas ben compliqué. Tu prends un morceau de cuir, tu le tailles, tu fais des trous avec un poinçon et tu le couds.

Intéressé, Bernard prit le sac des mains de sa sœur et l'examina longuement sous toutes les coutures.

— Moi, je t'emprunterais ben ton poinçon, dit-il finalement à François.

— Si tu veux l'avoir, t'as juste à venir le chercher. En plus, il me reste encore pas mal de cuir.

Le dîner fut joyeux. On célébra la fin du carême en s'empiffrant de toutes les bonnes choses dont on s'était privé durant quarante jours.

Les deux couples d'amoureux occupèrent le salon jusqu'à la fin de l'après-midi. Ulric quitta Colette sur la promesse de venir la chercher le lendemain après-midi pour la ramener à l'école. Pour sa part, Bernard sortit de la maison en même temps que François qui allait faire son train. Malgré la pluie fine qui s'était mise à tomber, le jeune homme demanda à son voisin de monter avec lui. Il reviendrait à pied.

Ce soir-là, Bernard s'installa dans la cuisine d'été avec une lampe à huile. Jean le vit étendre sur la table un morceau de cuir.

— Qu'est-ce que Bernard fait dans la cuisine d'été ? demanda Isabelle, toujours curieuse. Il doit pas avoir chaud.

— Je pense que ton frère essaie d'arranger ses affaires avec Pauline. Dérange-le pas.

Personne ne fit d'autres commentaires et on laissa la paix au jeune homme.

Le lendemain avant-midi, Jocelyn attendait son frère Maurice pour aller le conduire au village où un ami devait venir le chercher pour le ramener à

Drummondville quand il vit la voiture du curé pénétrer dans la cour. Il prévint sa mère de l'arrivée du visiteur et il sortit avec Maurice pour accueillir le prêtre.

— Seigneur ! s'exclama Estelle, la maison qui est toute à l'envers ! Vite, les filles, ramassez toutes vos traîneries.

Pauline, Mariette et Marie se dépêchèrent de remettre un peu d'ordre dans le salon pendant que leur mère ouvrait la porte au curé Desmeules. Ce dernier salua les trois femmes. Mariette prit le manteau du prêtre qu'elle alla porter sur le lit de ses parents pendant qu'Estelle s'excusait du désordre et lui montrait le chemin du salon.

— Non, non, Estelle, pas tant de cérémonies ; c'est pas ma visite paroissiale. Si ça te fait rien, on pourrait s'installer dans la cuisine.

Confuse, Estelle Marcotte lui désigna la meilleure chaise berçante et lui offrit une tasse de thé qu'il accepta. Le curé regarda Marie avec attention.

— À ce que je vois, ta santé est pas mal revenue. Tu dois avoir hâte de retourner au noviciat ?

Estelle répondit pour sa fille.

— Son père veut qu'elle reste à la maison jusqu'à la fin du mois de juin, au moins. Il veut être sûr qu'elle est ben d'aplomb avant de retourner chez les sœurs.

— Pourquoi pas, fit le curé, arrangeant. L'important est que sa vocation en souffre pas. Eusèbe est-il ici ?

— Il est aux bâtiments. Est-ce que vous voulez lui parler ?

— J'aimerais lui dire deux mots, à lui aussi.

— Mariette, va donc chercher ton père, demanda Estelle en se tournant vers sa fille.

Quelques minutes plus tard, Eusèbe entra dans la cuisine, salua le pasteur et retira son manteau.

— Vous venez pas chercher Marie, j'espère, fit Eusèbe, méfiant. Elle est pas prête à retourner au noviciat.

— Non, Eusèbe. Je viens vous voir pour vous demander un gros service. La veuve Turcotte, au village, est pas mal malade. À 85 ans, elle vit toute seule. Tous ses enfants sont à Montréal. Le docteur Tanguay la soigne, mais il ne peut pas être toujours à côté d'elle. Quand je l'ai vu la semaine passée, il m'a vanté la patience et le dévouement de Mariette pendant la convalescence de sa sœur. J'ai pensé qu'en bons chrétiens, vous accepteriez peut-être que votre fille aille s'occuper d'Eudoxie Turcotte. Elle serait une sorte de garde-malade et de dame de compagnie. Ses filles ont promis au docteur Tanguay de monter à Saint-Anselme toutes les fins de semaine, ce qui veut dire que Marie pourrait venir se reposer deux jours à la maison. Elles sont prêtes à la dédommager pour sa peine.

Eusèbe et Estelle regardèrent leur fille qui n'avait pas dit un mot.

— C'est pas une question d'argent, fit Eusèbe.

— Est-ce que tu aimerais ça aller aider Madame Turcotte ? demanda Estelle à sa fille.

— J'haïrais pas ça. Si elle a personne pour s'occuper d'elle, je suis prête à le faire.

Eusèbe réfléchit quelques instants avant de donner son accord.

— Elle commencerait quand ?

— Aujourd'hui, si c'est possible, répondit le curé Desmeules, satisfait d'avoir réussi sa mission.

— Ça me dérange pas que ma fille y aille, dit Eusèbe, mais je veux être ben clair : il est pas question qu'elle aille faire la servante, Monsieur le curé.

— Il y a pas de danger, Eusèbe. Sa voisine vient lui faire son ménage deux fois par semaine.

— Dans ce cas-là, c'est correct, consentit enfin le père.

— Va te préparer un peu de linge et mets-le dans ma valise de cuir bouilli, dit Estelle à Mariette.

La jeune fille ne prit que quelques minutes avant de descendre de sa chambre avec une petite valise qui semblait bien légère.

Les Marcotte reconduisirent leur curé et leur fille à la voiture.

— Il me reste tout de même deux filles pour m'aider, dit Estelle en refermant la porte derrière elle.

— En tout cas, si je m'aperçois que Mariette est traitée comme une servante chez la veuve Turcotte, elle restera pas là longtemps, fit Eusèbe d'un ton vindicatif. J'ai pas élevé mes filles pour qu'elles aillent laver des planchers chez des étrangers.

****

Le mercredi matin, les Marcotte et les Bergeron se retrouvèrent tous chez Vincent Riendeau, armés de leurs outils et prêts à donner une bonne journée de travail. Une dizaine d'hommes de Saint-Anselme étaient déjà sur les lieux.

Riendeau et ses fils n'avaient pas chômé depuis le début du printemps. Dès la fonte des neiges, ils avaient dégagé le sol de ciment de l'étable des débris calcinés et ils avaient transporté près de la grange les madriers et les planches façonnés par Joseph Biron et son employé au moulin.

Le cultivateur expliqua aux bénévoles qu'il aimerait avoir une étable identique à celle qu'il avait. Il n'avait pas assez d'argent pour construire plus grand parce qu'il aurait alors fallu acheter d'autre ciment pour allonger le plancher. D'ailleurs, ajouta-t-il, il ne voyait pas encore comment il parviendrait à acheter de nouvelles vaches. Il n'avait même pas eu assez d'argent pour acheter les clous et la tôle de la toiture. Ils lui avaient été offerts par Jérôme Beaudet.

Durant tout l'avant-midi, les ouvriers travaillèrent à ériger la charpente. À midi, le travail cessa et les hommes s'entassèrent dans la cuisine d'été des Riendeau. Agathe Riendeau avait préparé un repas frugal pour tout ce monde et pour ses treize enfants, mais la plupart des bénévoles n'acceptèrent qu'un bol de soupe pour accompagner le casse-croûte qu'ils avaient apporté. Ils savaient tous que la famille Riendeau n'était pas riche et que Vincent avait déjà du mal à nourrir tant de bouches.

À la fin de l'après-midi, quand la plupart des hommes décidèrent de rentrer chez eux pour faire le train, une partie dc la charpente était dressée. On se donna rendez-vous le lendemain matin, si la température le permettait.

Le lendemain, les bénévoles étaient encore plus nombreux. Les plus jeunes se hissèrent sur la charpente et se mirent à clouer les planches de la toiture pendant que les plus âgés s'occupaient de scier les planches.

Ce jour-là, avant de retourner à la maison, Bernard s'approcha d'Eusèbe au moment où il était seul à rassembler ses outils.

— Monsieur Marcotte, est-ce que vous donneriez quelque chose à Pauline de ma part ? demanda-t-il en lui tendant un paquet.

— Ben sûr. Mais t'aimerais pas mieux le lui donner toi-même ?

— Je pense pas qu'elle aimerait me voir, fit Bernard, gêné. On s'est chicané et elle a l'air de m'en vouloir.

— Pourquoi ?

— Ben, je sais pas trop comment vous expliquer ça. J'avais dit à votre fille qu'on pourrait peut-être se fiancer à Pâques...

— Oui. Qu'est-ce qui t'a fait changer d'idée ?

— J'ai pas d'argent pour me marier, Monsieur Marcotte. J'aime assez votre fille pour la marier, mais je sais pas où on pourrait aller vivre après les noces. C'est ça que j'ai essayé de lui faire comprendre. Elle s'est fâchée. Elle a pensé que je l'aimais pas assez.

Eusèbe se rendit compte à quel point il en coûtait au jeune homme de lui avouer tout ça. Il jeta un coup d'œil autour de lui pour s'assurer que personne ne l'écoutait.

— Écoute, Bernard. C'est sûr que c'est pas facile de se marier quand on a pas d'argent. Mais toi, tu es travaillant, tu as du cœur au ventre. Tu peux te fiancer et attendre une chance pour te marier. Si tous les gars attendaient d'avoir assez d'argent pour se marier, il y aurait pas grand mariage dans la paroisse.

Un sourire apparut sur le visage de Bernard.

— Je comprends, Monsieur Marcotte. Vous direz à Pauline que je l'ai fait exprès pour elle, dit-il en lui montrant le paquet qu'il venait de lui remettre.

À son arrivée à la maison, Eusèbe tendit le paquet à sa fille aînée en lui disant que ça venait de Bernard. Sans dire un mot, la jeune fille le prit et monta l'ouvrir dans sa chambre.

— Ça va peut-être s'arranger entre ces deux-là, dit-il à sa femme.

— Je l'espère, dit Estelle en poussant un soupir d'exaspération. Je suis tannée de lui voir une face de carême à cœur de jour.

Quelques minutes plus tard, Pauline descendit et montra une belle bourse en cuir à ses parents.

— Bernard m'a écrit qu'il l'avait fait lui-même.

— Bon. Quand je vais le revoir demain, qu'est-ce que je lui dis ? demanda Eusèbe, narquois.

— Vous pouvez lui dire, p'pa, que je l'attends pour veiller.

Le lendemain, le ciel était nuageux, mais la plupart des ouvriers bénévoles étaient sur place avant 8 h parce qu'ils désiraient couvrir la toiture de tôle avant la pluie. Pendant que quelques-uns clouaient la tôle sur le toit, d'autres érigeaient les murs. Le tintamarre fait par les coups de marteaux était assourdissant.

À aucun moment de la journée, Bernard ne chercha à s'approcher d'Eusèbe Marcotte de crainte que ce dernier lui apprenne que sa fille avait refusé son cadeau et qu'il le lui avait rapporté.

À la fin de la journée, les travailleurs virent avec satisfaction que la toiture était pratiquement terminée et que deux des quatre murs étaient cloués. Lorsque les Marcotte et les Bergeron ramassèrent leurs outils, ils étaient assurés que le lendemain, il y aurait encore assez de gens pour terminer le gros du travail.

Avant de quitter la ferme des Riendeau, Eusèbe s'approcha de Bernard :

— Ton cadeau a fait ben plaisir à ma fille.

— Je suis ben content, Monsieur Marcotte.

— Elle m'a dit qu'elle t'attendait pour veiller.

Bernard le remercia et lui affirma qu'il serait chez lui après le souper.

Après avoir pris son repas, Bernard fit sa toilette et se dirigea vers la ferme des Marcotte. Il était mal à l'aise quand il frappa à leur porte. Pauline vint lui ouvrir avec le sourire et le fit passer au salon comme si leur dispute n'avait jamais eu lieu.

Estelle, qui avait placé sa chaise berçante non loin de la porte du salon, ne put qu'entendre des murmures toute la soirée. Marie, Jocelyn et Eusèbe jouaient aux cartes sur la table de la cuisine.

Vers 21 h, Pauline sortit du salon en demandant à son père s'il pouvait venir. Quand Eusèbe se présenta dans la pièce, Bernard se leva. Pauline lui donna un coup de coude pour le décider à parler.

— Monsieur Marcotte, j'aimerais vous demander la main de votre fille, dit le jeune homme, rouge jusqu'à la racine des cheveux.

— De laquelle ? demanda Eusèbe, taquin.

— Voyons, p'pa ! fit Pauline, sur un ton de reproche.

— Si c'est la main de Pauline que tu veux, je te la donne. Mais je t'avertis, elle a pas le caractère facile. J'ai ben peur qu'elle t'en fasse voir de toutes les couleurs.

— Il le sait déjà, p'pa, dit Pauline, en jetant à son père un regard mauvais.

— Bon, si c'est comme ça, passe dans la cuisine qu'on annonce ça aux autres et qu'on arrose ça avec un petit verre.

Eusèbe Marcotte annonça à Estelle et à ses deux autres enfants que Bernard venait de demander la main de Pauline. Estelle et Marie se levèrent pour embrasser ce dernier sur une joue et Jocelyn lui serra la main en l'appelant « le futur beau-frère ».

Une heure plus tard, Bernard, de retour chez lui, apprit la nouvelle à ses parents qui le félicitèrent. Lorsqu'il fut monté se coucher, Jean dit à sa femme :

— En voilà un, au moins, qui cherchera pas à retourner en ville. Je sais pas où il a l'intention de s'établir, mais je pense pas qu'il va rester ben loin d'ici.

Chapitre 27

Un beau mois de mai

Si la dernière semaine d'avril fut pluvieuse au point d'empêcher les cultivateurs d'aller travailler aux champs, le soleil du début de mai apporta une belle chaleur qui assécha le sol détrempé en quelques jours.

Pour la seconde fois depuis son arrivée à Saint-Anselme, Jean Bergeron, accompagné de ses deux fils, fit le tour de sa terre pour remplacer les piquets de clôture pourris et consolider les perches avant de laisser pacager ses vaches. Ensuite, commença le travail éreintant, mais nécessaire, de l'épierrage. Les trois hommes passèrent deux longues journées à parcourir les champs en tous sens pour amasser les pierres sorties du sol avec le dégel. Comme l'expliquait Jean à ses deux fils :

— Si on le fait pas, on va briser toute notre machinerie dès qu'on va avoir à travailler dans le champ.

De loin en loin, ils apercevaient les Marcotte occupés au même travail sur leur terre.

Au village, l'arrivée des premiers beaux jours du printemps déclencha une activité intense dans la population. Ici et là, des gens râtelaient leur parterre, lavaient les fenêtres, préparaient le sol de leur jardin ou donnaient une couche de peinture à leur balcon.

Cet après-midi-là, le curé Desmeules profitait de la chaleur revigorante du soleil sur la galerie du presbytère en compagnie de son frère Étienne, venu de Trois-Rivières lui rendre visite. Ils entendaient, venant des fenêtres ouvertes du couvent voisin, le chœur des religieuses qui chantait : « C'est le mois de Marie, c'est le mois le plus beau ».

Les deux hommes ne s'étaient pas vus depuis le jour de l'An et ils ne manquaient pas de sujets de conversation. Ils parlaient surtout de Trois-Rivières, leur ville natale, et de politique.

— Tu devineras jamais qui est venu me rendre visite à mon cabinet la semaine passée, Édouard, dit l'avocat Desmeules.

— Quelqu'un de la famille ?

— Oh non ! Maurice Le Noblet Duplessis en personne, habillé comme une carte de mode et fumant son gros cigare. Te rappelles-tu de lui ?

— Un peu. Si je me souviens bien, son père était un avocat que papa aimait pas beaucoup. Il trouvait que la famille Duplessis se donnait des grands airs parce qu'elle ne fréquentait que la haute société de la ville depuis qu'il avait marié la fille d'un juge.

— C'est ça. J'ai étudié avec leur fils Maurice à Montréal. C'était un drôle de numéro qui, à l'époque, buvait pas mal et courait les filles. Quand il est revenu à Trois-Rivières, il s'est ouvert un cabinet avec son beau-frère. Il ne me regardait même pas quand on se rencontrait au Palais de justice.

— Comment se fait-il qu'il soit venu te voir ?

— Depuis une dizaine d'années, il travaille pour les conservateurs du comté. Il s'est même présenté contre Casgrain aux dernières élections. Il a eu le front de venir me voir pour que je l'aide à se faire élire aux prochaines élections dans trois ou quatre ans. Quand je lui ai dit que je trouvais qu'il était un peu de bonne heure pour commencer à faire de la cabale, il m'a répondu d'un air supérieur qu'en politique, il est jamais trop tôt quand on veut gagner ses élections. En tout cas, je l'ai envoyé promener en lui disant qu'il avait frappé à la mauvaise porte. Quand je lui ai dit qu'on était des Rouges de père en fils dans notre famille et qu'on avait jamais pu sentir les Bleus, il a vite plié bagages.

— T'as bien fait.

— Toi, est-ce que tu t'habitues à ton nouveau vicaire ?

— Bah ! il est pas pire qu'un autre, répondit le curé d'un ton détaché. Il est un peu énervant, mais il remplit son ministère. Tu sais, on est un peu comme deux vieux garçons et nos manies finissent par nous tomber sur les nerfs à la longue.

Quand Mance Parenteau sortit pour les prévenir que le repas était prêt, les deux frères rentrèrent et firent honneur au souper qu'elle avait préparé. L'avocat reprit la route peu après le repas pour rentrer à Trois-Rivières.

Ce soir-là, avant de se retirer dans sa chambre, le curé demanda à Mance de passer le voir à son bureau.

— Y a-t-il quelque chose qui va pas, Monsieur le curé ?

— Non, j'ai rien à vous reprocher, Madame Parenteau. J'aimerais seulement que vous m'aidiez à régler un petit problème. J'ai entendu dire que la fille de votre cousine fréquentait François Riopel. Est-ce vrai ?

— Je le sais pas. J'ai pas eu la chance d'aller voir les Bergeron depuis le mois de janvier.

— Si vous avez l'occasion de voir madame Bergeron ou sa fille Isabelle, pourriez-vous leur faire comprendre que François Riopel vient à peine de perdre sa femme et qu'il est indécent de songer à se remarier avant un an de veuvage ?

— Pourquoi vous le lui dites-vous pas vous-même, Monsieur le curé ? demanda la servante, un peu mal à l'aise.

— Parce que je pense que Madame Bergeron ou sa fille acceptera plus facilement cette remontrance si elle vient de vous, une parente.

— Je suis pas certaine de ça pantoute, moi, dit Mance, la bouche pincée. En tout cas, si ça se présente, j'en toucherai deux mots à ma cousine.

Mance Parenteau songea durant quelques jours à se faire conduire chez sa cousine par Léo Durand, le bedeau. Puis, elle renonça à l'idée en se disant qu'elle trouverait bien le moyen de parler à Annette seule, après la grand-messe, le dimanche suivant. « Il y a pas de presse, se dit-elle. Si le curé est pas content, il a qu'à faire lui-même ses commissions. »

Le dimanche suivant, Mance se dépêcha de sortir de l'église et elle attira à l'écart sa cousine.

— Dis donc, Annette, est-ce que c'est vrai que François Riopel fréquente ton Isabelle ?

— Ben oui, Mance. Pourquoi tu me demandes ça ? fit Annette Bergeron, intriguée.

— Monsieur le curé m'a dit qu'il trouvait pas ça ben convenable des fréquentations moins d'un an après la mort de sa femme.

Annette se fâcha en entendant cette remarque.

— Est-ce que c'est monsieur le curé qui t'a chargée de me le dire ?

— Oui, répondit Mance, gênée par la vive réaction de sa cousine.

— Ben, tu lui diras à monsieur le curé que c'est pas de ses affaires. François est un bon garçon et un bon père. Il veut pas que sa fille grandisse sans mère. Il fréquente Isabelle avec notre permission et pour le bon motif. C'est pas quelques mois de veuvage de plus ou de moins qui vont changer quelque chose à l'affaire. S'il a quelque chose à redire, monsieur le curé, il a qu'à venir nous voir ; on est capable de lui répondre.

Sur ces mots bien sentis, Annette tourna les talons et alla rejoindre son mari qui l'attendait dans la voiture. Quand elle eut mis son mari au courant de la remarque du curé Desmeules, Jean vit rouge et Annette dut le retenir pour qu'il n'aille pas faire un esclandre au presbytère.

— Tu parles d'un maudit effronté. Et en plus, il fait faire ses commissions par ta cousine. On aura tout vu. En tout cas, on en parlera même pas à François et Isabelle. Ce qui se passe chez nous le regarde pas pantoute.

— On est aussi ben d'oublier ça, fit sagement Annette qui avait recouvré son calme.

Quelques minutes plus tard, alors que la voiture s'engageait dans le rang Sainte-Anne, Annette dit à son mari :

— As-tu pensé, mon vieux, que ça fait déjà un an qu'on est ici ?

— Oui, j'y ai pensé en me levant. Je le regrette pas. Je trouve qu'on a pas eu trop de misère à s'habituer et les enfants non plus. Colette a de l'ouvrage. Isabelle haït pas s'occuper d'Aurore. Bernard aime assez la terre pour penser y passer toute sa vie et Louis, depuis qu'il est revenu le mois passé, a l'air de prendre goût à ce qu'il fait. En tout cas, il chiale moins qu'avant.

— Les enfants, ça va, mais toi ? Tu trouves pas ça trop dur ?

— Au commencement, oui. J'avais l'impression de recommencer à zéro, comme du temps où je vivais avec mon père et ma mère à Saint-Éphrem, mais à la longue, j'ai repris goût à la vie tranquille. Je serais pas prêt à retourner vivre en ville sur la rue Dufresne. Toi ?

— Moi aussi. C'est sûr que c'est plus dur d'entretenir le jardin et d'aller t'aider aux foins que de m'arrêter chez Tougas pour acheter ce qu'il nous faut pour manger, mais je m'ennuie pas de la ville. Tout ce qui me manque, c'est d'avoir ma parenté plus près, mais ça, c'est pas possible.

— En plus, on est pas obligé de courir tout le temps. C'est vrai qu'on a toujours quelque chose à faire, mais on peut prendre le temps qu'il faut. Par exemple, demain, s'il fait beau, on va commencer à semer. Avec la paie que Dupras m'a donnée pour la glace, on aura pas trop de misère à arriver cette année.

****

Ce dimanche midi-là, à la table des Marcotte, il n'était question que des noces de Henri qui devaient avoir lieu le dernier samedi du mois. Jean Bergeron avait déjà proposé à Eusèbe de venir traire ses vaches et nourrir ses animaux ce jour-là pour permettre à toute la famille d'assister à l'événement. Estelle et ses filles parlaient des robes et des chapeaux qu'elles avaient commencées à se confectionner pour paraître à leur avantage au mariage.

Au bout de la table, Eusèbe, bougon, finit par dire :

— Arrêtez de vous énerver avec ça. C'est pas vous autres qui vous mariez, batèche ! C'est pas normal que vous essayiez d'être mieux habillées que la mariée. Si ça continue, ça va finir par me coûter une fortune, vos guénilles.

— Voyons donc, Eusèbe, fit Estelle. On t'a pas demandé d'acheter des robes toutes faites. On les coud.

— Tu penses peut-être que Beaudet m'a donné les verges de matériel, les rubans, les patrons et je sais plus quoi pour rien.

— Non, c'est sûr ; mais ça t'a tout de même pas coûté les yeux de la tête. Il faut pas s'arranger pour faire honte à Henri ce jour-là.

— Moi, je comprends pas, fit le gros homme avec une mauvaise foi évidente. Nous autres, les hommes, on va avoir sur le dos le même habit qu'on porte tous les dimanches et personne dira rien. Pourquoi vous autres, les femmes, il faut absolument vous greiller en neuf de la tête aux pieds ?

— Pour être belles, p'pa, répondit Marie.

— Ouais, on sait ben. Il faut vous arranger pour l'être... C'est pas comme pour les hommes.

Jocelyn et Maurice éclatèrent de rire, malgré le regard faussement courroucé de leur mère.

— P'pa, si t'as besoin d'un coup de main pour semer la semaine prochaine, dit Maurice pour changer de sujet, je peux toujours demander un congé de quelques jours à Alfred. Ça le dérangera pas s'il y a pas de réparations pressantes au garage.

— Ça nous aiderait, c'est sûr.

— Bon, je vais arranger ça avec lui.

— On va commencer mardi s'il fait beau. Demain, j'ai promis à Omer Lagacé d'aller l'aider à planter la nouvelle croix du chemin au bout de notre rang. Il paraît que le curé tient absolument à venir la bénir dimanche prochain.

— Vous allez vous garder un peu de temps pour me sortir de la cuisine d'été tout le barda que vous avez laissé là durant l'hiver, exigea Estelle des trois hommes assis autour de la table. Cette semaine, Mariette et Pauline vont m'aider et on va faire le grand ménage. On va laver les deux cuisines et on va s'installer pour l'été. Tout ce que je vous demande, c'est de libérer la place et de nettoyer les tuyaux de poêle... avant qu'on lave, pas après, comme le printemps passé. Vous me ferez pas les mêmes dégâts, je vous le garantis.

— Si vous voulez commencer aujourd'hui, je peux vous aider, m'man, proposa Mariette. Madame Lemoyne va venir me chercher seulement après le souper.

— Non, on commencera pas aujourd'hui. Pauline reçoit Bernard cet après-midi et en plus, c'est dimanche. On va se reposer. Toi aussi, t'as besoin de te reposer avant de retourner chez madame Turcotte.

Mariette se contenta de hocher la tête. Après trois semaines passées chez la vieille Eudoxie Turcotte, la jeune fille s'était déjà habituée à un certain rythme de vie. Elle partait ordinairement à la fin du dimanche après-midi pour ne revenir chez les siens que le samedi matin. La fille aînée de la veuve, Rose Lemoyne, était la seule jusqu'à présent à venir chaque fin de semaine s'occuper de sa mère. La sexagénaire arrivait de Montréal tôt le samedi matin à bord d'une automobile luxueuse conduite par son mari, un homme d'affaires, et ils s'empressaient de la ramener chez ses parents. Ordinairement, ils venaient la chercher à la fin du dimanche après-midi, avant de retourner à Montréal.

Fait étonnant, Mariette avait toujours hâte de retourner chez la vieille dame qui la considérait de plus en plus comme une jeune amie plutôt que comme une dame de compagnie ou une infirmière. Les deux femmes, malgré l'énorme différence d'âge qui les séparait, s'entendaient à merveille. La maladie n'avait pas enlevé à Eudoxie Turcotte son merveilleux sens de l'humour et son goût de rire de tout et de rien. Pour la première fois de sa vie, Mariette se sentait importante aux yeux de quelqu'un. À la maison, Pauline et Marie avaient toujours monopolisé, sans le vouloir, l'attention de leurs parents. La jeune fille appréciait surtout la confiance manifestée à son endroit tant par la vieille dame toute menue que par sa fille.

****

Le lundi matin, Jean Bergeron et ses fils virent passer Eusèbe au volant de son tracteur et ils lui firent signe de s'arrêter.

— T'en vas-tu t'occuper de la croix du chemin ? lui demanda Jean.

— En plein ça.

— As-tu besoin d'aide ?

— Un homme de plus nuirait pas.

— Bon, je monte avec toi, fit Jean, d'un ton décidé.

Puis, se tournant vers Bernard, il lui dit :

— Tu te souviens des explications de François pour semer ?

— Oui, j'ai rien oublié.

— Bon, t'as juste à montrer à Louis comment faire. Il est capable de l'apprendre comme toi. Je reviens aussitôt que la croix sera plantée.

Sur ces mots, le quadragénaire monta sur la plate-forme attachée au tracteur qui démarra lentement. Le véhicule prit de la vitesse. Jean enviait son voisin de posséder une telle machine et il ne comprenait pas pourquoi il ne s'en servait pas plus souvent. S'il avait un tracteur, lui, il se débarrasserait de ses chevaux et il s'arrangerait pour s'acheter une vieille automobile pour aller au village. Il se souvenait encore avec nostalgie du temps où il avait une auto... Mais il avait beau chercher à planifier l'avenir, il ne voyait pas le jour où il pourrait se payer tout ça.

Quand les deux hommes arrivèrent au bout du rang, ils aperçurent Omer Lagacé et un homme engagé en train de finir de creuser le trou de plus d'un mètre de profondeur dans lequel serait plantée la croix formée de deux beaux madriers. Lagacé s'était donné la peine de la peindre en blanc et de découper un gros cœur en bois peint en rouge qu'il avait cloué au point de rencontre des deux pièces de bois.

Pendant que les deux hommes finissaient de creuser, Jean et Eusèbe arrachèrent les arbustes autour du trou et nettoyèrent l'endroit. Finalement, tous les quatre unirent leurs efforts pour hisser la croix et en assujettir le pied avec des roches et de la terre. On s'assura qu'elle était bien droite et solidement plantée.

Ensuite, Lagacé tira de sa remorque trois sections d'une petite clôture en bois d'environ trois mètres de longueur chacune. Il avait pris la peine de la peindre elle aussi en blanc Les hommes plantèrent quatre piquets sur lesquels ils clouèrent les sections. Ils achevèrent le travail en formant un petit monticule de terre à l'intérieur de la clôture qu'ils venaient de dresser.

Lorsque le travail fut terminé, Lagacé et Eusèbe traversèrent la route pour s'assurer, une dernière fois, que la croix était bien droite.

— Bon, je pense ben qu'on a fini, dit Omer Lagacé d'un ton satisfait. Cette semaine, les femmes vont venir planter des fleurs et, dimanche prochain, monsieur le curé aura juste à venir la bénir.

— T'as fait du bel ouvrage, dit Eusèbe avant de repartir. Je pense qu'on a la plus belle croix du chemin de Saint-Anselme.

Le dimanche après-midi suivant, une centaine d'habitants de Saint-Anselme se réunirent au pied de la nouvelle croix du chemin autour du curé Desmeules et de son vicaire, coiffés de leur barrette et revêtus, pour la circonstance, de leur plus beau surplis. Le curé fit le tour de la croix en l'aspergeant d'eau bénite et il récita quelques prières, à genoux, avec ses paroissiens. Avant de quitter les lieux, il remercia toutes les personnes qui avaient contribué à ériger cette croix.

Chapitre 28

Les noces

L'odeur entêtante des lilas plantés près de la maison se répandait dans l'air chaud et humide et grisait un peu Estelle, occupée avec ses filles à semer dans son jardin. Les trois femmes, coiffées d'un chapeau de paille et vêtues de robes longues aux manches soigneusement boutonnées, se protégeaient du mieux qu'elles pouvaient du soleil ardent. Elles mettaient à profit les deux dernières heures de l'après-midi pour terminer le travail. Le lendemain, tout s'arrêterait pour le mariage de Henri.

Estelle et ses filles avaient à peine mis le nez à l'extérieur durant la semaine qui se terminait. Pauline, Mariette et elle avaient cuisiné sans relâche dans la chaleur dégagée par le poêle. La cuisson du jambon, des poulets et du rôti de porc avait été suivie par celle des tartes, des beignets et des gâteaux. Après, il avait fallu se lancer dans un grand ménage pour nettoyer la maison avant les noces. Même si ces dernières avaient lieu chez les Côté, les parents de Germaine, Eusèbe et elle inviteraient tous les invités au mariage à venir souper à la maison. Comme il était impossible de connaître d'avance le nombre exact de personnes qui accepteraient l'invitation, il lui avait fallu préparer plus de nourriture que moins.

Jocelyn et Eusèbe achevaient de dresser des tables montées sur des tréteaux à l'extérieur, à l'ombre des grands érables qui bordaient la cour. Il ne restait plus qu'à souhaiter qu'il fasse beau le lendemain. Quand ils eurent fini, Eusèbe s'approcha du jardin.

— Je pensais ben qu'on aurait de la parenté à coucher, dit-il à Estelle.

— Moi aussi. Surtout ceux qui viennent de loin.

— En tout cas, on est parés pour les recevoir.

Pourtant, ce vendredi soir-là, seuls Marie et Maurice, de retour de leur travail, vinrent s'installer à la maison.

Le lendemain matin, le beau temps était au rendez-vous. Un peu avant 8 h, les premières voitures remplies de parents arrivaient chez les Marcotte en train de s'habiller pour les noces. Eusèbe s'occupait des invités pendant que les femmes achevaient de se coiffer. Henri, nerveux, allait de l'un à l'autre, ne sachant trop quoi faire en attendant le départ pour Saint-Gérard.

— Bon, on va y aller, si on veut pas que le marié soit en retard à ses noces, dit Eusèbe. Il manquerait plus que la belle Germaine attende devant l'église ; ce serait assez pour qu'elle change d'idée.

Un éclat de rire général répondit à la boutade. En quelques minutes, tout le monde s'entassa dans les voitures et on se mit en route.

Lorsqu'ils arrivèrent à Saint-Gérard, près d'une cinquantaine de personnes attendaient déjà l'arrivée de la mariée devant la petite église. Les retrouvailles de parents qui ne s'étaient pas vus depuis de longs mois étaient ponctuées de cris de plaisir et d'embrassades. Les enfants piaffaient d'impatience sous l'œil vigilant de leur mère qui ne voulait pas qu'ils se salissent avant d'entrer dans l'église.

Quand la voiture de la mariée s'arrêta enfin devant l'église, des spectateurs s'exclamèrent à la vue de Germaine, vêtue d'une longue robe blanche et la tête couverte d'un voile. La jeune fille descendit de la voiture et prit le bras de son père pendant que sa mère faisait ses dernières recommandations à la petite bouquetière qui précédait le couple.

Henri entra le premier dans l'église en compagnie de son père et il alla prendre place dans l'un des deux fauteuils placés devant la sainte table. Les invités entrèrent peu à peu. Sans se concerter, les deux familles occupèrent chacune un côté de l'église. Quand tout le monde fut installé, la mariée entra au bras de son père et vint s'asseoir près de son fiancé. On laissa les portes du temple ouvertes pour laisser pénétrer un peu de fraîcheur.

Durant l'échange des vœux et des anneaux, Estelle ne put s'empêcher de verser une larme sous le regard attendri de son mari. Pauline, debout aux côtés de Bernard, enviait la mariée et espérait que son tour viendrait rapidement. À la fin de la messe, les témoins des nouveaux conjoints allèrent signer le registre paroissial. La chorale entonna la marche nuptiale au moment où les jeunes mariés sortaient de l'église, suivis par tous les invités. Sur le parvis, il y eut l'incontournable photographie de groupe avant que chacun prenne place dans le convoi qui allait conduire les invités chez les Côté.

Ces derniers avaient fait les choses en grand. Aidée par des voisines et des parentes, la mère de la mariée avait préparé un véritable banquet qui serait servi à l'extérieur, comme chez les Marcotte. Dès leur arrivée, on invita les gens à aller voir dans le salon les cadeaux reçus pour les nouveaux époux et on servit des rafraîchissements. Ceux et celles qui n'avaient pas encore eu l'occasion de remettre leur cadeau allaient l'offrir aux mariés qui s'empressaient de le développer et de remercier.

Déjà, les enfants couraient partout et la porte de la cuisine ne cessait de s'ouvrir et de se refermer sur eux.

Quelques minutes plus tard, monsieur Côté invita les gens à venir prendre place aux tables. Il installa à la table d'honneur le curé de Saint-Gérard, les nouveaux mariés, Estelle et son mari ainsi que sa femme. Henri et Germaine, un peu mal à l'aise d'être l'objet de l'attention générale, ne savaient pas trop quelle attitude adopter.

Dès le début du dîner, les invités se mirent à frapper en cadence leur table avec un ustensile, exigeant ainsi que les jeunes époux se lèvent et s'embrassent. Le manège allait se répéter durant tout le repas.

Très rapidement, la conversation devint générale. Certains échangeaient des nouvelles, tandis que d'autres se taquinaient. De temps à autre, des rires fusaient ou on s'interpellait d'une table à l'autre. Les assiettes généreusement remplies suscitaient des commentaires et les verres ne demeuraient pas vides longtemps. Peu à peu, les hommes desserraient leur cravate ou la ceinture de leur pantalon pour se mettre à l'aise. Après avoir avalé leur dessert, les enfants s'éloignèrent un peu des tables pour s'amuser sous la surveillance de quelques adolescentes, parentes de Germaine.

Après le repas, deux invités sortirent leur violon pour faire danser les gens, mais il faisait si chaud que seuls les plus jeunes dansèrent. Les autres préférèrent se retirer à l'ombre des arbres.

Henri et Germaine allaient d'un groupe à l'autre pour remercier les gens d'être venus à leur mariage.

Vers 15 h, les mariés se retirèrent pour aller changer de vêtements sous les remarques gaillardes de certains invités. Ils réapparurent quelques minutes plus tard. Ils étaient prêts à prendre congé et à partir en voyage de noces.

Les invités les entourèrent dès leur apparition. On les embrassa et on leur souhaita un beau voyage.

Finalement, Maurice approcha la voiture prêtée par son cousin garagiste des nouveaux mariés et il les fit monter. Il devait les conduire à Montréal où ils passeraient quelques jours avant de revenir s'installer dans la maison des Côté.

Après le départ des mariés, Eusèbe et Estelle invitèrent à souper tous les gens présents. Avant de quitter les Côté, ils les remercièrent d'avoir organisé de si belles noces et ils insistèrent pour qu'ils viennent manger à la maison avec leurs invités.

Si presque tous les parents d'Eusèbe et Estelle se rendirent à leur invitation, il n'y eut que quelques invités des Côté qui les accompagnèrent à Saint-Anselme.

La cinquantaine de personnes qui se réunirent chez les Marcotte eurent droit à un second repas trop copieux, mais on fit tout de même honneur aux mets servis et on félicita Estelle et ses filles de leurs talents de cuisinières.

Les Bergeron et François Riopel furent invités à se joindre au groupe. À la fin de cette longue journée de fête, les tenues étaient défraîchies. Les cravates étaient disparues depuis longtemps dans les poches de veston et les vêtements des enfants avaient passablement souffert. Seules les femmes ne s'étaient pas relâchées. Elles étaient presque aussi pimpantes qu'au début de la journée.

Lorsque l'obscurité tomba sur cette dernière journée de mai, les maringouins firent leur apparition et rendirent vite la vie intenable. Eusèbe et Estelle invitèrent les gens à entrer, mais ces derniers, fatigués et repus, préférèrent rentrer chez eux.

Dès le départ du dernier invité, la nourriture fut mise à l'abri dans la maison, mais les Marcotte étaient si épuisés qu'ils remirent au lendemain le démontage et le rangement des tables et des bancs. À 22 h, tout le monde était monté se coucher.

— La maison commence à se vider pas mal vite, dit Eusèbe à sa femme, dans le noir.

— Tu peux le dire. Après Maurice, voilà notre plus vieux parti.

— Il me reste plus que Jocelyn pour m'aider, constata Eusèbe. Je pense que je vais être obligé de me trouver un homme engagé, sinon on arrivera pas à faire tout ce qu'on a à faire.

— À table, ça commence à paraître. On est rendu avec trois places vides si on compte Marie, ajouta Estelle.

— C'est la vie, ma vieille. Si nos enfants partaient jamais, on s'inquiéterait. En plus, Marie et Maurice seront pas partis longtemps.

— Au moins, conclut Estelle, comme si elle poursuivait un monologue intérieur, Henri sera pas trop à plaindre. Quand il va revenir de son voyage de noces, il va s'installer dans une belle maison. Éloi Côté et sa femme ont l'air ben content que le couple vienne vivre avec eux.

Le jour où ils vont se donner à Germaine et à lui, Henri pourra se vanter d'avoir du bien.

Chapitre 29

La belle occasion

Henri et Germaine revinrent transfigurés de leur court voyage de noces. Dès leur retour, ils firent une visite de courtoisie à Eusèbe et Estelle avant d'aller s'installer dans la maison des Côté, à Saint-Gérard.

Pour sa part, Eusèbe n'avait pas traîné longtemps pour se trouver un homme engagé. Dès le surlendemain des noces, il en avait parlé à Vincent Riendeau et ce dernier s'était empressé de lui proposer les services de son second fils, Paul-Aimé.

Malheureusement, le beau temps qui s'était maintenu depuis la mi-mai céda sa place aux orages et à la pluie pendant plusieurs jours, ce qui retarda considérablement les travaux. C'était là une perte de temps difficile à rattraper.

Un avant-midi, pendant que Pauline était occupée à faire du rangement à l'étage dans l'ancienne chambre de Henri, Estelle dit à Marie :

— C'est triste une maison qui se vide.

— Pourquoi vous dites ça, m'man ?

— Henri est parti. Mariette et Maurice couchent plus ici que la fin de semaine. Pauline va finir par se marier un jour. Et toi...

— Moi ?

— Oui, toi, tu vas peut-être décider de retourner au noviciat à la fin de l'été.

— Non, m'man. J'y ai ben pensé. J'ai décidé que je resterais ici, avec vous autres. Je retournerai pas chez les sœurs.

— Es-tu sérieuse ? fit sa mère, en se tournant vers elle. C'est ton père qui va être content quand il va apprendre ça.

— Vous, m'man ?

— Moi aussi, ben sûr ! s'exclama Estelle, heureuse d'apprendre une si bonne nouvelle. Es-tu certaine que monsieur le curé te fera pas changer d'idée ?

— Certaine, m'man. J'y ai ben pensé. Je suis sûre que ma place est ici.

Quand Eusèbe apprit la nouvelle de la bouche de sa femme ce soir-là, il connut un moment de joie intense qu'il se garda bien de manifester. Cependant, l'air de contentement qui se répandit sur son visage disait assez à quel point la nouvelle lui faisait plaisir.

****

Finalement, le soleil revint après une dizaine de jours de pluie et on tenta de rattraper le temps perdu. Paul-Aimé Riendeau n'était peut-être pas aussi vaillant que Henri, mais il abattait sa part de travail sans rechigner. Eusèbe ne mit pas beaucoup de temps à apprécier ce jeune homme affable qui ne comptait pas ses heures de travail.

Un soir de la troisième semaine de juin, après une dure journée de travail aux champs, Paul-Aimé s'approcha d'Eusèbe en s'essuyant le visage avec un large mouchoir qu'il avait tiré de sa poche arrière.

— Je me demandais, Monsieur Marcotte, si vous m'aviez engagé juste pour l'été, commença le jeune homme.

— Non, je suis ben prêt à te garder jusqu'à la fin de l'automne, si tu veux.

— C'est ben correct, mais je vais avoir un problème.

— Lequel ?

— Il va falloir que je trouve une place où coucher.

— Comment ça ? Tu trouves ça trop loin d'aller coucher chez vous ? La ferme de ton père est juste à côté de chez Riopel.

— Ben, voyez-vous, mon père nous a dit hier qu'il avait décidé de vendre la terre. Ce printemps, il a semé avec mes frères et il est prêt à faire les foins en juillet, mais ça va s'arrêter là. Il dit que ça sert à rien de continuer parce qu'il a pas les moyens de s'acheter des vaches.

— Ton père t'a dit qu'il voulait vendre ? demanda Eusèbe, estomaqué. Mais il a une étable toute neuve et...

— Oui, je sais ben, mais mon oncle Félicien de Saint-Hyacinthe est un vieux garçon. Il dit qu'il trouve ça plate de vivre tout seul, sans enfants dans la maison. Ça fait qu'il a proposé à mon père de venir vivre avec lui sur sa terre.

— Avec treize enfants, ton oncle risque pas de s'ennuyer, c'est sûr, dit Eusèbe avec le sourire.

— Oh ! On sera pas treize enfants. Moi, j'aime Saint-Anselme et je vais me trouver de l'ouvrage par ici. Deux de mes frères vont aller vivre en ville. Mais le reste de la famille va suivre mon père.

— Bon, si t'as l'intention de travailler par ici, je peux t'accommoder au moins jusqu'à la fin de l'automne. On a une chambre de libre.

— C'est ben correct comme ça, Monsieur Marcotte. Remarquez, c'est peut-être pas pour tout de suite. Il faut d'abord que mon père vende la terre.

Sur ces mots, le jeune homme partit à pied pour rentrer chez lui.

Après le souper, Eusèbe raconta tout à sa femme qui accepta d'héberger leur homme engagé. Ensuite, le gros homme garda le silence durant plusieurs minutes avant d'ajouter d'un air songeur :

— Estelle, sais-tu que la terre des Riendeau ferait une bonne terre pour Bernard et Pauline. La maison est d'aplomb. L'étable est neuve. Le reste des bâtiments est solide. Le roulant est pas mal. Il manque juste des vaches, mais ça s'achète.

Pauline, qui achevait de broder une taie d'oreiller, leva la tête de son ouvrage et regarda son père, pleine d'espoir.

— C'est sûr que ça ferait leur affaire, dit Estelle. En plus, ils seraient tout près de nous et des Bergeron. Le problème, c'est que Bernard a pas une cenne.

— C'est vrai, mais on pourrait toujours lui prêter le montant si Riendeau demande pas trop cher. Qu'est-ce que t'en penses, ma grande ? demanda Eusèbe à sa fille.

— Oh oui ! p'pa, Bernard et moi, on aimerait ben ça avoir une terre à Saint-Anselme, répondit la jeune fille, excitée par cette perspective.

— C'est toi qui connais ton affaire, dit Estelle à son mari. Si tu penses que t'es capable de faire ça pour les aider, vas-y.

Ayant pris sa décision, Eusèbe ne perdit pas de temps. Il se rendit le soir même chez ses voisins. Quand

Jean l'aperçut à pied, sur la route, il descendit du balcon où il était assis et s'avança vers lui.

— T'es pas encore assez fatigué après ta journée d'ouvrage, il faut que tu te promènes sur le chemin après le souper, dit-il à son voisin… à moins que tu cherches à retrouver ta ligne de jeune homme…

— Laisse faire ma ligne de jeune homme, dit Eusèbe en riant. Je me souviens même pas d'avoir déjà été moins gros. Non, c'est pas ça, ajouta-t-il soudainement plus sérieux. Je viens te voir pour t'apprendre toute une nouvelle. Le garçon de Vincent Riendeau vient de me dire que son père veut vendre sa terre. Il s'en va vivre chez son frère à Saint-Hyacinthe.

— Ben, maudit ! Il aurait pu se décider avant qu'on lui construise une étable neuve, tu trouves pas ?

— Laisse faire l'étable, Jean. C'est peut-être pas une si mauvaise affaire que ça. J'ai pensé que cette terre-là pourrait ben faire l'affaire de ton garçon.

— C'est sûr qu'elle ferait son affaire, mais où est-ce qu'il prendrait l'argent pour la payer. Moi, je voudrais ben l'aider, mais je suis pas capable.

Les deux hommes montèrent les trois marches qui conduisaient au balcon et Jean offrit un siège à son voisin.

— Moi, je pourrais peut-être, si Riendeau est raisonnable. Je pense que le mieux est d'en parler d'abord à Bernard, non ?

— Annette ! cria Jean vers la porte moustiquaire, dis donc à Bernard que son futur beau-père aimerait lui parler.

Annette appela Bernard, qui venait de monter à sa chambre, et elle vint saluer Eusèbe avant de se retirer pour laisser parler les hommes entre eux.

Bernard sortit, salua Eusèbe et s'assit sur la première marche de l'escalier. Quand son futur beau-père lui apprit la nouvelle, son intérêt devint évident. Cependant, cet intérêt s'éteignit vite à la pensée qu'il ne possédait sûrement pas le montant nécessaire à l'achat.

Eusèbe le rassura tout de suite en lui disant :

— On peut toujours aller voir Riendeau. Ça coûte rien de s'informer du prix qu'il demande. Si ça a du bon sens, je suis prêt à t'avancer l'argent pour l'acheter. Je fais ça autant pour toi que pour ma fille.

Le visage du jeune homme exprima d'abord un bonheur intense en entendant ces paroles, puis il manifesta la plus vive inquiétude.

— J'espère qu'on arrivera pas trop tard et qu'il l'a pas déjà promis à quelqu'un, dit-il, devenu soudainement nerveux.

Il se leva le premier, impatient d'aller rencontrer Vincent Riendeau chez lui. Les trois hommes se rendirent à pied chez ce dernier.

Ils trouvèrent le cultivateur devant sa remise, en train de réparer sa charrue. Riendeau abandonna son travail à la vue de ses visiteurs.

— Remplacez-vous le curé dans sa tournée de la paroisse ? demanda-t-il avec un sourire.

— Non, non, répondit Eusèbe. On est juste passé pour s'informer. Paul-Aimé m'a dit que tu pensais à vendre ta terre.

— C'est vrai. Dis-moi pas, Eusèbe Marcotte, que tu penses encore à t'agrandir ? Tu vas finir par avoir toutes les terres du rang si ça continue.

— Il en est pas question, fit Eusèbe, sérieux. Ce serait pour le garçon de Jean et ma fille qui pensent à se marier et qui aimeraient rester dans la paroisse, Est-ce que je peux te demander ton prix ?

Comme c'était Eusèbe Marcotte qui possédait l'argent, Jean et Bernard ne dirent pas un mot durant les négociations qui débutèrent entre lui et Vincent Riendeau. Aucun des quatre hommes ne songea à s'asseoir. D'ailleurs, le marchandage dura à peine quelques minutes. Chacun connaissait assez bien la valeur de la terre et de la machinerie que le cultivateur cherchait à vendre. Rapidement, on se mit d'accord sur le prix à payer et on se donna rendez-vous chez le notaire trois jours plus tard. Les hommes se quittèrent sur une poignée de mains.

En rentrant, Eusèbe invita Bernard à venir annoncer lui-même la bonne nouvelle à sa fiancée. Jean les quitta devant chez lui et il alla rejoindre Annette, assise sur la galerie pendant que son fils et Eusèbe continuaient leur route.

— Si t'es d'accord, Bernard, je vais arrondir le montant que je vais te prêter pour te permettre d'acheter une demi-douzaine de vaches. Comme ça, tu vas pouvoir partir du bon pied. T'auras pas de problème avec le foin ; Riendeau a dit qu'il ferait les foins avant de partir et il en a encore pas mal dans la grange.

— Merci, Monsieur Marcotte. Mais comment je vais faire pour vous rembourser tout ça ? demanda le jeune homme d'une voix un peu angoissée.

— Il y aura pas de problème. Tu feras comme tous les cultivateurs du coin. Tu me rembourseras tant par année, pendant 20 ans s'il le faut. Inquiète-toi pas, tu vas y arriver.

Pauline guettait le retour de son père depuis un bon moment par la fenêtre de sa chambre. Quand elle le vit arriver en compagnie de Bernard, elle s'empressa d'aller au-devant des deux hommes. Eusèbe les quitta en lui disant :

— Je pense que Bernard a des choses à te dire.

— Puis ? demanda-t-elle pleine d'espoir à son fiancé.

— C'est fait.

— Qu'est-ce qui est fait ?

— On va acheter la terre de Riendeau. Ton père s'est entendu avec lui et il me passera même l'argent pour acheter une demi-douzaine de vaches. On va le rembourser petit peu par petit peu pendant 20 ans. Tu comprends ce que ça veut dire : on va pouvoir se marier.

Pauline courut embrasser son père qui avait pris une dizaine de mètres d'avance sur le couple.

Ce soir-là, on fit des projets autour de la table des Marcotte et il fut décidé que le mariage aurait lieu au début de novembre, juste avant d'hiverner.

****

Une semaine plus tard, Colette célébra la fin de l'année scolaire avec ses élèves. Il était temps que les classes finissent. Depuis trois semaines, il lui manquait trois garçons que les parents gardaient à la maison pour les aider, et ses onze autres élèves étaient plus intéressés par les récréations que par ce qu'elle leur enseignait. La jeune institutrice commençait à être à court d'imagination pour les motiver.

En cette dernière journée, elle les avait occupés à nettoyer leur pupitre, à ranger l'armoire où les livres étaient déjà empilés, prêts à servir l'année suivante, et à laver le grand tableau noir. Ensuite, elle leur avait remis leur bulletin et animé quelques jeux. Au milieu de l'après-midi, elle embrassa chacun de ses élèves et leur souhaita de belles vacances. Quand le dernier élève eut quitté l'école, la jeune institutrice s'approcha d'une fenêtre pour les regarder, avec nostalgie s'égailler sur la route en poussant des cris de joie. L'année scolaire était bel et bien terminée.

Seule dans sa classe désertée, elle regarda longuement les pupitres alignés et elle eut un pincement au cœur. Elle était heureuse de retourner à la maison, mais son école lui manquerait.

Au moment où elle allait monter à son petit appartement pour descendre ses quelques effets personnels, Antoine Girouard arrêta sa voiture devant l'école. Le quadragénaire en descendit, l'air important, et frappa à la porte de l'école avant d'entrer.

— Bonjour, Monsieur Girouard.

— Bonjour, Colette. Contente que les vacances soient enfin arrivées ?

— Oui et non. Les enfants vont me manquer.

— Tu te doutes pourquoi je suis là ?

— Non.

— Je viens voir si t'es intéressée à enseigner encore ici l'année prochaine. L'inspecteur a fait des bons rapports sur toi toute l'année. Si tu le veux, je peux te faire signer tout de suite ton contrat pour septembre.

— Je suis prête à le signer.

En deux minutes, le contrat d'engagement fut signé et rangé dans la poche du président de la commission scolaire qui s'éclipsa rapidement en disant qu'il voulait rencontrer les autres institutrices avant qu'elles rentrent chez elles.

À la fin de l'après-midi, Ulric Gagné arriva en compagnie de son jeune frère Philippe, leur chaperon habituel. Il chargea dans sa voiture les affaires de Colette pendant que cette dernière jetait un dernier coup d'œil dans l'école pour s'assurer que tout était en bon ordre avant de verrouiller la porte.

Pendant le trajet, le jeune homme dit tout bas à sa passagère :

— Ça va me faire tout drôle de plus te voir chaque jour dans la cour de récréation.

— Oui, mais tu vas venir veiller une ou deux fois par semaine à la maison, dit-elle en lui souriant. En plus, tu vas me revoir en septembre parce que je viens de signer mon contrat pour l'an prochain.

— C'est pas pareil, murmura-t-il. Le temps va être long.

— Voyons, Ulric, je m'en vais pas au bout du monde... juste au bout de la paroisse.

— Ouais !

Le jeune homme se tut durant quelques minutes, absorbé dans ses pensées. Finalement, il sembla avoir pris une décision et sortit de son mutisme.

— Sais-tu, je pensais à quelque chose. Qu'est-ce que tu dirais si on se fiançait à Noël prochain ? On se connaît depuis presque un an et on s'entend ben. On pourrait se marier à la fin de juin, quand l'école serait finie.

Colette jeta un coup d'œil à Philippe, assis à l'arrière, mais elle ne répondit pas immédiatement. Tout allait trop vite. Elle aimait Ulric. Elle appréciait ses qualités. Il était travailleur, de caractère égal, dévoué et digne de confiance. Mais était-elle prête à s'engager pour toute sa vie ?

— Tu dis rien ? demanda Ulric, inquiet.

— Je trouve ça pas mal vite, finit-elle par dire.

— Tu veux dire que tu m'aimes pas assez pour penser à te marier avec moi ?

— Non, c'est pas ça. Je trouve que Noël puis juin, c'est loin. Il peut arriver toutes sortes d'affaires avant ça.

— Des affaires comme quoi ?

— Je sais pas. Tu peux arrêter de m'aimer, par exemple.

— Ça, il y a pas de danger, dit-il d'un ton assuré.

Colette le regarda et lui sourit.

— Si c'est comme ça, je suis d'accord.

Durant la soirée, la jeune fille se confia à sa mère qui, philosophe, lui dit :

— Il y a encore pas mal d'eau qui va couler sous les ponts avant qu'on soit à Noël. On verra ça à ce moment-là. Si ton Ulric a pas changé d'idée, il sera toujours temps de préparer ton trousseau.

****

Le dimanche suivant, on célébra en famille les fiançailles officielles de Bernard et de Pauline. Si tous les Marcotte étaient présents au souper offert par Estelle, on ne pouvait en dire autant des Bergeron qui n'avaient pas voulu inviter la cousine Mance aux agapes. Depuis sa malheureuse intervention du printemps précédent, tous les Bergeron l'évitaient comme la peste.

Le contrat d'achat de la ferme des Riendeau avait été signé chez le notaire durant la semaine précédente et Vincent Riendeau avait proposé de demeurer sur sa terre jusqu'au début septembre, ce qui convenait parfaitement à Bernard et à Pauline. De l'avis d'Eusèbe, son futur gendre pourrait acheter à meilleur prix les vaches dont il avait besoin à l'automne parce que beaucoup de cultivateurs cherchaient souvent, à cette époque de l'année, à se départir des bêtes en surplus qu'ils ne voulaient pas nourrir durant l'hiver. Pour leur part, les fiancés pensaient que deux mois suffiraient amplement pour faire un grand ménage dans leur nouvelle maison, avant leur installation définitive.

Chapitre 30

Le départ du curé Desmeules

Alors que sa voiture longeait les champs où paissaient des troupeaux de vaches et où des gens travaillaient sous le soleil ardent de la mi-juillet, le curé Desmeules ne ressentait pas le plaisir que ces scènes bucoliques suscitaient habituellement chez lui. Il les voyait, mais son esprit n'enregistrait rien. Il était trop préoccupé à revivre la rencontre qu'il venait d'avoir avec son évêque, à l'issue de sa semaine de retraite annuelle à Nicolet.

Le quinquagénaire était à demi assommé par la nouvelle qu'il venait d'apprendre. À la fin du mois, il quitterait sa cure sans espoir de retour pour aller occuper celle de Saint-François-du-Lac, à l'autre extrémité du diocèse. Monseigneur Fortier profitait du décès du curé de l'endroit pour effectuer certains changements dans les cures de son diocèse. Sa décision était sans appel.

Dans quinze jours, il ne serait plus qu'un étranger dans la paroisse qu'il considérait comme la sienne depuis tant d'années. Il aurait voulu dire à son supérieur que tout allait à merveille, qu'il s'entendait maintenant parfaitement bien avec ses marguilliers, qu'il administrait de main de maître sa paroisse... Mais à quoi bon ? Son évêque ne reviendrait jamais sur sa décision. Il avait même pris la peine de préciser qu'il n'accepterait aucune demande ou démarche des paroissiens de Saint-Anselme pour le conserver à son poste.

Au moment de le quitter, le prélat lui avait souhaité bonne chance dans son nouveau ministère et il l'avait prévenu que le curé Isidore Pesant, son remplaçant, arriverait au presbytère de Saint-Anselme au début de la dernière semaine de juillet et qu'il comptait sur lui pour le présenter à ses nouveaux fidèles et l'informer des affaires courantes de sa nouvelle paroisse.

Édouard Desmeules descendit de la voiture au pied de l'escalier de son presbytère, remercia son chauffeur bénévole et avant de monter les marches, il jeta un regard nostalgique sur son église qu'il aimait tant.

Lorsqu'il entra dans le presbytère, sa petite valise à la main, Mance Parenteau vint l'accueillir.

— Bonjour, Monsieur le curé, j'espère que vous avez eu une bonne retraite.

— Très bonne, Madame Parenteau. Mais je me suis ennuyé de votre cuisine.

Mance eut un sourire de satisfaction et lui proposa :

— Le souper est dans une heure. Si vous le voulez, je peux vous préparer une petite collation, en attendant.

— Non, merci Madame. J'attendrai le souper.

Le curé prit la direction de sa chambre située à l'étage et il rangea le contenu de sa valise sur les tablettes de son armoire. Il s'avança vers l'une des deux fenêtres qui donnaient sur l'avant du presbytère et il regarda longuement la rivière Nicolet dont il apercevait les eaux paisibles entre le magasin général et la maison du docteur Tanguay.

Sa pensée revint au bouleversement qu'il s'apprêtait à vivre. Il ne connaissait pas le curé Pesant. Que savait-il de l'église et du presbytère de Saint-François-du-Lac ? Pour y être passé une fois ou deux, il se rappelait que la paroisse avait une belle église en pierre et un presbytère ressemblant beaucoup à celui de Saint-Anselme... « Tu es ridicule, Édouard, se dit-il. Tu as cru que tu mourrais dans ta première cure, que ton évêque t'avait oublié. La vie aurait été trop facile. »

Le prêtre s'agenouilla sur le prie-Dieu placé près de son lit et murmura une prière qu'il n'avait pas récitée depuis longtemps : « Seigneur, donnez-moi la force et la sagesse d'accepter ce que je ne peux pas changer... »

Après le souper, le curé Desmeules apprit à son vicaire et à sa cuisinière qu'il les quitterait pour une nouvelle cure à la fin du mois et qu'ils auraient le nouveau curé comme invité dès la semaine suivante.

L'abbé Surprenant et Mance lui dirent qu'ils le regretteraient. Le vicaire ajouta même qu'il prierait pour que Dieu lui donne la force d'accepter sa nouvelle tâche avec courage. Son curé le remercia avant d'aller s'enfermer dans son bureau.

****

Le même soir, Bernard, Jean et Louis étaient occupés dans la remise des Bergeron à confectionner un mobilier de chambre à coucher. Depuis près de trois semaines, les trois hommes occupaient pratiquement tous leurs moments libres à la fabrication d'un mobilier pour Bernard et Pauline.

À la surprise de tous, Louis s'était alors révélé le plus habile des trois quand il s'agissait de travailler le bois. La découverte de ce talent avait rempli ce dernier de fierté et il était toujours le premier à suggérer d'aller travailler dans la remise, le soir, après le souper. À chacune de ses visites, Pauline s'extasiait sur les beaux meubles qu'on installerait bientôt dans sa future maison.

Vers 20 h ce soir-là, les trois hommes entendirent une automobile entrer dans la cour. Jean déposa son marteau et alla voir ce qui se passait.

Il aperçut son père et sa mère qui descendaient de la voiture avec l'aide du chauffeur.

— Ah ben, ça parle au diable ! s'écria-t-il, tout heureux de revoir ses parents. Ça, c'est de la grande visite !

Il se précipita à leur rencontre. Annette l'avait déjà précédé auprès de ses beaux-parents et elle avait eu le temps d'embrasser Armand et Emma Bergeron, tout endimanchés. Isabelle, tenant Aurore dans les bras, et Colette se dépêchèrent de sortir de la maison pour venir embrasser leurs grands-parents qu'elles n'avaient pas vus depuis près de deux ans.

Jean, suivi de ses deux fils, embrassa sa mère et serra la main de son père.

— Voulez-vous ben me dire d'où vous sortez à une heure pareille ? demanda-t-il à ses parents.

Armand Bergeron, un vieillard de 75 ans au corps sec et noueux, regarda son fils avec affection.

— Ça serait peut-être plus facile de te raconter tout ça, assis sur une bonne chaise berçante avec un remontant, dit-il avec un sourire malicieux.

— Ben sûr, répondit Annette, entrez donc.

— Penses-tu avoir de la place pour nous coucher, nous et notre chauffeur ? demanda Emma à sa bru.

— Ayez pas peur, belle-mère, on va en trouver.

Bernard et Louis s'emparèrent des deux petites valises de leurs grands-parents et ils les portèrent à l'intérieur.

Tout le monde entra et on s'installa dans la cuisine, laissant les chaises berçantes aux grands-parents.

— Je vous prépare une bonne tasse de thé, fit Colette.

— Si ça te fait rien, ma belle, lui dit son grand-père, je vais laisser le thé aux créatures. Si ton père a quelque chose d'un peu plus fort, j'en prendrais ben un verre.

— Armand ! fit sa femme avec reproche, les enfants vont te prendre pour un vieil ivrogne.

— Voyons, m'man, fit Jean, c'est pas avec un petit verre de gin qu'il va être saoul. Louis, dit-il à son plus jeune fils, va donc chercher la bouteille et des verres dans l'armoire.

Jean servit un verre de gin à son père et au chauffeur et il se rassit.

— Puis ? demanda-t-il en se rasseyant.

— C'est ben simple, dit Armand Bergeron, ta mère doit voir demain après-midi un spécialiste pour ses yeux à l'hôpital Notre-Dame, à Montréal. D'après le docteur Fradette qui la soigne, il est meilleur que celui de Québec. Ça fait que j'ai demandé Jean-Paul Tougas, qui reste au village, de nous conduire à Montréal et, comme tu peux le voir, il a dit « oui ».

— Est-ce que c'est grave ? demanda Annette à sa belle-mère.

— Ben non. Des fois, je vois tout embrouillé, dit Emma Bergeron, désinvolte. Le docteur a dit que ça pouvait être des cataractes et il m'envoie chez le spécialiste pour régler ça.

— En tout cas, tu connais ta mère, dit Armand. Voyager avec elle, c'est comme un chemin de croix. Il faut qu'elle s'arrête un peu partout pour saluer de la parenté ou des connaissances. On a beau être partis de bonne heure à matin de Saint-Éphrem, regarde à quelle heure on arrive.

— C'est un vieux grogneux, occupez-vous pas de lui, fit la vieille dame à l'adresse des jeunes. Ce qu'il dit pas, c'est qu'il était toujours le premier à vouloir s'arrêter partout.

Le reste de la soirée passa à se donner des nouvelles de la famille éloignée et à raconter les projets de chacun, surtout des enfants. Les grands-parents promirent qu'ils feraient tout leur possible pour assister aux noces de Bernard, à la fin novembre.

Annette expliqua qui était Aurore qui avait fini par s'endormir dans les bras d'Emma qui s'en était très vite emparée. Elle parla de François qui fréquentait Isabelle. Enfin, Colette finit par avouer à ses grands-parents que son ami Ulric voulait la fiancer le Noël suivant.

— Ma foi du bon Dieu ! s'exclama Armand, narquois. Veux-tu ben me dire, Jean, ce que tes enfants ont tous à vouloir se marier ? Ils sont pas ben ici, avec leur père et leur mère. Pourquoi ils veulent tous se passer la corde au cou ?

— Ils sont jeunes, p'pa. Ils voient pas dans quoi ils s'embarquent. Mais je les ai prévenus ; ils sont mieux de pas venir se plaindre après.

— Vous deux, vous devriez être les derniers à vous lamenter, fit Emma. Vous avez été gâtés et vous êtes trop bêtes pour vous en rendre compte. Bon, si on allait se coucher, proposa-t-elle. Vous êtes pas comme nous autres ; vous travaillez tous demain.

Jean et Annette cédèrent leur chambre aux grands-parents et ils allèrent dormir dans celle de Louis qui partagea, pour un soir, le lit de son frère Bernard. Annette confectionna un lit de fortune au chauffeur de ses beaux-parents, lit qu'elle installa dans le salon.

Le lendemain matin, à l'aube, Jean et ses fils trouvèrent Armand Bergeron prêt à les accompagner à l'étable. Le vieil homme passa l'avant-midi à regarder les bâtiments, les animaux et les champs de son fils. Ce qu'il vit parut le satisfaire.

Au moment du départ pour Montréal, le vieil homme dit à Jean :

— Il y a pas à dire, t'as rien oublié de ce que t'avais appris avec moi. T'es resté un vrai cultivateur. Je pense que t'es à ta place ici.

— Merci, p'pa, ça me fait plaisir de vous entendre dire ça.

Avant que la voiture ne parte pour Montréal, il y eut des embrassades, des serrements de mains et des promesses de s'écrire plus souvent pour donner de ses nouvelles.

Au moment de rentrer, Annette dit à son mari :

— Jean, je pense que pour ta mère, c'est plus grave que ce qu'elle a dit. Je l'ai ben regardé pendant l'avant-midi ; on dirait qu'elle voit presque plus. Elle a juste cherché à nous rassurer en nous parlant de cataractes.

Jean eut de la peine en apprenant cela et il savait qu'Annette en éprouvait autant que lui. Elle avait toujours beaucoup aimé sa belle-mère.

****

Ce dimanche-là, à la fin de la grand-messe, le curé Desmeules annonça son départ le dimanche suivant pour une autre paroisse. Cette nouvelle inattendue causa beaucoup d'émoi dans l'assistance et il y eut de si nombreux murmures que l'officiant dut rappeler ses fidèles à l'ordre.

À la sortie de l'église, les marguilliers allèrent d'un groupe à l'autre pour informer les gens qu'on organiserait un pique-nique dans la cour de l'école du village le dimanche suivant pour saluer une dernière fois leur curé avant son départ. Édouard Desmeules n'avaient pas que des admirateurs dans la paroisse, mais presque tous promirent de venir, si ce n'était pas par amour pour leur curé, c'était poussé par la curiosité de connaître son remplaçant.

Trois jours plus tard, Isidore Pesant, le nouveau curé de Saint-Anselme, se présenta au presbytère.

Le curé Pesant n'avait rien en commun avec Édouard Desmeules. D'une minceur ascétique, le sexagénaire de petite taille était pratiquement chauve. On ne remarquait dans sa figure au teint cireux que les lèvres très minces et les lunettes à monture de corne.

Quand Édouard Desmeules le présenta à son vicaire et à Mance Parenteau, il se contenta d'un hochement de tête avant de suivre celui qu'il remplacerait dans quelques jours dans son bureau.

Mance chuchota au vicaire :

— Oh ! celui-là, je sens qu'il sera pas facile à vivre. On dirait qu'il a avalé un manche à balai.

— Voyons, Madame Parenteau ! dit l'abbé Surprenant, faussement scandalisé.

— En plus, il va falloir que je l'engraisse. Arrangé de même, il a l'air d'un épouvantail et il va faire peur aux moineaux. Il donne l'impression de pas avoir mangé souvent à sa faim. Pour moi, il doit sortir d'une paroisse ben pauvre.

L'abbé Surprenant la quitta sur un éclat de rire et alla lire son bréviaire dans sa chambre.

Le curé Desmeules trouva ses trois dernières journées de ministère à Saint-Anselme particulièrement éprouvantes. Si Isidore Pesant l'avait décontenancé par sa froideur à son arrivée, il se révéla particulièrement déplaisant les jours suivants. Pourtant, conformément aux recommandations de monseigneur Fortier, il fit tout son possible pour mettre son successeur au courant des affaires paroissiales et il le présenta au conseil de fabrique.

Le curé Pesant se taisait la plupart du temps en affichant un air dédaigneux qui avait le don de le faire rager. À ses yeux, il était clair qu'Isidore Pesant avait une très haute conception de son rôle de pasteur et tout laissait croire qu'il n'attendait que son départ pour imprimer sa marque à sa nouvelle paroisse.

****

Enfin, le dernier dimanche de juillet arriva. Le curé Desmeules se leva tôt et alla marcher une dernière fois autour de son église et de son presbytère. Il avait de la peine à quitter cette paroisse qu'il aimait tant, mais cette peine était tempérée par le plaisir d'être définitivement débarrassé de son successeur. Quelques minutes plus tard, il entendit des pas derrière lui. En se retournant, il vit arriver l'abbé Surprenant.

— Vous êtes de bonne heure ce matin, l'abbé.

— Si vous le permettez, Monsieur le curé, j'aimerais vous tenir compagnie quelques minutes avant d'aller célébrer la basse-messe. Après, les paroissiens vont vous accaparer et nous n'aurons plus l'occasion de parler.

Édouard Desmeules sentit ses yeux devenir humides devant cette marque inattendue de sympathie et c'est d'une voix changée qu'il demanda à son vicaire de lui parler de ses projets d'avenir.

Comme il avait été entendu avec le curé Pesant, Édouard Desmeules monta brièvement en chaire durant la grand-messe pour faire de rapides adieux à ses ouailles et présenter, sans chaleur excessive, son remplaçant. Il descendit ensuite prendre place dans le chœur et il laissa Isidore Pesant faire sa première homélie.

Le nouveau curé ne s'embarrassa d'aucun préambule et ne remercia pas celui qui venait de l'introduire. Ses premières paroles claquèrent dans l'église bondée avec une rare sécheresse. Le ton était donné et il ne changea pas durant tout le sermon. Les fidèles n'en croyaient pas leurs oreilles. De toute évidence, ils n'avaient pas gagné au change. Le curé Desmeules était souvent sévère, mais il demeurait humain. Ce n'était pas l'impression que donnait le nouveau venu.

À la sortie de la messe, les gens ne se gênèrent pas pour livrer leurs impressions sur le nouveau curé que l'évêque leur avait envoyé.

— Mance Parenteau m'en avait parlé cette semaine, dit Olivette Beaudet ; mais jamais j'aurais cru qu'il serait aussi bête que ça.

— C'est peut-être parce qu'il était gêné, avança Estelle Marcotte.

— Gêné, lui ! Voyons donc ! C'est clair qu'il se prend pour le pape, dit Simone Lagacé.

— Il est mieux de changer de ton, dit Augustine Durand, l'ancienne cuisinière du curé Desmeules, parce que je mettrai plus les pieds à la grand-messe. J'irai à la basse-messe dite par le vicaire.

— En tout cas, fit Agathe Riendeau, maigre et laid de même, il y a pas de danger que les autres paroisses viennent nous le voler...

Plus loin sur le parvis, un groupe d'une dizaine d'hommes parlaient aussi d'Isidore Pesant.

— Léo, dit Marcelin Delorme au bedeau, on t'a trouvé un curé à ta taille. Pour moi, t'as dû faire de ben gros péchés avec Augustine pour que le ciel nous punisse de même en nous envoyant ce curé-là.

— Parle pas de ce que tu connais pas, répliqua le bedeau. Toi, t'as jamais été marié. Tu sauras qu'un homme marié fait pas de péchés... Il est ben trop fatigué pour ça.

Un éclat de rire accueillit la saillie du petit sexagénaire.

— Vous en faites pas, dit le président de la fabrique avec assurance ; on va le mettre à notre main.

— J'ai comme l'impression que ça presse, fit Lorenzo Camirand. Il m'a l'air bête comme ses pieds, ce prêtre-là.

— Moi, ça me dérange pas, ajouta Jean Bergeron. S'il est bête comme ça, je vais lui fermer la porte de la maison sur les doigts quand il va venir pour sa visite paroissiale.

— J'espère que tout le monde ne fera pas la même chose, conclut le notaire Allard. Si on fait tous ça, on va être les seuls paroissiens du diocèse à avoir un curé qui a pas de doigts.

Peu à peu, la cour d'école se remplit de familles de Saint-Anselme. On aida les marguilliers à dresser une longue table sous les arbres et en quelques instants, cette dernière se couvrit de plats préparés pour la circonstance par des paroissiennes.

Vers midi, le conseil de fabrique au grand complet se dirigea vers le presbytère pour aller chercher le curé Desmeules. Ce dernier avait vu l'attroupement dans la cour d'école de la fenêtre du salon et il se doutait que tout ce remue-ménage était à son intention.

Quand il ouvrit la porte, Omer Lagacé lui dit :

— Monsieur le curé, vos paroissiens aimeraient que vous veniez manger avec eux et ils voudraient vous dire un dernier au revoir.

— Bon, j'arrive, dit Édouard Desmeules en coiffant sa barrette qu'il avait laissée dans l'entrée.

Avant de quitter le presbytère, Édouard Desmeules alla rejoindre son vicaire et son successeur assis au salon en attendant de passer à table.

— Venez-vous avec moi ? leur demanda-t-il.

— Certainement, répondit le vicaire en se levant. Je suis pas pour vous laisser manger seul toutes les bonnes choses qu'on a dû vous préparer.

— Et vous, Monsieur le curé ?

— Je vais m'abstenir, dit sèchement le curé Pesant. C'est une fête en votre honneur et je n'ai rien à y faire.

Les deux prêtres sortirent du presbytère en compagnie des membres du conseil de fabrique et ils entrèrent dans la cour de l'école sous les applaudissements. Ils se frayèrent un chemin jusqu'à la table d'honneur où ils prirent place. Avant de commencer le repas, Omer Lagacé et le notaire Allard se levèrent tour à tour pour remercier leur curé de son dévouement et ils lui rappelèrent avec humour quelques anecdotes savoureuses qui avaient marqué ses années de ministère à Saint-Anselme.

Le curé Desmeules les écouta, en proie à une vive émotion. Il dut se lever à son tour pour remercier, la gorge serrée, ses paroissiens de l'avoir aidé à remplir son rôle de pasteur et pour la fête qu'ils avaient organisée en son honneur. Avant de s'asseoir, il termina en disant :

— J'arrêterai ici. Je pense que vous avez eu assez d'un sermon pour aujourd'hui et que vous avez tous hâte de manger... Et moi aussi.

Une tempête d'applaudissements et de rires salua cette conclusion.

Édouard Desmeules s'empressa de manger pour avoir le temps d'aller saluer chaque famille et adresser un mot à chacun avant son départ.

Vers 15 h, on vint le prévenir que son chauffeur était arrivé. Le prêtre se dirigea alors vers la voiture en passant entre deux haies de paroissiens. Avant de monter à bord, il se retourna pour bénir la foule et il s'engouffra dans le véhicule qui partit lentement en direction de la sortie du village.

Chapitre 31

L'avenir

La première moitié du mois d'août ressembla beaucoup à la fin du mois précédent. Des pluies abondantes firent que la coupe des foins, habituellement terminée dans la dernière semaine de juillet, occupa les premiers jours du mois suivant. À cause de toute cette pluie, il n'était pas rare que le cultivateur doive retourner le foin coupé plusieurs fois dans son champ pour le faire sécher avant de pouvoir l'engranger.

Les Bergeron connurent alors des journées de travail éreintantes. Dès que le soleil se montrait, ils travaillaient de l'aube au crépuscule à la coupe et au ramassage du foin. Quand la dernière charretée eut été déchargée à l'abri, dans la grange, Jean poussa un grand soupir de satisfaction. Malgré la température peu clémente, il avait récolté suffisamment de fourrage pour ses bêtes.

Le reste du mois d'août s'écoula paisible et affairé. Dans les champs, les bêtes cherchaient l'ombre pour échapper à la chaleur. Déjà, on récoltait les légumes du jardin pour les mettre en conserve.

****

Chez les Marcotte, Eusèbe était parvenu à faire avec son fils Jocelyn tout le travail, malgré l'absence de Maurice et de Henri. Paul-Aimé Riendeau méritait largement son salaire d'homme engagé.

Depuis la veille, le gros homme se sentait particulièrement heureux. Henri était passé durant l'après-midi pour leur apprendre que Germaine attendait un enfant pour la fin février. Ce serait le premier de la quatrième génération des Marcotte et le quinquagénaire en ressentait une fierté démesurée. C'était l'assurance que la lignée ne s'éteindrait pas de sitôt.

— Ça donne tout de même un coup de vieux, avait-il dit à Estelle, en cachant maladroitement sa joie. Bientôt, on va se faire appeler grand-père et grand-mère...

— Voyons Eusèbe, on est pas si vieux que ça. On est en santé et on a encore ben des belles années devant nous autres. Attends que tous les enfants soient mariés et qu'ils aient des enfants à leur tour, tu vas voir, ces enfants-là vont nous rajeunir.

— J'ai ben hâte de voir ça.

Trois jours plus tard, Mariette revint de chez la veuve Turcotte, comme tous les samedis matins. En la voyant descendre de la voiture du mari de Rose Lemoyne, Estelle, debout dans son jardin, constata à quel point la jeune fille avait changé au cours des derniers mois. Elle semblait avoir acquis une maturité et une assurance qu'elle ne possédait pas le printemps précédent.

Quand la voiture eut quitté la cour de la ferme, la jeune fille s'avança vers le jardin et vint embrasser sa mère et saluer ses deux sœurs.

— Donnez-moi deux minutes, dit-elle. Le temps de me changer et je reviens vous donner un coup de main.

Durant le dîner, Mariette ne parla pratiquement pas. Elle laissa plutôt Pauline parler des nouveaux meubles confectionnés par Bernard et Estelle discuter avec Marie des vêtements de bébé qu'elles tricoteraient pour l'enfant de Germaine.

Après le repas, la jeune fille dit à sa mère, en essuyant la vaisselle :

— M'man, Madame Turcotte va quitter le village à la fin du mois. Sa fille l'a persuadée de venir vivre avec elle et son mari à Montréal. Elle trouve cela trop difficile de venir en prendre soin chaque fin de semaine. Je pense qu'elle se voyait pas faire ça pendant tout l'hiver.

— Qu'est-ce que madame Turcotte dit de ça ?

— Ça lui fait pas plaisir, mais elle comprend que c'est pour son bien. C'est une cousine de Sainte-Monique qui va louer sa maison.

— Si je comprends ben, tu vas rester avec nous autres à partir du mois de septembre.

— Ben, je sais pas. Ça va dépendre de vous.

— Comment ça ? demanda Estelle, intriguée.

— La fille de madame Turcotte m'a offert de rester chez elle, à Montréal, pour faire mon cours de garde-malade à l'hôpital Notre-Dame. Il paraît que sa maison est grande et qu'elle est pas loin de l'hôpital. Je lui ai pas encore répondu parce que je savais pas ce que vous en penseriez, vous et p'pa.

— Est-ce que ça t'intéresse pour vrai de devenir garde-malade ?

— Oui, j'aimerais ça.

— Bon, je vais en parler à ton père après le souper et on verra ben ce qu'il en dira.

Après le souper, Estelle choisit avec soin le meilleur moment pour parler à Eusèbe de l'offre qui avait été faite à Mariette.

— Ben, voyons donc torrieu ! Veux-tu ben me dire ce qu'ils ont tous à vouloir s'en aller ? s'écria Eusèbe. On les magane pourtant pas, nos enfants.

— C'est pas ça, Eusèbe. Mariette a pas de cavalier et elle est pas prête à se marier. Si elle avait choisi de devenir maîtresse d'école, t'aurais rien dit. Là, elle veut être garde-malade. C'est un aussi bon métier. Ce qui te fatigue, c'est qu'elle va être obligée d'étudier en ville. Mais elle a pas le choix, c'est là qu'on leur enseigne à être garde-malade.

— Ouais !

— En plus, elle sera pas toute seule à Montréal. Elle va rester chez du bon monde et je suis certaine que les Lemoyne vont en prendre soin.

— Si je comprends ben, ça te dérange pas trop que ta fille s'en aille vivre en ville, dit Eusèbe.

— Ça me dérange, mais je pense que c'est pour son bien. Une garde-malade dans la famille, ça peut être utile.

— C'est correct ! Qu'elle y aille ! fit-il en s'enfermant dans un silence boudeur.

****

Quelques jours plus tard, François Riopel s'approcha de la clôture qui séparait son champ du jardin des Bergeron. Isabelle le vit venir et s'approcha après avoir déposé, en bordure du jardin, le plat qu'elle était occupée à remplir de tomates. Le jeune veuf souleva son chapeau pour essuyer la sueur de son front.

— Je suis allé porter des fleurs sur la tombe d'Élise hier soir. Ça fait un an qu'elle est partie, dit-il, la mine sombre.

— Je le sais, François. L'année a été dure pour toi, mais il te reste Aurore.

— Et toi, ajouta-t-il en retrouvant le sourire.

— Mais je suis pas ta fille, rétorqua-t-elle, moqueuse.

— Non, je sais. T'es celle que j'aimerais marier.

— Whow ! pas si vite, François Riopel ! Est-ce que c'est une demande en mariage, ça ?

— Ça y ressemble pas mal, non ? Ça fait longtemps que je pense que t'es la femme qu'il me faut. Mon deuil est fini et j'ai le droit de te demander si tu veux me marier.

La jeune fille prit un air indécis et garda le silence pendant un long moment.

— Je te trouve pas mal vieux pour moi. Je sais pas si je ferais pas mieux de chercher un jeune de mon âge.

— Exagère pas, Isabelle Bergeron. On a que huit ans de différence, dit-il, près de se fâcher.

— T'es sûr qu'on a juste ça de différence ? Je pensais qu'on avait plus.

La jeune fille regarda un long moment son prétendant, comme si elle soupesait le pour et le contre de sa proposition.

— Puis, qu'est-ce que t'en penses ? demanda François, pas du tout assuré de la réponse.

— Bon, si c'est comme ça, je suis ben obligée de te dire « oui », fit Isabelle en éclatant de rire. Il te reste juste à parler à mon père après le souper pour savoir ce qu'il en pense.

****

La journée avait été chaude et ce soir-là, Jean Bergeron avait décidé de laisser Louis et Bernard travailler seuls à la fabrication d'une table de cuisine dans la remise. Il était assis sur la large galerie aux côtés d'Annette, de Colette et d'Isabelle, savourant le calme de cette soirée du mois d'août.

François Riopel vint rendre visite aux Bergeron comme il le faisait plusieurs fois par semaine. À la vue de son père, Aurore s'approcha et s'accrocha à la jambe de son pantalon tant qu'il ne se décida pas à la prendre dans ses bras.

François jeta un coup d'œil à Isabelle, dont les yeux pétillants disaient assez la hâte qu'elle avait de le voir embarrassé par la demande de sa main. Il décida de la faire attendre un peu.

— Bonsoir, dit-il. Je pensais bien vous trouver dans la remise avec vos garçons.

— Après la journée que je viens de faire, fit Jean, j'aime mieux me reposer et profiter un peu de la fraîcheur.

— Est-ce que je peux aller voir le meuble qu'ils sont en train de faire ? demanda-t-il.

— Je vais y aller avec toi, dit Jean Bergeron en se levant.

Pour signifier son mécontentement, Isabelle prit Aurore dans ses bras et alla la mettre au lit en laissant claquer bruyamment la porte derrière elle.

Les deux hommes restèrent dans la remise durant de longues minutes. Quand ils revinrent, Isabelle était de retour sur la galerie. Jean monta les trois marches, mais son voisin demeura debout sur la première.

— Viens t'asseoir un peu, François.

— Je vous remercie, Monsieur Bergeron, mais je pense que je vais y aller. J'ai une bonne journée qui m'attend demain. Bonsoir, Madame Bergeron... Bonsoir, Colette... Bonsoir, Isabelle.

Isabelle le fusilla du regard, mais François fit comme s'il n'avait rien remarqué. Il fit quelques pas dans la cour, puis il revint sur ses pas.

— Ah ! j'oubliais, Monsieur Bergeron...

Les quatre personnes assises sur le balcon le regardèrent.

— Mon deuil a fini hier. Depuis un an, vous vous occupez d'Aurore comme si c'était votre propre enfant... Est-ce que vous accepteriez en plus de me donner la main de votre fille Isabelle ? Je l'aime depuis longtemps et je pense qu'elle dira pas « non ».

Jean regarda Annette. Il se doutait depuis longtemps que François n'attendait que la fin de son deuil pour lui demander sa fille. Isabelle ne dit pas un mot.

— C'est correct si Isabelle le veut, dit Jean en se tournant vers sa cadette.

— Je me demande si je le veux encore, dit la jeune fille. François Riopel, je te connais. T'as fait exprès de me faire poireauter pendant une heure avant de me demander à mon père.

François éclata de rire, imité par ses futurs beaux-parents et Colette.

— C'était pour t'apprendre la patience, ma douce, fit-il.

— Quand est-ce que vous pensez vous fiancer et vous marier ? demanda Annette, redevenue sérieuse.

— On pourrait peut-être se fiancer dès dimanche prochain, fit Isabelle en quêtant l'approbation de François.

— Pourquoi pas ? laissa tomber Jean.

— Et le mariage ?

— Je me demandais si Bernard et Pauline seraient d'accord pour qu'on se marie le même jour qu'eux, à la fin novembre. Un double mariage, ça éviterait de déranger votre famille deux fois, dit François.

— Comme je connais Bernard et Pauline, je penserais pas que ça les dérange ben gros, dit Annette. On va leur en parler. Je pourrais m'arranger avec Estelle pour organiser les noces. Qu'est-ce que t'en dis, Jean ?

— Je trouve que c'est une bonne idée.

Comme prévu, Pauline et Bernard acceptèrent sans réticence cet arrangement. Estelle et Annette parlaient déjà de leurs robes et du menu qu'elles offriraient à leurs invités.

Quelques jours plus tard, Louis trouva son père, songeur, assis sur la plate-forme de la charrette qu'il venait de finir de réparer.

— Qu'est-ce que vous avez à jongler, p'pa ?

Cette question de son fils qu'il n'avait pas vu arriver tira le quadragénaire de sa rêverie.

— Je me disais que les choses changent vite.

— Pourquoi vous dites ça ?

— Ben, j'ai même pas encore 50 ans et déjà la maison est presque vide. Dans trois mois, Bernard, Isabelle et Aurore vont partir. Colette va être à l'école et elle parle de se fiancer à Noël. Toi, on sait pas ce que tu vas décider de faire. Il va rester juste ta mère et moi, tout seuls.

— Vous serez pas tout seuls, inquiétez-vous pas, p'pa. Je retournerai plus vivre à Montréal. Je pense que ma place est ici, sur notre terre. Je me suis habitué et je suis capable de faire l'ouvrage.

— C'est sérieux, ça ?

— C'est sûr ! Pensez pas vous débarrasser facilement de moi comme ça.

Jean donna une bourrade à son fils en signe de contentement et il se leva pour ranger ses outils.

Il était maintenant rassuré. Les Bergeron, tous les Bergeron allaient prendre souche à Saint-Anselme.

Achevé d'imprimer
en l'an deux
mille
trois
sur les
presses des
ateliers Guérin
Montréal (Québec)